トロツキーと
戦前の日本
ミカドの国の預言者

TROTSKY and Prewar Japan : A Prophet in the Land of the Mikado

MORITA Seiya **森田成也**　著

社会評論社

A. Троцкий

序　文

> 「共産主義思想は日本語にだって立派に翻訳することができる。われわれはミカドの国に共産主義思想を移植する……であろう」
> ——トロツキー（1920 年 2 月 17 日）[1]

　『トロツキーと戦前の日本——ミカドの国の預言者』という本書のタイトルを見て、不思議に思った人は少なくないのではないか。たしかに、トロツキーが生きた時代は、日本で言えばいわゆる「戦前」に当たるが、絶対的君主たる天皇（ミカド）が君臨し軍国主義が支配していた戦前の日本と、共産主義運動の中でもとくに過激であるとされているトロツキーとの間に、何らかの関わりがあるようには思われないからである。

　ここには 2 つの誤解があるように思われる。1 つは、戦前の日本は軍国主義一色で、共産主義や社会主義の政治思想は徹底的に弾圧され、ましてやトロツキーのような「過激な」思想家が日本で流布するはずがないという誤解である。たしかに、戦前の日本は全体として天皇制警察国家の下にあって、対外戦争が激化するたびに、国内での弾圧は強まっていった。しかしながら、その一方で、明治以来、社会主義者たちの粘り強い取り組みが一貫して存在していたし、大正デモクラシー期や昭和初期においては、弾圧がありながらも、社会主義・共産主義の思想と運動が大きく花開き、社会的に大きな影響力を（とりわけ若い知識人たちに）与えた。

　もう一つの誤解は、トロツキー自身に関わるものである。トロツキーを過激で極端な共産主義思想家、あるいは危険で暴力的な陰謀家とさえみなす見方は、スターリニズムによって流布された偏見の残滓であるとともに、戦後、一部の「トロツキスト」（たいていはトロツキストでも何でもなかったのだが）による暴力的妄動からつくり出された誤った印象でもある。

　戦前の日本は、ある程度発達した資本主義国の中で、一つのトロツキスト団体も、一人のトロツキストも輩出しなかったほとんど唯一の国である。あれほどマルクス主義が普及していたのに、左翼反対派になったマルクス主義者は一人もいなかった。コミンテルンの方針に疑問を持った人は多数いたが、そういう人はみな転向して、天皇主義者になった。山西英一のように隠れトロツキストはいたが、山西が何らかの形で活動を開始するのは戦後に

なってからである。その意味で、戦前の日本はトロツキストが不在のきわめて珍しい国だった。にもかかわらず、トロツキーの思想はさまざまな形で日本の知識人に影響を与えたし、あるいはトロツキーの動向は途絶えることなく日本の知識人やジャーナリストの関心の対象であった。とくに彼の文学論や日常生活論は、1920年代後半に一種のブームにさえなったし、1924～27年の党内論争に対しては左翼の狭いサークルを越えた関心を日本の知識人の間に掻き立てた。トロツキーが流刑や国外追放の憂き目に遭ってからも、彼の著作や論文は、太平洋戦争が勃発する直前まで、日本で翻訳され続け、議論され続けた。とくに、ソ連のモスクワ裁判や赤軍粛清事件で全世界が揺れた1936～38年には、トロツキーは日本の雑誌で最もその名前が言及される人物にさえなった。左右問わず多くの知識人たちが、モスクワ裁判とその真相をめぐって、トロツキーの陰謀の有無、スターリンとの長年の相克、スターリンの企図について、文字通り口角泡を飛ばして激しく論じ合った[2]。

しかしながら、トロツキーと戦前の日本との関係については、ごく一部の例外を除いて、これまでほとんど研究されてこなかった。戦前の日本における社会主義思想や共産主義運動の歴史については、浩瀚な研究成果が存在するし、講座派と労農派との対立関係をめぐって理論的書物も数多く書かれてきたが、いずれもトロツキーについてはほとんど言及されていない。

本書は、これまでほとんどスポットライトが当たって来なかった戦前の日本におけるトロツキーをテーマとするものである。筆者である私は歴史学者ではなく、日本社会主義運動史の研究者でもない。したがって専門家から見れば、いろいろと不備が目立つだろうが、これまでほぼ空白であった分野にスポットライトを当てた作品として、一つの参考にしていただければ幸いである。

＊＊＊

私が戦前の日本におけるトロツキーというテーマに興味を持つようになったのは、かなり偶然的である。それは今から30年以上前のことで、1990年に東京で開催されたトロツキー没後50周年国際シンポジウムを手伝ったことがきっかけだった。私は一橋大学大学院の経済学研究科の院生だった。その時、日本におけるトロツキーの文献目録を作ることになった。グラムシ関連のシンポでは必ずこの種の文献目録が作られているが、日本ではそれまで一度も本格的なトロツキー関連の文献目録が作られたことがなかった。そこ

で没後 50 周年という節目に、初の本格的なトロツキー日本語文献目録をつくることになったのである。その担当になったのが、一橋大学大学院の先輩だった志田昇氏と後輩の私だった。私は志田氏が『葦牙』という雑誌に執筆掲載したトロツキーの文学論に関する論文を読んで、大いに感銘を受けていたので、志田氏からこの仕事を依頼されたとき、すぐに同意した。

　トロツキー日本語文献目録は大きく戦前編と戦後編とに分けられたが、大変だったのは戦前編であった。志田氏は、先に紹介したトロツキー文学論に関する論文を通じて、すでに、戦前の日本でトロツキーの『文学と革命』が大きな影響力を持っていたことを知っていたので、一般に思われているよりも戦前のトロツキー文献が多いことを知っていたが、実際に調査してみると、その予想をもはるかに上回る数多くの文献が見つかった。秋のシンポジウムに向けて、夏休みに毎日のように一橋大学の図書館に通った日々をなつかしく思い出す。当時、一橋大学図書館の古い書庫にはエアコンが設置されておらず、真夏の暑くて暗い書庫の中で、滝のような汗をかきながら必死に調べたものだ。

　こうして、シンポジウム開催時点で戦前・戦後合わせて約 600 点の文献（翻訳ならびに研究文献、論文を含む）を収録した文献目録を作成・公開することができた。しかし、志田氏と私は、まだ戦前の文献を調べ切っていないという自覚があったので、秋のシンポジウムが終わって以降も調査を続行し、それから 1 年以上かけて、バージョンアップ版の「トロツキー日本語文献目録」を作成した。新しい文献目録に収録された文献数は 900 点に増大し、増大分のほとんどは戦前の文献だった。われわれはこの新しい文献目録を、ドイッチャーのトロツキー 3 部作復刻版の第 2 巻末尾に収録した。その冒頭に付された「文献解題」を見ると、「完全版はいずれ詳しい解説を付けて独立の単行本として出版したいと思う」とあるが [3]、この野望は結局果たされず、その後、志田氏も私も日々の忙しさに紛れて、戦前の文献を再調査することなく 30 年近い月日が流れた。

　私が再び戦前のトロツキー文献の調査に取り組むようになったのは、2019年にドイツの学術雑誌『オリエンス・エクストレムス』に「戦前日本におけるマルクス主義とトロツキー」というテーマで英語論文を投稿したことがきっかけだった [4]。その準備過程で、戦前のトロツキー文献について改めて調査することにした。1990 年に調査したときには、国会図書館や各大学図書館の収蔵図書目録はまだ電子化されておらず、膨大な紙製の図書カードを館内で繰ったり、書庫の中で片っ端から雑誌や書籍を開きながら調べるし

かなかった。しかし、現在ではその大部分が電子化されており、ネットを通じて検索することができるようになっている。国会図書館所蔵の文献に関しては、論文名も検索できる。そのおかげで、1990～91年の時点では発見できなかった多くのトロツキー翻訳文献を新たに発見することができた。最終的に、戦前の日本ではトロツキーの著作の翻訳は40点近く、論文の翻訳は170点以上、合計200点以上にのぼる翻訳が出されていることがわかった（詳しくは本書の付録1参照）。

＊ ＊ ＊

　本書の第1章は、このドイツの雑誌に寄稿した論文が元になっているが、それを大幅に拡充した。この論文では、戦前の日本の特殊な発展過程のうちに日本におけるマルクス主義の飛躍的発展とその急速な衰退の根拠を求めつつ、戦前日本におけるトロツキーの受容の独特の過程を明らかにした。この第1章は、本書全体の入口をなすとともに、本書の全体像を簡略に提示したものでもある。

　トロツキーの日本論について分析した第2章と、同時代に実際にトロツキーを目撃した日本人の証言を紹介した第3章は、『トロツキー研究』第35号（2001年）で「トロツキーと日本」を特集した時に執筆した論文がもとになっている。どちらも大幅に加筆修正されている。

　第4章は、『葦牙』第14号（1991年）に掲載された論文がもとになっている。それは、本書に収録された諸論文の中で最も古いもので、私が初めて書いた本格的な論文でもある。モスクワ裁判について同時代の日本人がどう見たかを、当時の日本の新聞や雑誌に掲載された多くの論稿を使って明らかにしたものだ。モスクワ裁判関連の当時の論稿は数百点あり、同章で用いた資料はその一部にすぎない。本書に収録するにあたって、若干の加筆修正をした。

　第5章と第6章は本書のための書下ろしである。まず第5章は、戦前のアナキスト活動家で、ソ連事情にも詳しかった延島英一が、『現代新聞批判』という関西の隔週誌に書いたモスクワ裁判論を扱っている。もともとは第4章の単なる補論として書き始めたのだが、書いているうちにどんどん分量が増えたため、結局、独立の章にすることにした。第6章は本書全体への補論のようなもので、トロツキーをその一部とする戦前のマルクス主義翻訳文献の盛衰について明らかにした。『科学的社会主義』に上下で同じテーマで論文を寄稿したが[5]、本書に収録したものはそれとは別物であり、まったく

独自に執筆したものである。

　戦前の文献から引用する際は、漢字その他の表記を現代風に改め、難しい読みの字には読み方を入れたり、仮名表記に変えたりしている。当初の構想では、2章の「トロツキーの日本論」に続いて、「日本人のトロツキー論」と題して、戦前日本の知識人が論じたトロツキー像を時系列で詳細に分析・紹介する予定だったが、分量が増えすぎることになるので断念した。いつか完成させて、発表する機会があればと思う。

　本書の最後に2つの付録を収録した。付録の1つ目は、戦前におけるトロツキー翻訳文献（著作と論文）の目録である。1992年時の目録よりも数十点増えている。当初は、トロツキーに関する著作・論文（モスクワ裁判関連を含む）も収録する予定だったのだが、分量の関係で断念することにした。付録の2つ目は、トロツキーが1925年8月に『日常生活の諸問題』日本語版のために書き始めた序文である。結局、未完成のままに終わって、トロツキーの個人アーカイブの中に納まっていたのを、今回訳出することにした[6]。本邦初訳である。

　なお、本書に、『科学的社会主義』に寄稿した「トロツキーと戦前の労農派知識人」上下を加筆修正のうえ収録する予定だったが、これも分量の関係で断念した[7]。

＊＊＊

　戦前におけるマルクス主義文献の驚くほどの普及ぶりを改めて見るとき、「時代精神」というものを感じないわけにはいかない。20世紀はマルクス主義の世紀でもあり、無数の若者や知識人、労働者を魅了したマルクス主義の力は、戦前の天皇制警察国家によるあの過酷な弾圧をもってしても、一時的に押しとどめることができただけであった。そして、戦争が終わり、天皇制国家の重い石が取り除かれるやいなや、マルクス主義文献はたちどころ日本中を席巻するようになるのである。だが、今日ではどうだろうか？

　マルクス主義の世紀であった20世紀が、ソ連・東欧の崩壊、中国の「半資本主義」化、自由主義グローバリゼーションの席巻で終わりを告げると、マルクス主義もまたその力を失っていった。世界的な貧富の格差の拡大や、気候変動などの資本主義の行き詰まり、世界各国における民主主義の劣化にもかかわらず、今日、マルクス主義は世界史的な危機に陥っている。いや、「危機」というのでさえ生ぬるい表現かもしれない。現在、マルクス主義は明白

な衰退の途上にある。2022 年 2 月から始まったロシアによるウクライナ侵攻（それは 21 世紀における新しい帝国主義の時代を切り開くものでもあった）は、この過程にいっそう拍車をかけた。ソ連はとっくに存在せず、現在のロシアは腐敗した資本主義的帝国主義の一形態であるにもかかわらず、人々の意識の中ではいまだに共産主義とロシアは結びついているようだ。

　こうしたマルクス主義の衰退の時代に本書は出版される。本書の出版そのものがきわめて厳しい条件のもとでなされたことは言うまでもない。この衰退の過程がいずれ停止し、新しい再生の道に進むことができるかどうかは、私にはわからない。しかし、その日が来ることを信じて、本書を世に送り出そうと思う。戦前の日本のあのはるかに厳しい状況のもとでも、けっしてくじけることなくマルクス主義文献を出し続けた先人たちがいたのだから。

2022 年 5 月 30 日

【注】
(1) トロツキー「エカチェリンブルク市党組織および労働者組織による戦勝記念合同会議における演説」『戦時共産主義期の経済』現代思潮社、1971 年、325 頁。
(2) 志田昇・西島栄「トロツキー日本語文献目録」、ドイッチャー『武力なき預言者トロツキー』新評論、1992 年、560 〜 568 頁。その文献目録だけで 140 本以上の論文がリストアップされている。「西島栄」は当時の私のペンネーム。
(3) 前掲志田・西島「トロツキー日本語文献目録」、524 頁。
(4) MORITA Seiya, 'Marxism and Trotsky in Pre-war Japan', *Oriens Extremus*, vol. 57 (2018-2019), https://archiv.oriens-extremus.org/57/OE-57-10.pdf
(5) 森田成也「戦前日本におけるマルクス主義翻訳文献の盛衰」上下、『科学的社会主義』4 月号 & 6 月号、2022 年。
(6) *Коммунистическая оппозиция в СССР, 1923-1927*, том 1, Редактор-составитель Ю. Фельштинский, "TERRA", 1990. http://www.lib.ru/HISTORY/FELSHTINSKY/oppoz1.txt
(7) 森田成也「トロツキーと戦前の労農派知識人」『科学的社会主義』8 月号 & 10 月号、2020 年。以下のサイトに大幅増補版をアップしておいた。https://www.academia.edu/80149974/

トロツキーと戦前の日本 ――ミカドの国の預言者

第 I 章

戦前日本における
トロツキーとマルクス主義

「諸君もご存知のように、日本はその偉大な模倣能力の点できわだって
いる。これは、何か自然の特別な贈り物でもなければ、民族的特徴でも
ない。それは、他の国よりも遅れて世界発展の道に参入した民族の特徴
であり、そうした民族は、他の国に追いつくために飛躍することを余儀
なくされている。……日本人の大多数は、今なお、中世的なイデオロギー
的野蛮の中に足をとられている。しかし、まさに状況がこのようなもの
であることからして、前方への飛躍は不可避であろう」
　　　　　　　　　　　　　　　——トロツキー（1918 年 11 月 18 日）[1]

「日本は近代技術の実践的成果——とくに軍事的成果——を求めて突っ
走っているが、イデオロギー的には、依然として中世の深い底にいる。
エジソンと孔子との結合が、日本のあらゆる文化に刻印を押している」
　　　　　　　　　　　　　　　——トロツキー（1933 年 7 月 12 日）[2]

　周知のように、戦前の日本は、軍部、財界、寄生地主制、天皇制によって
支配された疑似立憲君主制の帝国主義国家であった。日本国民は多くの市民
的権利を、何よりも表現・出版・結社の自由を否定されるか、大幅に制限さ
れていた。そして、女性と少数民族、植民地人民はなおさら厳しい制約下に
置かれていた。こうしたきわめて抑圧的な条件にもかかわらず、戦前日本の
社会主義者やその他の進歩派知識人は大胆にも、マルクス、エンゲルス、カ
ウツキー、ローザ・ルクセンブルク、プレハーノフ、レーニン、スターリン、
ブハーリン、そしてトロツキーといった多くのマルクス主義者やボリシェ
ヴィキの文献を大量に翻訳し普及した。日本社会がほとんど完全に専制的軍
国主義体制によって制圧されて左翼の出版活動がほぼ不可能になる 1930 年

代末まで、日本は、ソ連を別格とすれば、世界で最も多くのマルクス主義文献が出版された国であった。1928 〜 33 年に日本のマルクス主義者と進歩派知識人によって、世界最初の本格的な『マルクス・エンゲルス全集』が独自に編集され出版された事実は、世界マルクス主義史における戦前日本のユニークで傑出した地位を端的に示している。

　さらにユニークな事実は、戦前の日本には一人のトロツキストもいなかったにもかかわらず（１人の隠れトロツキストを除けば）、トロツキーの著作や論文の多くが1918 〜 1941 年のあいだに日本語に翻訳され出版されたことである。トロツキーについて（批判的ないし共感的に）論じた著作・論文も多数にのぼる。そして、彼の著作・論文はマルクス主義者やその他の進歩派（とりわけ日本のプロレタリア文学界）に影響を与えただけでなく、日本のメディアや政府関係者にも影響を及ぼした。本稿は、戦前のトロツキー文献を重要な手掛かりにして、戦前日本におけるマルクス主義のこうしたきわめてユニークな特徴について考察する。

１．日本の近代化の特殊性と社会主義思想の導入

　日本における近代化の特殊性を理解するためには、次の２つの点を踏まえる必要がある。まず第１に、日本が欧米先進諸国に大きく遅れて資本主義的近代化に乗り出した典型的な後発資本主義国であったこと、第２に、それと同時に、日本は明治維新を通じてアジアでは最も早く近代化を成し遂げたという意味で、アジア圏内では先発資本主義国であったことである。この２つの矛盾した歴史的特殊性が、明治維新後の日本の独特の発展過程を主として規定する文脈である。まず、第１の日本の歴史的後発性について見てみよう。

　歴史的後発諸国における発展の特殊性について、トロツキーは、有名な『ロシア革命史』の一節において次のように述べている。

　　歴史の法則性は、衒学的な図式主義といかなる共通性も有していない。不均等性は、歴史過程の最も一般的な法則であって、それは、後発国の運命のうちに最も先鋭で複雑な形で現われる。外的な必要性の鞭のもと、後進国は飛躍を行なうことを余儀なくされる。不均等性という普遍的法則からもう一つの法則が生じる。他により適切な名称がないので、それを複合発展の法則と呼ぶことにしよう。さまざまな発展段階の接近融合、個々の段

階の結合、時代遅れとなった古い形態と最も現代的な形態とのアマルガムである。[(3)]

　このような特徴づけは、戦前の日本における歴史的発展に典型的に当てはまる。江戸時代（1603 ～ 1868 年）、日本の封建体制は 200 年以上にわたってその孤立主義的政策（いわゆる「鎖国」政策）を維持した。その間に、西欧諸国では産業資本主義が勃興し高度な発展を遂げ、大規模な常備軍と高度な武器をともなった強力で中央集権的な近代国民国家を形成した。これらの国はその後、世界帝国主義の道に入り、相互に競争し合い衝突しながら、アジアの広大な地域を植民地化するに至る。西欧諸国がついに、資本主義の２つの中心地であるヨーロッパと北アメリカから最も遠く離れた日本という小さな島国に到達した時、徳川政権（江戸幕府）は、その長年にわたる支配と時代遅れの封建的な経済的土台ゆえにすでにその政治的・経済的権力が衰退しつつあり、西欧列強諸国に対して、戦争も紛争もなしに自国を開放した。それに続く 10 年間の「疾風怒濤」時代を経て、新しい近代国民国家である明治政府がこの島国に成立した。

　日本のこの新たな体制は成立するやいなや、神権政治的な帝国モデルにもとづくウルトラ中央集権的国家の形態を取り、上からの資本主義的産業化に着手すると同時に、軍備の大規模な拡張を開始し、他の東アジア諸国に対する帝国主義的対外政策を採用した。自国よりもはるかに強力で豊かな西欧列強と張り合うために、明治政府は、半封建的な文化と伝統を維持したまま、また何らかの本格的な自由民主主義が不在なまま、「富国強兵」の名のもと、西洋の最先端の技術を輸入しながら産業化と軍国化の道をひたすら邁進した（エジソンと孔子の結合！）。

　ここで重要な意味を持つのが、日本の近代化における第２の特徴たる、アジア圏内における日本の先発的性格である。日本は欧米列強の脅威と闘うために上からの近代化と軍国化を急速に成し遂げたのだが、自国の周囲にあったのは、中国の清や朝鮮半島の李氏朝鮮のように、なお封建的で、強力な近代中央集権国家を持たない諸国だった。日本は欧米から輸入した武器と技術でもって容易に周辺アジア諸国に対して優位に立つことができ、したがってその帝国主義政策を実行することができた。それと同時に、このアジア的先発性のせいで、近代の日本人はアジア諸国民に対して一種の民族的優越心を抱くことになり、欧米列強の帝国主義に対抗してアジアを再興させる歴史的使命は他ならぬ日本国家にあるのだとの民族的自惚れを抱くに至った。この

ような認識は結局のところ、最終的に、アメリカ帝国主義との本格的な戦争
によって徹底的に打ちのめされるまで日本の知識人たちの大部分を支配した
のである。

　さて、こうした特殊な状況のもと、日本の進歩的知識人の第一世代は積極
的にヨーロッパとアメリカから自由・民主主義思想を輸入し、それを日本語
に翻訳した。その際、彼らはしばしば新しい日本語を造語しなければならな
かった。'freedom' に「自由」、'equality' に「平等」、'society' に「社会」、'rights'
に「権利」といった具合である。そしてこれらの新しい言葉は後に中国に逆
輸入されたが、それもアジアの中の先発国でもあったという近代日本の特殊
な地位による。こうした先進的知識人の影響のもと、日本の中産階級（士族
や富裕層）を中心とした自由民権運動として知られる大衆運動が出現し [4]、
市民的自由や民主的議会制度を提唱した。

　先に述べた明治体制の特徴である、中央集権的な神権主義的君主制国家を
伴った上からの急速な産業化と、帝国主義的外交政策を伴った無謀な軍国化
とは、新たに形成されつつあった日本の労働者階級（主として女性からなる）
の貧困と窮乏化を生み出すとともに、東アジアの他の国々との軍事衝突を引
き起こした。このような状況は、日本の遅ればせの近代化と早熟な帝国主義
化とのアマルガムである福沢諭吉のような明治期思想家を数多く生み出す一
方で、一部の中産階級インテリゲンツィアが急速にブルジョア自由主義から、
平和主義的、反帝国主義的、社会主義的、無政府主義的、そして半マルクス
主義的な思想へと飛躍する事態をも生み出した [5]。

　一例を挙げると、最も有名な日本人社会主義者の一人である幸徳秋水は、
最初は中江兆民――ルソーの『社会契約論』を訳したことで有名な日本の
自由主義思想家――の熱心な追随者であったが、すぐに日本における初期社
会主義者の一人となった。早くも 1901 年に、幸徳はある新聞の論説で「わ
れ社会主義者なり」と宣言し、その同じ年に『帝国主義―― 20 世紀の怪物』
という著作を出版している。その中で彼は、日本を含む資本主義諸国の帝国
主義、軍国主義、偏狭な愛国主義を論難した [6]。帝国主義に対するこの批
判的分析の出版は、レーニンの『帝国主義論』よりも 16 年も早いものだっ
た [7]。1903 年、幸徳秋水と堺利彦（もう一人の初期社会主義者で、後に幸徳と
ともに『共産党宣言』の翻訳者となる）は平民社を発足させ、『平民新聞』と
いう週刊誌を創刊した。同誌は当時、日本で最も影響力のある左翼ジャーナ
リズムとなった。その創刊号には日本の社会主義者たちの共同宣言である「平
民社宣言」が掲載されたが、それはフランス革命の中心的スローガンである

「自由、平等、友愛」と、生産・運輸手段の国有化という典型的な社会主義的要求や、すべての国の全面的軍備撤廃という急進的な平和主義とを結びつけていた。

　ちょうど前世代の知識人たちが啓蒙思想を輸入し翻訳したように、日本の初期社会主義者たちは欧米の社会主義文献を熱心に研究し日本語に翻訳した。その一つがマルクスとエンゲルスの『共産党宣言』だった。1904年、幸徳秋水と堺利彦は大胆にも、この最も危険な著作をその英語版から翻訳し、それを（第3章を除いて）『平民新聞』の1周年記念号に発表した [8]。『共産党宣言』の訳が掲載されたこの号はただちに発禁処分となり、翻訳者である幸徳と堺は警察に検挙された。獄中で、幸徳秋水はロシアの著名な無政府主義者であるクロポトキンを読み [9]、出獄する頃には無政府共産主義者になっていた。

　釈放後、幸徳秋水とその他多くの社会主義者とアナーキストの活動家たちは、1910年5月に明治天皇暗殺未遂の陰謀をたくらんだという罪で逮捕された。だが、幸徳秋水を含む被告に不利な証拠はおおむね状況証拠であるか、あるいはでっち上げられたものだった。26人の被告のうち24人に死刑が宣告され、幸徳を含む半数が1911年1月に実際に刑を執行された。絞首刑に処される2週間前、幸徳は弁護士に宛てた手紙の中で次のように述べている。

　　お申しこしの趣きは、今回事件に関する感想を、とのことでしたが、事ここに至って、今まさになにをか言わんかです。また言おうとしても、言うべき自由がないのです。思うに百年の後、だれか私に代わって言ってくれるものがあるだろう、と考えています。[10]

　このいわゆる「大逆事件」は日本国民を震え上がらせ、社会主義者やアナーキストには恐るべきテロリストというレッテルが貼られた。この大逆事件当時たまたま別の弾圧事件で獄中にいた社会主義者たち、山川均、大杉栄、堺利彦、荒畑寒村など（次の時代の礎を築く人々）は連座を免れたが、公然活動はほとんどできなくなった。そして、この事件を契機に、明治後期には、潜在的に危険とみなされたさまざまなイデオロギーに対する思想統制と弾圧が強化された。このいわゆる「冬の時代」、多くの社会主義者たちは生活に困窮し、たとえば堺利彦は、非政治的な書き物や売文をなりわいにして、何とか糊口をしのいだ [11]。しかし、この間に、日本の社会主義者たちは外国語を学習したり、主に英語の著作を通じてマルクスとエンゲルスの著作を研究

したりした。この経験は、1917年以降におけるマルクス主義文献の飛躍的普及の基礎を築くことになる。

1914年の第1次世界大戦の勃発と、それによって生じた日本の軍需景気の結果、日本の労働者階級は爆発的に膨れ上がり、労働運動は急速に成長した。そうした状況の中で、国際的な歴史的大事件が起こり、それが、世界の他の諸国と同じく、日本にも決定的で不可逆的な影響を与えるのである。1917年のロシア革命がそれである。

2. ロシア革命の衝撃と社会主義の分裂

日本社会主義者の第一世代（明治期社会主義者）は、キリスト教社会主義者、社会改革主義者、労働組合主義者、アナーキスト、アナルコ・サンディカリスト、マルクス主義者、国家社会主義者、トルストイ主義者、その他の種々雑多な社会主義者によって構成されたかなり混交的な集団であり、さまざまなタイプの社会主義者の曖昧な連続体をなしていた。たしかにそれ以前にも、直接行動派と議会重視派との対立と分裂は存在したが、それは主に心情的・個性的なものであって、理論体系としての対立ではなかったし、大逆事件とその後の弾圧は直接行動派を事実上消滅させることで、この最初の初歩的な分裂を一掃した。大幅に縮小した日本の社会主義者は異種混交的な連続体としてのみ存続した。

たとえば、彼らが当時発行していた『平民新聞』『直言』（『平民新聞』の廃刊後にほぼ同じメンバーによって創刊された月刊誌）、『社会主義研究』『新社会』という新聞雑誌には、マルクス、エンゲルス、カウツキーらと並んで、ラサール、クロポトキン、トルストイらも学ぶべき対象として取り上げられている。そうした混交性と曖昧さの理由の一つは、彼らはごくわずかな外国語文献、とりわけ英語文献の輸入にもとづいてその見解を形成していたことにある。

たとえば、1903年に出版された幸徳秋水の最初の社会主義文献である『社会主義神髄』——同書は明治期において日本人によって書かれた中で最も普及した社会主義文献の一つである——の序文の中で、同書が8冊の英語文献にもとづいて執筆されたと書かれている。それらの文献の中には、マルクス＆エンゲルスの『共産党宣言』、マルクスの『資本論』、エンゲルスの『空想から科学への社会主義の発展』というマルクス主義の基本文献以外にも、アメリカの社会主義者カーカップの『社会主義研究』、アメリカの制度学派の

経済学者であるリチャード・イーライの『社会主義と社会改良』、著名なキリスト教社会主義者で社会改革家であるウィリアム・ブリスの『社会主義ハンドブック』と『社会改良エンサイクロペディア』が挙げられている[12]。

しかし、1917年のロシア革命とその結果成立したソヴィエト国家の持続的存在、1919年に創立された共産主義インターナショナル（コミンテルン）とその活動は、こうした状況を根本的に変えた。それらは日本社会と日本の社会主義者のうちに少なくとも次の4つの大きな変化をつくり出した。

第1に、それまでそうしたものに関心を示してこなかった人々を含め、日本の知識人と一般労働者のあいだにマルクス主義と社会主義革命に対する巨大な関心を生み出したことである。それを可能としたのはもちろん、後でも述べるが、それ以前に急成長し都市に集中するようになった巨大な産業労働者階級の成立とその低く惨めな地位、そして1917～1919年に日本の都市と農村を席巻したストライキの波と米騒動による階級意識の原初的形成であった。そうした階級的基盤なしには、ロシア革命といえども、それほど大きな影響を与えなかったろう。ロシア革命という外部からの衝撃と、日本自身における内的な階級的成長とが結合して、ここにおいて初めてマルクス主義は日本社会のうちに大衆的基盤を獲得したのである。

第2に、それまではほぼ雑多な英語文献に頼っていた日本の社会主義者たちに対して、ロシア革命はマルクス主義の広大な世界（とりわけ、ドイツとロシアのマルクス主義世界）を切り開き、それにもとづいて、一個の独立した知の体系としてのマルクス主義を初めて本格的に日本に導入したことである。それは、もはやさまざまな社会主義主義思想のワン・オブ・ゼムではなく、真に科学的で体系的で内的に統一された唯一無二の社会主義思想としてのヘゲモニー的地位を日本の社会主義者や先進的労働者の間でも勝ち取ることになった。この意味で、日本の進歩的知識人と先進的労働者は、ボリシェヴィズムを通じて初めて本格的にマルクス主義を受容したと言える（その反面、明治期社会主義にあった多様性はなくなっていく）。

ロシア革命とコミンテルンが作り出した第3の変化は、それらが、日本の社会主義者たちに対して、日本国家と日本社会を厳密にマルクス主義的方法を用いて分析する手段を与え、しかるべき科学的分析に基づいて日本社会の革命的変革の路線を確立する可能性を与えたことである。それ以前は、日本の社会主義者たちは、いくつかの外国語の著作とパンフレットにもとづいて自らの進路を手探りしていたのであり、彼らの努力は、日本社会の独自の分析とそれにもとづいた確固たる政治的路線を確立するにはあまりにも初歩的

でディレッタントであった。マルクス主義の本格的な導入こそがこのような分析を可能としたのである。

　第4に、ロシア革命とコミンテルンは、混交的な社会主義者たちの連続体を決定的に破壊し、ボリシェヴィキ的マルクス主義者とその他の社会主義者たちとのあいだに明確な一線を引いた。こうして、1920年代初頭以降、日本の社会主義者は2つの相対立するグループに分裂した。ボリシェヴィズムの献身的な支持者の陣営と、ボリシェヴィズムに対する手厳しい批判者であったアナーキスト（無政府主義者）の陣営とにである。

　1922年（実質的には前年から活動が始まっていた）、日本共産党がコミンテルンの一支部として秘密裏に結成されたとき、日本人社会主義者におけるこの政治的分裂はより決定的なものとなった。ほとんどの著名な社会主義者は、大杉栄のような献身的なアナーキストを除いて[13]、共産党の結成に参加した。その中には、堺利彦、山川均、荒畑寒村、近藤栄蔵などが含まれる。しかし、共産党のこの最初の小組織は、翌年6月には、天皇制政府による厳しい弾圧によって破壊される（第1次共産党事件）。さらに、同じ1923年9月、10万人以上の犠牲者を出した関東大震災の最中に、多くの共産主義者、社会主義者、無政府主義者、組合活動家たちが軍と警察によって虐殺されたり（たとえば、共産主義青年同盟の指導者川合義虎や最も著名な無政府主義者である大杉栄や伊藤野枝など）、激しい暴行を受けたりした。さらに、約6000人もの在日朝鮮人が日本人暴徒によって殺された[14]。これは平時になされたものとしては近代史上最大の民族虐殺の一つである。こうした要因に加えて、ほとんどの党指導者たちは、日本共産党の結成は時期尚早だったと考え、1924年2月にはその解散を決定するに至る。

　2年後の1926年、日本共産党は再建されるに至ったが（いわゆる第2次共産党）、その時にはすでに、共産主義者やマルクス主義者の中での意見や見解は多くの問題をめぐって分裂していた。日本資本主義の現状をどのように特徴づけるべきか、天皇制に対してどのような態度を取るべきか、日本革命の展望をどのように構想するべきか、どのような組織原則にもとづいて党が再組織されるべきか、党と大衆団体との関係はどうあるべきか、等々である。こうした意見対立や、当時共産党を支配していた福本イズムへの反発もあって、多くの有力なマルクス主義者たちが第2次共産党には参加せず、その代わり半ば独立したマルクス主義グループを結成した。このグループは理論的および政治的には多かれ少なかれ引き続きレーニン主義とコミンテルンの全般的路線に忠実であったが、組織的には独立した存在であった。

このグループのメンバー（山川均、堺利彦、荒畑寒村、猪俣津南雄など）は1927 年末から『労農』という月刊誌を発行するようになったので、後に「労農派」と呼ばれるようになった[15]。他方、第2次共産党に参加したその他のマルクス主義知識人たちは、1932 〜 33 年に『日本資本主義発達史講座』というタイトルのアカデミックなシリーズ本を出版したので、後に「講座派」として知られるようになる。こうして、マルクス主義者とアナーキストとの古い分裂に代わって、講座派と労農派という新しい分裂が日本左翼の中に生まれたのである。この両者は、とりわけ、共産党の綱領となったコミンテルンの 27 年テーゼ、32 年テーゼをめぐって鋭く理論的に対立した。こうして、この2つのグループのあいだで日本資本主義論争をはじめ多くの論争が闘わされるのだが、この理論的・政治的な対立関係は戦後もずっと残ることになる。

ここで日本における労働者政党ないし社会主義政党の歴史を振り返ってみると、ある特殊性に気づく。1920 年代初頭に共産党が結成されるまで、日本には労働者政党ないし社会主義政党の歴史はほとんどないに等しかった。1901 年に社会民主党が結成されたが、ただちに禁止されている。1906 年にはより広い基盤にもとづいて日本社会党が結成され、それなりに活動を展開したが、翌年には禁止されている。さまざまな大衆的労働者政党や社会主義政党の長い歴史の後に共産党が結成された欧米とは異なって、日本ではこの第1次日本共産党の結成が日本におけるほぼ初めての本格的な社会主義政党の結成だったと言ってもよい。それは秘密結社であり、成りたてのマルクス主義知識人たちをかき集めて即興的に作られたごく小規模なものだったが、それでもマルクス主義によって理論的に統合され、日本の社会主義革命をめざし、国際組織との明確なつながりを持った唯一のものだった。

そしてそれは、その規模以上に大きな影響力を日本の社会主義者や組合活動家に及ぼした。非共産党の労働者政党ないし社会主義政党はむしろ、第1次共産党が崩壊した後に初めて本格的に日本で発展することになる。欧米のように既存の社会民主主義政党からその発展と内部闘争の帰結として共産党が生まれたのではなく、共産党から多様な労働者（無産）政党が―――一部は共産党のより大衆的で合法的な形態として、一部は共産党に対抗して―――生まれたのである。

このような変則性は、日本における過酷な弾圧体制の結果であるとともに、より大きな視野で見れば、日本における複合発展法則の一つの現われであったとも言える。第1次共産党にあらゆるタイプの社会主義者がいっせいに参

加したことも、またそれがすぐに解体して、その後により多様な労働者政党やマルクス主義集団が形成されたのも、日本における歴史発展の複合性からして、かなりの程度必然的であった。日本の社会主義者や組合活動家たちが労働者政党としての独自の階級的・政治的立場を確立して政治活動に足を踏み出すためだけであっても、まずもってロシア革命とボリシェヴィズムの洗礼を必要としたのである。

3. 「大翻訳時代」の到来と終焉

　このようなマルクス主義陣営の分裂や、共産党の非合法的地位、あるいは官憲による過酷な弾圧にもかかわらず、日本のマルクス主義者および、マルクス主義に親和的な知識人と活動家は、1920年代半ばから1930年代末にかけて、海外（主としてドイツとロシア）のマルクス主義者たちの文献の翻訳を中心とする膨大な量のマルクス主義関係の著作・パンフレットを出版し、次々とさまざまな雑誌を刊行した。

　1917年以前は、マルクスおよびマルクス主義に関連する文献は日本ではごくわずかしか出版されていなかった[16]。その稀有な例の一つが、1902年に出版された西川光次郎の『カール・マルクス――人道の戦士、社会主義の父』である。西川は左翼の出版人で、平民社の編集者でもあり、幸徳と堺が『平民新聞』に『共産党宣言』の翻訳を掲載した際には、両名といっしょに逮捕されている。西川の著作のタイトルが示すように、マルクスはその他の社会主義者から明確に区別される革命的共産主義者としてではなく、典型的な人道主義者にして社会改革者の一人とみなされていた。

> 　われらは「人道の戦士」の典型をわが国人に示す必要を感じて、カール・マルクスを選べり。彼は実に真正の改革者にして、人道の戦士にあり。即ち、われらがここにカール・マルクスを伝する第一の目的は、わが国人に「人道の戦士」の典型を示さんとするにある。[17]

　彼がこの著作を書く上で参考にしたのはわずか3冊であり、その中でマルクス主義者の著作と言えるのは、ヴィルヘルム・リープクネヒトの『カール・マルクス』だけで、マルクスの生涯に関する前半部分はこの著作にもっぱらのっとり、後半の、マルクス主義についての解説部分はほとんどもっぱらゾ

ムバルトに依っている。明治および大正初期には、日本の社会主義者ないし進歩的知識人にとって、マルクスは名を挙げるに値する多くの社会主義者たち（クロポトキン、ロートヴェルトス、ラサール、プルードン、エドワード・カーペンター、さらにはトルストイも）の１人だった。

　だがすでに述べたように、1917年のロシア革命、さらに、1917年から1920年にかけてのいわゆる「米騒動」と都市部における工場ストライキの大きな波（これは第一次世界大戦とそれに続くシベリア出兵に起因する米価の高騰によるものだった）は、日本社会に強力な影響を及ぼし、社会的雰囲気を一変させた[18]。大逆事件後の「冬の時代」は終わりを告げ、大正デモクラシーの高揚した雰囲気と共に、マルクス主義の発展の大きな機運が生じた。ここでも不均等・複合発展法則にもとづいて、日本は、およそ主要な資本主義諸国の中で、最もマルクス主義が発達していなかった国から、最もマルクス主義が隆盛を誇る国の一つへと飛躍したのである[19]。トロツキーは1918年11月の報告の中ですでに、日本の労働者人民のこのような大きな政治的飛躍の可能性を予想している。

　　この数ヶ月間にわれわれのところに届いた情報によれば、日本で強力な革命的ストライキ運動が展開され、約200万人もの労働者が「米と平和！」というスローガンのもとに参加した。これはまさにわれわれのスローガンであったものである。ただ違うのは、われわれの「パン」の代わりに、日本の「米」がきていることである。……

　　われわれは、日本の労働者階級を後進的な労働者階級とみなしている。これは本当である。その大多数はきわめて後進的である。しかし、ほんの昨日まで、われわれのこと、すなわちロシアの労働者階級のことについて人々は同じように言っていたのではなかったか？……われわれはこう答えた、「われわれが、現在のように、全体としてのプロレタリアートの意識にのみ自分たちの希望を置いているのであれば、たしかに、君の批判は正しいだろう。しかし、客観的な論理、わが国の集中された工業の論理、ロシア・ツァーリズムの論理、ロシア・ブルジョアジーの反革命的本質の論理、小ブルジョア的民主主義の脆弱さの論理、国際情勢の論理も存在する。これらの外的で客観的な論理は、ロシア労働者階級を駆り立てる歴史の棒となり、最初はたとえ彼らの意識と衝突したとしても、結局は、彼らを権力獲得の道へと追いやるだろう」。

　　われわれの正しかったことが明らかになった。同じことは日本の労働者

階級についても言える。日本の労働者階級は、さらに遅れて歴史的発展の
道に入った。それゆえ、いっそう急速に発展することを余儀なくされてい
る。[20]

　この預言の通り、1920 年代半ば以降、日本の先進的労働者と進歩的知識
人は、何十もの労働組合、あらゆる種類の階級的な文化団体や文化運動、労
農政党、左翼雑誌、左翼出版社、マルクス主義や社会科学の読書会や研究会、
セツルメント運動、さらにはエスペラント運動、等々を創出するとともに、
既存のメディアや主流の知識人たちにも大いに影響を与えた[21]。ここに見
られるのは、民主主義や文化・知識・教養に対する日本労働者階級の最も初
歩的な階級的・文化的諸欲求と、高度にマルクス主義的な階級政治との結合
であり、これもまた複合発展の一つの典型的な現われであった。
　この結合を最も端的に示しているのが、「プロレタリア」をタイトルやシ
リーズ名に冠した出版物の発行点数の激増である。1920 年代末まで年にほ
とんど数点かゼロ点だったのが、1928 〜 29 年から一気に増え、1930 年にあっ
という間に 100 点を超える。1930 年前後に出版された「プロレタリア」を
タイトルないしシリーズ名に入れている文献の大部分は、政治や経済関係で
はなく、圧倒的に文化関係であった。「プロレタリア文学」は当然のことと
して、「プロレタリア詩」「プロレタリア短歌」「プロレタリア映画」「プロレ
タリア芸術」「プロレタリア美術」「プロレタリア音楽」「プロレタリア演劇」
「プロレタリア・エスペラント」、さらには「プロレタリア童謡」や「プロレ
タリア児童文学」に至るまで、あらゆる文化的なものに「プロレタリア」を
冠した著作や雑誌が文字通り山のように出版され、またプロレタリアを冠し
た多くの団体が生まれた[22]。
　こうして、日本は 1920 年代半ばから 1930 年代半ばにかけてマルクス主義
文献の出版の途方もない隆盛を見ることになる。その中心は、すでに少し述
べたように、海外のマルクス主義文献を翻訳し出版することだった。マルク
ス主義の「大翻訳時代」とでも言うべき時代が到来したのである。この期間
中に、1925 年の治安維持法の制定を初めとするさまざまな弾圧の強化や運
動側の分裂があったにもかかわらず、日本では 2000 点以上のマルクス主義
およびその関連の著作やパンフレットの翻訳が出版された。
　とくに 1927 年からの 5 年間は、戦前日本におけるマルクス主義文献出版
の最盛期となる。1927 年はその年だけで 240 点近いマルクス主義関連の著
作が翻訳出版され、1926 年の 3 倍近くとなった。そして、それに続く、5

年間は毎年200点以上のマルクス主義関連の著作が翻訳出版されており、とくに最高点に達した1930年と1931年には、それぞれ300点以上のマルクス主義翻訳文献が出版されている。結局、1927年からの1932年までの6年間だけで1500点以上のマルクス主義文献が翻訳出版されたことになる。

　当時におけるこれほどの出版規模は、今日の日本で出版されているマルクス主義関連文献の年間出版点数よりもはるかに多い。当時の本土人口が現在の半分程度だったこと、1929年から始まった世界恐慌によってこの時期、日本経済が深刻な不況下にあったことなどを考えると、実に驚くべきことだ。度重なる発禁処分と当局による厳しい検閲にもかかわらず——そのせいでいくつもの左翼出版社は閉鎖を余儀なくされ、多くの執筆者や出版人たちが罰金刑や投獄の憂き目にあった——、日本人民は粘り強くかつ大胆にマルクス主義文献を出版しつづけたのである。

　この時期の重要な特徴について、いくつか述べておこう。まず第1に、この時期に翻訳されたマルクス主義文献は、マルクス、エンゲルスを別格とすれば、基本的にレーニンやブハーリンをはじめとするボリシェヴィキ指導者やコミンテルン＆プロフィンテルン関係のものを中心にしていたとはいえ、その範囲を大きく超えていたことである。カウツキー、プレハーノフ、ローザ・ルクセンブルク、マックス・アドラー、ヒルファディングのような非ないし反ボリシェヴィキの文献も大量に翻訳出版された。さらに言うと、マルクス主義文献を出版していた出版社の多くは同時に、西欧の文化的・歴史学的文献をも大量に翻訳出版しており、広い教養を労働者に提供していたことである。

　第2に、日本におけるマルクス主義文献の翻訳が最も盛んだった時期は同時に、ソヴィエト・ロシアにおいてスターリニズムが台頭し支配的になる時期と一致していたため、1920年代後半以降に出版されるマルクス主義文献やマルクス主義理解はしだいにスターリニズムと重なり合うようになり、したがって一国社会主義論が日本のマルクス主義者のあいだでも支配的となっていったことである。一国社会主義という概念は、すでに1920年代初頭から存在していた日本型の国家社会主義（代表格は、日本で最初に『資本論』を全訳した高畠素之）とも共鳴しあうものだったし、またすでに述べたアジアにおける日本の独特の先発資本主義国としての地位から生じる自惚れとも結合しやすいものだった。また、それに加えて、コミンテルンの一方的なドグマの押しつけと、その度重なる方針の急転換は、日本の生まれたばかりのマルクス主義者たちに深刻なダメージを与えた。このことは、一国社会主義論

の定着・確立とコミンテルンの横暴に対する反発とが結合して、日本の共産主義者ないしマルクス主義者たちが国家主義的転向を遂げる上での一つの重要な知的基盤を準備することになったのである。

　第3に、当初はこのような翻訳が中心であったが、1920年代末以降、日本の知識人による独自のマルクス研究、日本社会のマルクス主義的分析などが続々と現われたことである。河上肇、櫛田民蔵、大内兵衛、向坂逸郎、宮川実などによる『資本論』研究や、野呂栄太郎、山田盛太郎、猪俣津南雄などによる日本資本主義分析、戸坂潤、永田広志、三木清などによる哲学研究、片上伸、岡澤秀虎、青野季吉などの文学論、その他、服部之総、羽仁五郎、大森義太郎、平野義太郎、等々である。この事実は、当時の日本知識人がマルクス主義を単なる出来合いの体系として受け入れたのではなく、かなりの程度、独自の分析方法として摂取していたことを示している。これら急速に成長したマルクス主義者の新しい世代を結集したさまざまな出版プロジェクトも企画され、実行された。とくに、すでに述べた『日本資本主義発達史講座』などのプロジェクトや、あるいは、戦時下にもかかわらず、社会科学のみならず自然科学の分野の文献も含めて何十巻も刊行された「唯物論全書」シリーズは特筆すべきものである。

　だが、このようなマルクス主義出版の黄金期は長続きしなかった。1931年の満州事変をきっかけに、マルクス主義文献の増大傾向は急激な減少傾向へと転換した。そして、中国大陸での戦争の激化に伴って国内での弾圧や統制もますます激しくなった。さらに、1932年の5.15事件（犬養首相の暗殺）や1936年の2.26事件などの青年将校によるクーデター未遂事件は、世論と知識人たちを戦慄させ、社会を恐怖で支配した。こうして、日本における社会主義・マルクス主義文献のこの「大翻訳時代」はおおむね1930年代半ばには終わりを告げた。それ以降は、歴史学、自然科学、純粋な経済理論、および文学などの分野でかろうじて出版できる程度であり、それも1941年末の太平洋戦争勃発以降は出版されなくなった。文字通り日本の暗黒時代が始まり、それは1945年8月の終戦まで続くのである。このあまりに急激な盛衰の社会構造的要因については、本章の最後で簡単に論じよう。

４．最初の「ボリシェヴィキ」文献
──トロツキーの『過激派と世界平和』

　さて、ここから話を戦前におけるマルクス主義一般から、本書の主題であるトロツキーへと話を移そう。

　戦前において過酷な弾圧にもかかわらずマルクス主義文献が大量に翻訳出版されたことは、ある程度知られているが（それでも、多くの人が考えているよりもはるかに大量のマルクス主義文献が出版されていたのだが）、ほとんど知られていないのは、1917 年のロシア 10 月革命後に日本で最初に翻訳されたボリシェヴィキ指導者の著作がレーニンのものではなく、実はトロツキーのものであったことである。トロツキーの『ボリシェヴィキと世界平和（*The Bolsheviki and World Peace*)』[23] は、1918 年 5 月というきわめて早い時期に『過激派と世界平和』という表題で日本で翻訳出版されている[24]。これはレーニンの著作が最初に翻訳出版される 3 年以上も前のことであり[25]、もっと言うと、マルクスの著作が最初に翻訳出版されるよりも早かった[26]。この著作より早く出されたマルクス主義者の翻訳は、確認できたかぎりでは数点しかない。戦前日本のマルクス主義の歴史について論じた戦後の著作もそのほとんどがトロツキーのこの著作を無視している[27]。

　言うまでもなく、トロツキーは、レーニンと並んで 10 月革命の傑出した指導者であった。当時、両名は世界的にソヴィエト政府とボリシェヴィキ党の 2 大首領と目され、2 人は常に並び称されていた。当時の日本の知識人と社会主義者も同じ見方をしていた。たとえば、『読売新聞』の記者で、何度もロシア特派員としてロシアに派遣された大庭柯公（1921 年にもソヴィエト・ロシアに入り、その後行方不明に）は、10 月革命から 1 年足らずの 1918 年 9 月に、レーニンとトロツキーについてそれぞれ人物論をものしているが、そのトロツキー論において次のように述べている。

　　レーニンにしてもトロツキーにしても、その標的は「露国の解放」である。換言すればマルクスの「資本論」やカウツキーの「社会革命論」の実行に急なのである。ツマリこの 2 人の提携者は、その性格とその理想の上に多少の相違こそあれ、いかにも好伴侶でしかも好協力者である。47 のレーニンに 39 のトロツキーは、20 年来の革命的奮闘の経験上、レーニンの没後ボリシェヴィキの中心人物としては、今のところトロツキーを推さずばな

るまい。[28]

　このような見方は、当時も、そしてそれからかなり後になってからも、日本のほとんどの知識人によって共有されていた[29]。したがって、1917 年にボリシェヴィキによるロシア革命が勝利した後、当然にも日本の人々は彼らの思想がいかなるものかを知りたがり、そのための手頃な文献を翻訳したがった。この要求に応えたのが、トロツキーのこの著作であった。翻訳したのは、大正期（1912 ～ 1926 年）におけるいわゆる「大正デモクラシー」の最も重要な担い手の 1 人で、民族自由主義者の著述家、室伏高信である。彼は非常に多作の文筆家で、その守備範囲は思想、国際問題、政治はもとより、文明論、恋愛、自然、文学など実に多岐にわたっていた。その彼は、1918 年 3 月頃にアメリカで出版されたばかりの英語版の『ボリシェヴィキと世界平和』を急いで日本語に訳して、日本の読者に提供した。当時のことを室伏は戦後になって、次のように短く述懐している。

　　　ロシヤ革命も、私にはたしかに一つの魅力であった。とくにトロツキーのヒロイズムには大きい興味をもっていた。彼の『ボルシェヴィズム』を翻訳したのもそのためであった。しかしレーニンには何の興味ももっていなかった。[30]

　しかし、実を言うと、トロツキーがこの著作を書いたとき、彼はまだボリシェヴィキではなかった。『ボリシェヴィキと世界平和』という著作の原題は『戦争とインターナショナル』であり、1914 年 11 月にチューリヒで出版された[31]。1914 年時点で、トロツキーはボリシェヴィキにもメンシェヴィキにも属しておらず、「党統一派」という狭い非分派的分派に属していた。トロツキーがボリシェヴィキに入るのは 1917 年の半ばになってからである。したがって、当然にも、同書のどこにも、ボリシェヴィキへの言及は存在しない。しかし、10 月革命が勝利し、トロツキーの名前が世界的に有名になったとき、アメリカの左翼ジャーナリストであったリンカーン・ジョセフ・ステフェンスがこの著作を英語に翻訳し[32]、その時にタイトルが、より大衆受けするようにとの配慮で『ボリシェヴィキと世界平和』に変えられたのである[33]。
　室伏がこの著作を訳した当時、ステフェンスのこの英訳は、ボリシェヴィキ指導者による数少ない英語文献の一つであった。それゆえ同書は、当時、

日本ではまったく知られていなかったボリシェヴィキ指導者の見解を（曲がりなりにも）理解する上で日本の知的読者層にとってきわめて貴重なものだった[34]。そうした状況を踏まえて、同書の日本語訳の函には、右の写真に示されているように、「ロシア過激派首領トロツキー近著」とセンセーショナルに大書されたのである。実際にはすでに述べたように、この著作を書いたときのトロツキーはボリシェヴィキの首領でもなかったし、書かれたのは1914年だから「近著」でもなかった。

室伏の翻訳に加えて、同書の全体ないしその一部は、ほぼ同じ時期に、調べたかぎりで5つもの異なった雑誌に翻訳掲載されている[35]。とりわけ、『日本経済新誌』という雑誌には7回にもわたって連載され、ほぼ同書の全体が翻訳されており、室伏訳の著作では割愛されていた最終章も訳されている。当時、日本には本来の共産主義者が一人もいなかったので、この革命的著作を訳したのは、『新社会』（堺利彦と山川均を中心とした社会主義誌）と『デモクラシイ』（東大新人会の機関紙）に訳されたごく短いものを除けば、ブルジョア知識人やナショナリストたちだった。たとえば、『大日本』という雑誌に掲載された『ボリシェヴィキと世界平和』の抄訳への序文の中で、ナショナリストの岡悌治は次のように書いている。

「ロシア過激派首領 トロツキー近著」というセンセーショナルな見出しの翻訳書

> 本編はトロツキーの著述たる（The Bolsheviki and world peace）の梗概を紹介せるものにして、過激派を打破するにしても又は改善するにしても、まず過激派の何たるかを知ることが必要なるは言うまでもなし。しかして本編が過激派の何たるかを解する一助たることができれば、訳者の深甚とする所なり。[36]

こうして、日本の知識層は、「ボリシェヴィズム」に関する最初の知識を何よりも（レーニンではなく）トロツキーを通じて得たのであり、しかも皮肉にも、非ボリシェヴィキ時代の著作から獲得したのである。

　しかしながら、これは実は単なる皮肉ではなかった。まさに1914年の著作におけるトロツキーの戦争と革命に関する見解こそ、1917年において、レーニンとボリシェヴィキのみならず、ロシアの革命的労働者、農民、兵士によって広く共有されたものだったのである。レーニンとボリシェヴィキはそれ以前、戦争、平和、革命に関してかなり異なった見解を採っていた。第1次世界大戦が勃発した時、レーニンとボリシェヴィキは、この帝国主義戦争においては自国の敗北こそが最も小さな悪であるとするいわゆる革命的祖国敗北主義の立場を採っていた。それゆえ彼らは、1914年のトロツキーの立場——平和と即時停戦、無賠償・無併合の民主主義的講和のための闘争こそが労働者大衆を権力のための革命的闘争へと導くことができるとする立場——を非革命的な平和主義的立場だとみなした。しかしながら、ヨーロッパにおける事態はトロツキーの予想の線に沿って進行した。ロシアにおいてはとりわけそうだった。ロシアの労働者大衆と兵士は熱狂的に即時停戦と民主主義的講和を要求し、ついにツァーリ体制を転覆するに至るのである。それ以前から徐々にトロツキーの立場に接近しつつあったレーニンとボリシェヴィキは、1917年にその立場を決定的に転換して、トロツキーの政治的展望を受け入れた[37]。

　こうして、トロツキーの1914年の著作は、彼がボリシェヴィズムに転換する前に書かれたにもかかわらず、実のところ、1917年における戦争、平和、革命に関するボリシェヴィキの立場を先取りするものだったのである。その意味で、室伏らによって訳されたトロツキーの『過激派と世界平和』は、たしかに、日本で最初に翻訳された「ボリシェヴィキ」文献だった言うことができるだろう[38]。

　最初に日本で翻訳されたボリシェヴィキ指導者の文献がトロツキーのものであったというだけではない。実は、日本で最初に翻訳紹介されたロシア10月革命に関するトータルな解説も、トロツキーの手になるものだった。ロシアに派遣された特派員（第3章で取り上げる布施勝治など）によるロシア革命のルポルタージュや外交官の観察記録などはすでに出版されていたし、革命に至るまでの過程についての翻訳ものは多少出版されていたが、ボリシェヴィキの指導的人物自身によるロシア革命に関するトータルな解説はなかった。その空白を埋めたのが、1918年にトロツキーがロシア語で執筆出

版し、その後各国語に翻訳されて世界的に広がった『10月からブレストまで』だった。これは2月革命の勃発から、10月革命を経て、ブレスト講和に至るまでのトータルな過程をわかりやすく解明し説明したもので、日本でもこれがさっそく1920年に『ロシア革命実記』として翻訳出版された[39]。翻訳したのはまだ23歳だった茅原退二郎で、後に詩人として有名になった人物であり、その父親である茅原崋山が特別に「序文」を寄せている。崋山は大正デモクラシーの担い手の一人で、吉野作造とは違う意味で「民本主義」を唱えたことで知られているジャーナリストだ。つまり、日本で翻訳されたトロツキーの最初の著作も2冊目の著作もマルクス主義者によって訳されたものではなく、大正デモクラシーの担い手（あるいはその関係者）によって訳されたのである。

それ以降、トロツキーの著作と論文の多くが翻訳され、日本のマルクス主義者と進歩的知識人のあいだで活発に議論された。1927年以前に出版されたトロツキーの主要著作（ロシア語版からの場合もあるが、多くは英訳やドイツ語訳から）のほとんどが日本で翻訳出版されている。たとえば、『文学と革命』、『日常生活の諸問題』（3種類）、『レーニン』（2種類）、『10月の教訓』（2種類）、『社会主義へか資本主義へか』、『イギリスはどこへ行く』（2種類）、『ヨーロッパとアメリカ』、『シベリア脱走記』（『1905年』の第2部）、『テロリズムと共産主義』（部分訳）[40]、などである（それぞれの詳しい書誌情報については、本書巻末の付録1を参照）。

とくに、1920年代半ばには、文学論・文化論を中心にちょっとしたトロツキーブームが起こっている。1925年だけでトロツキーの著作の翻訳は、政府関係機関によるものを除いても、『文学と革命』（茂森唯士訳）、『ロシヤ革命家の生活論』（西村二郎訳）、『無産者文化論』（武藤直治訳）、『レーニン回想記』（勢田洋訳）、『露西亜革命記』（1920年版の再刊）と5点も出版されている（政府関係機関によるものも加えると、8点）。これは、同年におけるレーニン（2点）、ブハーリン（1点）、スターリン（0点）よりも、ずっと多かった。すでに1923〜24年の党内闘争に敗れ、軍事人民委員を退いて閑職についていたのだが、それでも、その文学論・文化論を中心にトロツキーの人気はきわめて高く、日本におけるプロレタリア文学理論に大きな貢献をなしたのである。この点を以下に見ていこう。

5．トロツキーの文学論と文化論のインパクト

　トロツキーの最もユニークな思想はもちろんのこと、その永続革命論である。しかし、この理論を論じた彼の著作や論文は戦前の日本ではほとんど翻訳・出版されなかった。唯一の例外は、ニューヨークで出されていた『平民』第16号（1918年6月）に掲載された短い「労働者執権の豫期」という一文であり、これは1918年出版の英語版『われわれの革命（*Our Revolution*）』に収録された「総括と展望」のごく短い一部訳である（訳したのは近藤栄蔵）。しかし、これがほとんど日本の読者の知るところでなかったのは明らかである[41]。トロツキーの永続革命論は、スターリニストによって誹謗中傷されるまで、日本の知識人にはほとんど知られていなかった。トロツキーの永続革命論を実際にトロツキー自身の説明からある程度理解していたのは、室伏高信と河上肇ぐらいだった[42]。その代わり、『文学と革命』をはじめとする文学と文化に関する彼の理論は日本のマルクス主義者と進歩派知識人に大きな影響を与えた。

『文学と革命』

　トロツキーの『文学と革命』は、その初版が1923年にロシアで出され、1924年には、共産党の文芸政策に関する討論会でのスピーチを収録した第2版が出版された。左翼ジャーナリストであった茂森唯士（彼は後に反共主義者となる）は、この著作の第1部（現代ロシア文学を論じた部分）を1925年にロシア語のオリジナル版から翻訳した[43]。その他、当時のマルクス主義系の雑誌や文学理論書に繰り返し『文学と革命』の一部が翻訳紹介されている（本書巻末の付録1参照）。

　茂森はこの翻訳に相当苦労したようで、そのことについて、当時、茂

トロツキーの『文学と革命』（1925年）

森と親しかったある人物が『新人』という雑誌の書籍紹介コーナーで触れている。

　　『文学と革命』の仕事を終わった頃、茂森氏は、「昨日ようやく校了になりました」といって、戸塚の自宅で伸び伸びした気軽さで語られる。「何にしても、とりかかって見ると、非常に難解なものでして、実に閉口しました。いちばん大使館の人達が解るのですが、それでも、なかには、8人も集まって来て、どうしても正確には解らないところなどがありましてね」と語りつづける。
　　いいかげんなことの出来ない性分の氏は一字の訳語のためにも、多くのロシア人にたずねたり、苦心に苦心を重ねたものだから、もう出るはずだと永い間うわさに聞いていたのが、今日までになったのである。
　　「ある評者は、この芸術論を、ずいぶんと過激ではあるが、その割合に内容がないなどというけれど、それはブルジョア的な立場からの見方で、我々の見地からすれば、驚くべき理論的に徹底したものであって、真に新興芸術に対する完全な理論づけということができよう」などとも語られた。[44]

　茂森訳によるこの『文学と革命』が出版される以前から、すでにトロツキーの文学論は日本で注目を引いていた。たとえば、当時ロシア文学研究者としては第一人者であった昇曙夢は、『プラウダ』連載時のトロツキーの論文の一つ（トロツキーは『文学と革命』を出版する前に、まず『プラウダ』に連載していた）を『改造』1924年2月号に翻訳掲載しており、その時に次のような熱烈な推薦文を書いている。

　　本篇は革命芸術の創造に関してレオン・トローツキイが獅子吼せる画時代的論文である。最近の『プラウダ』紙上に掲載され、目下ソヴェート文壇及び思想界を通じて評判の中心となり各方面に大論戦を醸しているが、ソヴェート革命芸術は大体においてこの論文に説かれているような方向に進んでいくものと見て差支えない。[45]

　トロツキーのこの論文を読んだ時の昇曙夢の興奮が伝わってくるようだ[46]。実際には、その直後、反トロツキーの大キャンペーンが起こり、トロツキーの文学論は全面否定の対象とされるのだが、少なくとも1920年代半におい

ては、文学と文化に関するトロツキーの理論と見解は、志田昇氏が的確に述べているように「一種の流行」となったのである[(47)]。

　このような「流行」となった原因には、トロツキーの議論そのものが優れていたというだけでなく、次のような2つの事情があったと思われる。まず第1に、戦前日本における弾圧体制のせいで、同じマルクス主義の文献でも、直接的に政治的ないし組織論的な著作よりも、文学論や文化論の方がはるかに出版しやすく、伏字も発禁処分も少なくて済んだことである。第2に、すでに少し述べたように、日本へのマルクス主義の全面的な導入は、近代文化に対する大衆的な渇望を満たす運動と結びついて起こったのであり、トロツキーの『文学と革命』はその両方をきわめて高度なレベルで満足させるものだった。それゆえ、この時期、多くのプロレタリア作家や文芸批評家たちは熱心に彼の理論を摂取し、それについて論じあった。とくに彼の「プロレタリア文化否定論」はその賛否をめぐって、ソ連本国で激しく論争の対象となったように、日本でも大いに論争の的となった。

　たとえば、ロシア文学の研究者で後に早大教授となった岡澤秀虎は、1930年に出版された著作『ソヴェート・ロシヤ文学理論』において、トロツキーのプロレタリア文化否定論を詳細に紹介している。彼は、トロツキーの議論が当時の偏狭な階級文化構築論者に対する批判としては正当であった評価しつつも、文化の広すぎる定義に基づいて性急にプロレタリア文化そのものを否定したのは明らかにいきすぎだったと批判している。ちなみに、岡澤は、トロツキーの『文学と革命』に対して、全体として次のように評価している。

　　1923年に出版されたトロツキイの文芸評論集『文学と革命』は、ルナチャールスキイの評語を借りれば、「驚嘆すべき」著作である。それは、その内容から云えば、文学に関する豊富な卓越した知識を持っており、その外形的成功から見れば、ロシア批評文学における最も注目すべき現象の一つである。殊に文学へのマルキシズムの展開として、本書の役割は大きかった。ロシヤには最近十年間においてこの書ほど深い印象を残した文学書は他にない。この書の中で、彼が各作家、各グループに与えたそれらの特質解剖は、今日まで生ける意義を失っていない。[(48)]

　1930年と言えば、トロツキーがすでにソ連共産党を除名され、ソ連そのものからさえ追放されていた時期だが、岡澤は、全体としてのトロツキーの『文学と革命』に対して圧倒的に高い評価を下しているのである。岡澤がと

くに評価したのはトロツキーの「同伴者」論であり、これは他の多くの同時代人によっても高く評価された。

「同伴者」作家論

「同伴者」作家という概念に代表されるトロツキーの非セクト的な文学理論は、当時、多くの日本人共産主義者やプロレタリア文化論者が陥りがちであった文化的セクト主義に対する解毒剤になった。「同伴者」作家とは、共産主義者でも共産主義の確固たる支持者でもないが、ロシア革命とソヴィエト権力を受動的ないし半ば受動的に受け入れた文学者のことである。トロツキーは、この同伴者を、ロシアのような後進国における文化建設事業にとって有意義な援助者とみなした。さらにトロツキーは、共産党とマルクス主義の指導からの芸術と文学の相対的自立性の必要性を強調した。トロツキーは『文学と革命』の中で次のように述べている。

> マルクス主義の方法は、新しい芸術の発展条件を評価したり、その源泉を見きわめたり、その発展の道すじを批判的に解明することで最も先進的な芸術を手助けすることを可能とするが、それ以上のことはしない。芸術は自分自身の道を、自分自身の手段を通じて歩いていかなければならない。マルクス主義の方法は芸術の方法ではない。党が指導するのはプロレタリアートであって、歴史の過程ではない。党が直接的かつ命令的に指導する分野がある。……党が協力するだけの分野がある。最後に、党が自己の方向性を定めるだけの分野がある。芸術の分野は、党が指揮する使命を帯びた分野ではない。[49]

こうした見解は、やがて芸術、文学、その他の文化領域に対するスターリニスト官僚制のコントロールがソヴィエト社会の中で（そして世界中の共産党の中でも）支配的になり、どんなわずかな批判的精神も圧殺されてしまうだけに、とりわけ重要であった。

指摘しておくべき興味深い事実は、このトロツキーの文学理論が、1920年代終わりから1930年代初頭にかけて、宮本顕治の近代日本文学論にも影響を及ぼしたことである[50]。周知のように、宮本顕治は戦後の1950年代後半以降、長期間にわたって日本共産党を指導した人物であり、新左翼の側からは戦後における日本のスターリニストの頭目とみなされてきた。しかし、若き宮本はトロツキーの文学理論に大いに触発されたマルクス主義者の一

人であった。とくに宮本が魅力を感じたのはトロツキーの「同伴者」作家論だった。彼はこの理論のうちに、日本における近代ブルジョア文学を評価するための、マルクス主義的だが非セクト的な基準の手がかりを見出したのである[51]。また、トロツキーの影響はマルクス主義の文芸評論家だけにとどまらなかった。芥川龍之介や宮沢賢治などにも影響を与えたことが、研究者によって明らかにされている[52]。

　トロツキー文学論の影響は日本に限定されていなかった。トロツキーの翻訳を含め、日本のマルクス主義文献の多くが中国に輸出されていたおかげで、そして当時の中国知識人の多くは日本語を読むことができたおかげで（中国の左派ないし進歩派知識人の多くは日本への留学経験があった）、トロツキーの『文学と革命』の影響は、その日本語訳を通じて、中国の進歩的知識人にも広がっていった。たとえば、中国の最も傑出した革命作家である魯迅は、日本語版『文学と革命』に大いに影響を受けた一人である。魯迅は 1925 年 8 月、『文学と革命』の日本語訳を入手し、しばしばそれを引用し、その一部を中国語に翻訳してさえいる[53]。宮本と同じく、魯迅もトロツキーの「同伴者」作家論に大きな価値を置いた。なぜなら、魯迅自身が自分のことを中国革命運動の「同伴者」であるとみなしていたからである。魯迅は、トロツキーの「ブローク」論を引き合いに出しつつ、トロツキーのことを「深く文芸を解する批評家」だと評している[54]。魯迅はまたトロツキーの次のような見解にも強い印象を受けた。

　　一口に革命芸術と言っても、二種類の芸術現象が念頭に置かれている。すなわち、革命が作品のテーマやプロットになっているものと、革命そのものをテーマにしていなくても、革命が隅々まで浸透し、革命から生まれた新しい意識によって貫かれている作品である。両者がまったく異なる平面に位置する、あるいは少なくとも位置すべき現象であるのまったく明らかだ。[55]

　魯迅は、茂森訳の日本語版『文学と革命』のこの部分を念頭に置きつつ、「革命によって生じた新しい事物が内部意識として一貫している」人を「革命人」と呼び（この「革命人」という言葉も茂森訳に由来する）、そうした「革命人」が書く作品こそ「革命芸術」だとみなした[56]。魯迅にとって孫文とトロツキーはまさにそういう「革命人」であった。

　魯迅はまた、トロツキーの有名な文芸政策演説が翻訳掲載されている『露

トロツキーの『ロシヤ革命家の生活論』
（1925 年）

国共産党の文芸政策』（蔵原惟人・外村史郎編集、南宋書院、1927 年）を中国語に訳して 1930 年に出版している[57]。魯迅がその文学論形成において日本語文献に大きく依拠していたこと、とりわけトロツキーの文学理論に影響を受けていたことは以上から明らかであろう。

『日常生活の諸問題』

　トロツキーの文学論だけでなく、同時期に翻訳・紹介されたトロツキーの文化論・日常生活論も大いに注目を集めた。1923 年に初版が出版され同年にただちに 2 版が出版されたトロツキーの『日常生活の諸問題』は、1925 年（2 回）と 1927 年に、合計 3 回も翻訳されている[58]。しかし、文学論と違って、トロツキーの日常生活論に注目したのは主として非マルクス主義知識人だった。マルクス主義知識人は政治に忙しく、政治と密接にかかわっている文学論や大文字の文化論については喧々囂々とやりあったが、それよりもはるかに地味なトロツキーの日常生活論にはほとんど関心を寄せなかった。それに対して非マルクス主義の知識人は、トロツキーの小文字の文化論、すなわち日常生活論に大いに注目した。政治の荒波のずっと下に静かに広がっている日常生活という水底に対するトロツキーの深い洞察は、非マルクス主義知識人に強い感銘を与えた。

　たとえば、1925 年に同書を『ロシヤ革命家の生活論』と題して翻訳出版した西村二郎は、その「序」において、この著作の内容を踏まえて、次のような極めて高いトロツキー評価を与えている。

　　世人の多くは、俗性と全く相容れざる理想主義のボリシェヴィク巨頭としてのみのトロツキーを知っている。自己の高遠なる理想を政治と社会生活との上に実現せしめんがためには、既存のあらゆる制度、すべての施設

を焼燼して、何らこれに代わるべき新企画を建造する意志と能力とをもたぬ一個の破壊主義者のごとくに彼を観ている。迷妄も甚だしい。本書はわずか数月前、ロシア語を以て赤露の首都モスクワに上梓されたものであるが、トロツキーの人格とその性向──殊に彼の人生観──に対する右のような片面的、皮相的誤批、妄断を拂拭するに十分であるところの資料を提示し、トロツキーと云う人物をまったく別個の光明の中に浮映せしめている。満巻収むるところは、新しい社会、新しい人生に関する、新しい巨傑レオ・トロツキーの深刻透徹せる観察の結晶に外ならぬ。[59]

　こうして西村は、日本で（当時も今も）一般的であったトロツキーのイメージ──非現実的な理想主義者で、猪突猛進型の武断主義者、等々──を明確に否定しており、トロツキーのこの緻密な日常生活論こそその証左であるとしている。実に慧眼である。
　大正から昭和初期にかけての自由主義批評家で、文化主義を標榜する著名な思想家であった土田杏村も、同時期にトロツキーのこの著作を詳しく、そしてきわめて好意的に論じている[60]。杏村はまずもって、真の革命は政治革命にとどまるものではなく、社会や日常生活そのものが変革されなければならないと説き、トロツキーの『日常生活の諸問題』がまさにその努力をしていることに、心からの共感を吐露している。

　　　私はいま労農革命の大立物として、逝けるレーニン師と並称せられたトロツキイ氏が最近に公刊した小著「生活の問題」を読み、労農露国が現に取り、且つ実行しつつある方途が賢明に進められつつあることを知ると同時に、彼ら革命の当事者が負荷せられた本務に最後まで精進する不撓不屈の精力と良心とに対しては、ひそかに感激せしめられるものがあった。[61]

　そうした立場から杏村はこの著作の内容を詳細に検討しており、家庭生活、日常生活の変革こそ本当の意味での社会の変革であるというトロツキーの日常生活論の基本観点を共感を以て受け入れている。ブルジョア知識人のこうした共感は、たしかに、戦前日本における過酷な政治からの忌避という小市民的一面を示しているが、それと同時に、狭い意味での政治の観点からのみその是非を判断されていたトロツキーの思想の豊かな多面性をすでに深くとらえていたことは重要である。戦後においてさえ、トロツキーのこの面はほとんど顧みられなかったのだから。

　杏村は、トロツキーの日常生活論を高く評価しただけでなく、すでに少数派に転落していたトロツキーに対して、次のような極めて高い総括的評価を与えている。

　　彼は依然としてボリシェヴィストであり、それ以外のいかなる主張にも所属するものではない。彼はそのヴィジョンに随って世界の民衆の従来知るを得なかった全く新しい世界の扉を開く主たる指導者であった。だからその主張の力点は、いかに強く民衆の教化の上に置かれたにせよ、その家庭論、芸術論などはことごとく画時代的のものであり、旧時代のそれと根本的に系統を異ならしめている。トロツキイ氏は露国構成の方案について他の労農幹部と将来その意見を分かつ時があったとしても、彼がボリシェヴィズムの理想の最も忠実なる展開者であったことを私は疑うとは思わない。[62]

　このように杏村は、トロツキーこそが「ボリシェヴィズムの理想の最も忠実なる展開者」だったとしている。トロツキーがその文学論と文化論を通じて、同時代の日本の知識人たちからいかに高い評価を受けていたかがわかるだろう。

６．スターリニズムの台頭とトロツキーの翻訳の継続

　しかし、1920年代半ばから始まったソ連共産党の党内論争に関しては、日本の共産主義者、マルクス主義者たちは、世界の他のマルクス主義者と同じく、基本的に多数派の立場に立って論争を説明し、トロツキーを断罪した。そして、トロツキーと左翼反対派が1926〜27年における「決定的抗争」に敗れ、1927年末に反党分子としてロシア共産党から除名されると、その影響の痕跡は速やかにマルクス主義者たち、とりわけ日本共産党系の理論家たちの著述から取り除かれていった。こうして、世界の他のどの国とも同じく、トロツキーとその思想は共産党系の理論家たちから乱暴な批判を受けるようになる。

　その中心をなしたのは、言うまでもなくトロツキーの永続革命論に対する批判である。すでに述べたように、日本のマルクス主義者、あるいは一般に日本の知識人はスターリニストによる攻撃が輸入されるまでトロツキーの

「永続革命論」について、ほとんど知らなかった。彼らが本格的に「知る」ようになるのは、何よりも 1927 年以降におけるスターリンとブハーリンをはじめとする主流派による歪曲と攻撃を通じてであった（戦前は基本的に「永久革命論」と訳された）。トロツキーの理論は極左的なもの、あるいはメンシェヴィキ的なものとされ（この 2 つの評価は正反対だが、攻撃が目的である場合には、そのような矛盾は無視される）、トロツキーが生来の反レーニン主義的立場ゆえに党の多数派に攻撃を繰り返し行ない、最終的に粉砕されたという解釈がそのまま流布した。

たとえば、コミンテルンの日本人指導者であり、当時ソ連に滞在していた（そして死ぬまでそこに滞在することになる）片山潜は、1927 〜 1928 年に日本のいくつかの雑誌でトロツキーを繰り返し攻撃している。片山はかつてトロツキーの近しい友人であったが、1920 年代半ば以降、党内でのトロツキーの党内地位が落ちていくにつれて、トロツキーから距離を取るようになり、トロツキー派の敗北が明確になる 1927 年以降は、片山も主流派によるトロツキー攻撃に加わるようになった[63]。

しかし、トロツキーがすでに党から除名されていた 1928 年以降でも、日本ではトロツキーの著作や論文が翻訳・紹介されつづけた。戦前の日本には 1 つのトロツキスト組織も存在していなかったにもかかわらず、である。おそらく戦前の日本は、膨大な数のマルクス主義文献が普及し、また多くの共産党員や社会主義者がいたにもかかわらず、1 人の左翼反対派も出現しなかった唯一の国であろう。それにもかかわらず、トロツキーの著作や論文は、海外情報・論文を日本語に訳して紹介する専門のメディアによるものを別とすれば[64]、主として以下の 3 つのグループによって翻訳・紹介され続けた。

労農派
第 1 のグループは労農派である。すでに述べたように、労農派は政治的に多かれ少なかれコミンテルンに忠実であったが、組織的にはそこから独立していた。それゆえ、共産党系の理論家たちがいっせいにトロツキー攻撃に走った後でも、労農派の一部の人々はトロツキーとその思想に対する一定のシンパシーを持ち続けており、トロツキーが新著を出すと、それを翻訳する者もいたのである。たとえば、トロツキーの自伝『わが生涯』(1930 年) は、労農派の 1 人である青野季吉によって翻訳され、1930 年にアルス社から 2 巻本で出版されている[65]。青野は第 1 巻の訳者序文の中で次のように述べている。

　トロツキーはいわゆる「トロツキーズム」の開祖であり、レーニン主義の裏切り者であり、スターリンによってソヴィエト・ロシアから追われた反動革命家であり、いわく何々、何々である！　そう折紙づけられた人間の著書を反訳する者は同じく「トロツキーズム」の賛同者であり、反動革命に一票を投ずるものである！……

　端的に言う。それは間違いだ。私はいわゆる「トロツキーズム」の賛同者でもなければ、どんな意味でも彼の「味方」ではない。だがそれと、この書に革命成長の生理が活写されているという事実とは、関係のないことだ。[66]

　さらに、青野は第2巻の訳者序文の中でもこう書いている――「約1年にわたった私のこの仕事が、××（革命）の研究と理解に、何らか実質的に貢献しえれば、それで私は満足する。またその希望は、この書のもつ不抜の力によって、必ずや達せられるであろうと信ずる」[67]。

　しかしながら、1930年代後半までに、労農派のメンバーのあいだでさえ、トロツキーに対するこのような高い評価はしだいに消えていく[68]。たとえば、トロツキーがソ連追放後に書いた著作の中では最も有名なものの一つである『裏切られた革命』が、荒畑寒村とその他の労農派メンバーによってわ

トロツキー『裏切られた革命』（1937年）

ずか1週間ちょっとで翻訳されたが[69]、荒畑はその「訳者の言葉」の中で次のように書いている。

　もう一つ明らかにしておきたいことは、本書の内容に対する評価と批判とに対して反訳者の間には共通の意見があるわけではなく、おそらく各人各様の見解を抱いているだろうと思わるることである。……私自身としては、トロツキーが本書において著者独特の絢爛たる文彩、迫撃砲のごとき

論調、山積せる材料、苛辣なる皮肉をもって、縦横無尽に論難攻撃せるソヴィエットの内情について、その必ずしもことごとく憶測邪推にのみ基くものでなく、いわんやまた故意の捏造や歪曲によるものでもなく、少なくとも一部分は病弊欠陥に的中するものがあることは確かであろうと考える。が、しかしそれにもかかわらず、私はついにトロツキーの見解に賛同を表するを得なかった。……要するに、少なくとも本書から受けた私の個人的印象はどんなに善意に解釈しても、ソヴィエットの社会主義的進化の実情に対するトロツキーの思想と思索方法とが、全く動脈硬化的な抽象論を一歩も出ていないということであった。[70]

　このように、スターリニズムの影響は1937年までに共産党系の理論家たちだけでなく、労農派のような他の有力なマルクス主義グループにも及んでいたことがわかる[71]。とはいえ、荒畑を含む労農派メンバーが『裏切られた革命』を翻訳したという事実は、このグループが少なくとも完全なスターリニストになり果ててはいなかったことを示している。

非マルクス主義知識人

　トロツキーの翻訳を行なった第2のグループは、非マルクス主義者の知識人とジャーナリスト（国家主義者、リベラル派、社会民主主義者、等々）である。彼らは労農派以上にスターリニズムから自由であり、さまざまな目的からトロツキーの著述を翻訳した。ある者は政治的な理由から（たとえば、ソ連の名声の毀損）、別の者は知的好奇心から、あるいは単にジャーナリスティックな動機から[72]。

　まずは、社民系の知識人から見ていこう。国家主義的傾向を持った社会民主主義者であった小池四郎は、1931年にトロツキーの『レーニンについて』（ロシア語原著は1924年出版）を翻訳出版しており（日本語題名は『レーニンの横顔』で、次頁の写真にあるように2種類の表紙で出版されている）、その序文の中で次のように述べている。

　　トロツキーは、現幹部派から見れば非共産党員であるかもしれない。革命を危うくするところの巨大なる人民の敵であるかもしれない。まさしく犬でも食われてしまえであろう。だがそれの是非はここではまったく別問題だ。ここではただ彼が、彼の唯一の協力者であったレーニンに関し、かほどまでに人間らしい観察を完成したことに対して、歴史は彼トロツキーに

小池四郎訳の2種類の『レーニンの横顔』（1931年）

　向かって 100％の感謝を与えずにはおかないであろう。[73]

　労農派と同じく、小池も、トロツキーを取り巻く先鋭な政治的諸問題から
は距離を取りつつも、この著作の文学的価値を高く評価している。
　社民系で最も系統的にトロツキーを翻訳していたのは、『内外問題社会調
査資料』という月3回刊の雑誌で、その創刊以来、何度もトロツキーのスター
リン批判論文を翻訳・掲載していた。本書末尾の付録1を見てもわかるよう
に、1929年の「ロシアは何処へ行く」を皮切りに、10本もの論文を翻訳し
ており、その中には、ドイツにおけるファシズムの勝利をめぐってドイツ共
産党を批判したものも含まれている。トロツキーのファシズム論は戦前はほ
とんど紹介されることがなかったので、これは貴重である。しかし、同誌の
主眼は、トロツキーの主張を肯定するためではなく、あくまでもスターリン
体制に対する批判材料を得ることだった。その点はたとえば、トロツキーの
『ロシアの真相』の海外の書評を紹介した記事のリード文に明らかである。

　　ロシア革命を客観的に批判せんとするものにとっては、この新著ほど参考
　　になるものはめったにない。と言ってもちろんトロツキーの主張が正しい
　　というわけでは全然ない。……ただ我々の最も注目すべき点は、トロツキー

の筆によって示された、現在ソヴェット・ロシアにおける共産党幹部専制の実情なのである。[74]

　しかし、その『内外社会問題調査資料』も、トロツキーの『わが生涯』については感銘を受けたようで、同書を10頁に渡って詳しく紹介したえで、次のように総括的な評価を加えている。

　　同書は非常に重要な歴史的文献であると同時に、辛辣な諧謔と感動すべき出来事とを點綴〔てんてつ〕〔ほどよく組み合わさっていること〕せしめつつ、巧みな手法を以ってものされた一つの文学的傑作である。なお、同書はスターリン絶対下の現在のロシヤにおいては、国禁の書となっていることは付言する必要もないであろう。[75]

『内外社会問題調査資料』は、モスクワ裁判に関しても、親ソ派の左翼よりはるかにまともな論評をしているが、これについては、本書の第4章で見ることにしよう。
　次にリベラル系の知識人を見ていこう。フランス文学者の小松清は、1930年代初頭に起きた、中国革命をめぐるトロツキーとアンドレ・マルローとの論争に注目して、トロツキーのマルロー批判論文を翻訳している。彼は1921年にフランスに渡り、帰国後、マルローやアンドレ・ジッドなどを紹介するようになった。フランス文学にも造詣が深かったトロツキーは、マルローともジッドともかかわりが深いが[76]、とくにマルローとは、中国革命を描いた彼の小説『征服者』をめぐって激しい論戦を交わしている。1935年に出版された小松の『行動主義文学論』は、トロツキーのマルロー批判とマルローによる反論の両方を収録している。小林はこの論争を紹介するにあたって短い前書きを書いているが、その中で次のように述べている。

　　トロツキイとマルロオの論戦は一々昨年の仏前衛分断に強い刺激を与えた。ｘｘ（革命）のヴェテラン、レフ・トロツキイの峻烈骨をさす論告に対して、マルロオも整然たる実践的技術的見解から答弁し、その冷徹さにおいてトロツキイに一歩も譲らない。今日、我が国の文壇において、「政治と文学」の問題がかなり喧しい論議の中心となっているとき、トロツキイとマルロオの論戦を紹介することは色んな観点からして意義深いことと私は信じている。[77]

　この前書きではトロツキーがコミンテルンによって反党・反革命扱いされていることには触れられていない。文学者にとっては、共産主義運動内におけるトロツキーの異端的地位はどうでもよく、その論じている内容だけが重要だったのである。

　労農派と違って、この第2のグループは1930年代後半になってもトロツキーに対して相対的に中立的な立場を維持していた。たとえば、イタリア文学の研究者であったリベラル派の知識人、三浦逸雄は、トロツキーの『裏切られた革命』を1937年に『スターリン政権を発く』というタイトルで翻訳出版しているが、「動脈硬化的な抽象論」を難じた荒畑寒村とは対照的に、序文の中で、トロツキーの議論の冷静さと客観性を評価している。

　　ソヴィエット連邦の国内的な情勢については、各人各様の見解によって、僕などはほとんどこれを判断する標準をすら得ることはできなくなっている。……〔だが〕この本ほどソヴィエット連邦の虚偽を具体的に表わしたものはないのである。……しかも、トロツキイとしては珍しく、自己のイデオロギイを宣伝することを控えて、比較的冷静に、客観的に、これを書いている点は、このエッセエに普遍性を与えている根本の理由であろうかと考えられる。[78]

　実際に『裏切られた革命』を読んだ者なら、そのセンセーショナルな題名にもかかわらず（だが原題は『ソ連はどこへ行く』という落ち着いたものだった）、三浦の評価の方が妥当だと判断することだろう。

政府関係機関

　トロツキーの著述を翻訳した第3のグループは、政府機関の官僚や半ば公的な立場にある人々の一団である。日本の軍国主義的・半ファシスト的な体制の側に属する連中がいったいどうしてトロツキーの書いたものを翻訳したがるのか、いぶかる人もいるだろう。しかし、これらの翻訳は主に情報の収集と分析が目的だった。ソヴィエト政府の公式発表はしばしば歪曲されており、国内の実態を過度に美化するものであった。したがって、トロツキーのソ連分析は日本の国家官僚にとってソヴィエト・ロシアの実情を理解する上で、あるいは共産主義陣営内部の紛争を理解する上で役立ったのである。

　たとえば、内務省警保局発行の『外事警察報』や『出版警察報』にはしば

しばトロツキーの論文が翻訳されていたし、とくに『外事警察報』には節目ごとにトロツキーの重要論文が訳出されていた。また、陸軍省がハルビンで出していた『哈市常報』にも何度かトロツキーのものが訳出されている。

この種の翻訳活動においてとりわけ重要な役割を果たしたのが、南満州鉄道調査部（満鉄調査部）である[79]。南満州鉄道という企業それ自体が巨大国策企業で、大英帝国の東インド会社の日本版のような存在だったが（最盛期で40万人もの従業員がいた）、その中のこの特殊な調査研究機関は、南満州鉄道の初代総裁、後藤新平によって中国東北部における準公的な調査センターとして1907年に設立された。同地域への日本軍の展開が広がっていくのにつれて、満鉄調査部の活動範囲も広がっていった。

すでに、1917年革命の直後から、満鉄調査部はロシア革命およびボリシェヴィキ政府に関する重要文献の翻訳研究に携わっており、たとえば、その一環として、ロシア共産党（ボ）第12回党大会におけるトロツキーの工業報告がまるごと翻訳されたりしている[80]。

このような翻訳作業は、トロツキーがソ連を追放された後も続けられていた。とりわけ1930年創刊の月刊誌『ソヴェート連邦事情』には、中国革命、スターリン政権による「上からの革命」と冒険主義的工業化に対する批判的分析など、ソ連における重大な状況変化に応じて、随時、トロツキーの重要論文が訳されている[81]。たとえば、トロツキーが第2次中国革命におけるスターリン指導部の政策を批判した「スターリンと中国革命」が、ロシア語の『反対派ブレティン』から上下に分けて訳されているが（ちゃんとロシア語原文から訳しているのが、満鉄調査部の翻訳の特徴である）、その冒頭で訳者の竹内謙三郎は次のように同論文を紹介している。

> 内容は支那革命の裏面に飛躍せるスターリンと其一党の政策を彼等により抹消削除せられし文献と、動かすべからざる事実とに即して爬羅剔抉（はらてっけつ）せるものであり、同時に左翼コンミュニストの主張を窺うに足るものである。[82]

同じく、トロツキーがソ連の工業化を全面的に評価・批判した綱領的論文である「ソヴィエト経済の危機（第2次5ヵ年計画を前にして）」の全訳もロシア語の『反対派ブレティン』から訳されているが、その冒頭では次のように紹介されている。

> ソ連経済の疾患を解剖して、1933年を2次5ヵ年計画の緩衝年次となし、

第2次5ヵ年計画への移行を1年間延期すべく提唱せるは、伝えらるる第1次5ヵ年計画の達成を検討する上に、見逃すべからざる資料と信じる。[83]

翻訳のみならず、トロツキーの著作の書評もしばしば掲載されている。たとえば、トロツキーの『わが生涯』に対する書評が同じ『ソヴェート連邦事情』に掲載されているが、筆者の島野三郎（満鉄のソ連専門家で国家主義者、日本最初の本格的な露和辞典の編纂者として有名）は次のように述べている。

　本書はレーニンと並んで世界に其名をはせたトロツキイの半生の自叙伝である。……何しろかつては『ロシヤ革命の副王』として東部ヨーロッパの大舞台に群羊を駆る猛獅のごとく活躍した男の書いたものであるだけに、そこいらやここいらにザラにあるものとは段が違う。少なくとも筆者にとっては社会主義者の自伝としては、ベーベルのものに次いで、否、それに劣らず此のトロツキイのものが面白かった。[84]

日本国内では1930年代後半からマルクス主義者への弾圧が吹き荒れて、マルクス主義者の研究の余地をなくしていったが、満鉄調査部は別だった。多くの転向左翼、転向マルクス主義者が一種の再就職先としてこの満鉄調査部に入っていったからである。彼らはマルクス主義に対する深い知識を持っていただけでなく、ロシア語やドイツ語などの外国語にも長けており、大いに重宝された。しかしながら、1940年代になると、満鉄調査部にいた元マルクス主義者たちも憲兵隊によって弾圧され一掃されてしまっている[85]。

7．マルクス主義の全面的弾圧とモスクワ裁判

1931年の満州事変以降にますます苛烈になっていった日本共産党への弾圧の中で、同党の多くの幹部たち（とりわけ佐野学と鍋山貞親）が転向を表明し、それに続いて無数の一般党員たちも転向を余儀なくされ、日本国家主義と天皇制に屈服した。彼らのこの国家主義的転向を理論的に準備したのは、先に少し触れたように、1920年代半ば以降に日本のマルクス主義者たちのあいだでも普及・定着し始めた一国社会主義論であった。佐野学と鍋山貞親もソ連中心主義的なコミンテルンの似非国際主義に対置したのは、この「一国社会主義」であった。1934年に両名の連名で出版された『日本共産党及びコミン

ターン批判』において、こう述べられている――「世界社会主義実現は、世界の主要地域に於ける、数個の独立体系をなす、一国社会主義の道を通じてこそ可能である」[86]。

　こうして、共産党は完全に粉砕され、1930年代半ばには事実上、存在することをやめた。それと軌を一にして、1930年代半ば以降、マルクス主義の出版活動も急速に衰退していく。頑強に転向を拒んだ少数の共産主義者たちは容赦なく拷問され、長期間の懲役刑を受け、しばしば拷問と病気のせいで死に至った。

　このような犠牲者の一人が、日本共産党の中央委員であった岩田義道である。岩田は特高警察によって逮捕され、数日間にわたって拷問された挙句、1932年11月に殺されている。まだ34歳の若さであった。戦前日本における最も著名で優れたプロレタリア作家の一人である小林多喜二は、1933年2月20日に特高に逮捕され激しい拷問を受けて、その日のうちに虐殺されている。享年29歳。才能豊かなマルクス主義経済学者であった野呂栄太郎は、逮捕された時すでに結核を患っていたが、警察によって容赦なく拷問され、1934年に病院で死亡している。享年、33歳。工場労働者で労働組合運動の指導者であった飯島喜美は1933年に逮捕され、獄中で結核にかかり、1935年に亡くなっている。まだ24歳の若さだった。彼女の遺品であるコンパクトには、「闘争/死」（「闘争か死か」）と刻まれていた[87]。また、伊藤千代子も共産党に入党した直後に3.15事件で逮捕され、拷問や過酷な獄中生活の結果として、24歳の若さで亡くなっている[88]。こうして、終戦までに虐殺された共産党員の総数は約1700人にも及ぶ[89]。

　こうした状況にもかかわらず、1936年から1938年にかけて日本社会におけるトロツキーへの社会的関心はむしろ著しく高まった。これは、ソ連で行なわれた3次にわたるモスクワ裁判のせいである。これらの裁判は日本と全世界を驚愕させた。周知のように、これらの見世物裁判とそれに伴う大粛清は、ほとんどの古参ボリシェヴィキ指導者、赤軍幹部、そして無数の共産党活動家を絶滅に追いやった。彼らは、反革命トロツキストにしてドイツ・ファシズムや西側帝国主義の手先として偽りの告発をされた。1936年8月に開かれた第1次モスクワ裁判では、ジノヴィエフ、カーメネフ、ムラチコフスキー、イワン・スミルノフなどの元左翼反対派ないし合同反対派のメンバーだった被告たちはみな死刑を宣告され、ただちに銃殺された。1937年1月に開かれた第2次モスクワ裁判では、ラデック、ピャタコフ、ソコーリニコフ、さらにそれほど有名ではない被告たちが裁判にかけられ、彼らのうち

の13名が銃殺に処された。ラデックは殺されずにすんだが、それは、他の
トロツキストや右翼反対派を告発するための情報提供者として利用するため
だった。1938年3月に開かれた第3次モスクワ裁判では、ブハーリン、ルイ
コフ、ヤーゴダなどの被告たちが裁判にかけられ、そのほとんどが銃殺さ
れ、銃殺されなかった者も1941年には獄死した。

　日本の世論と知識層はこれらの裁判に対してどのように反応したであろ
うか？[90]　第1次裁判の時期とそのしばらく後は、日本の多くの知識人や
ジャーナリストたちは左右問わず、困惑と戸惑いを感じながらも、ソ連当局
の言い分を信じる傾向にあった。それというのも、すべての被告が自分たち
の「罪」を告白したからであり、それが一から十まで嘘だとは常識からして
ありえないことだと思われたからである。しかしながら、第2次裁判の時期
になると、多くの知識人たち、とりわけナショナリスト系の人々は考えを変
え、この裁判全体がでっち上げだとみなすようになった。というのも、この
裁判においてソ連の検察側は、被告たちが日本政府の高官と協力して破壊工
作を行なったと主張したからである。日本の左翼系の知識人は依然として第
2次裁判の言い分を信じる傾向にあったが、日本のナショナリストたちは憤
然としてそれを非難し反論した。たとえば、ジャーナリストでナショナリス
トでもあった夏秋亀一は、1937年3月に雑誌論文の中で次のように書いて
いる。

　　　特に日本人の示唆により〔被告たちが〕シベリア鉄道を15回も破壊しまた
　　　軍用列車を顛覆したとは、実に奇想天外の捏造である。……日本人の教唆
　　　によりシベリア鉄道破壊、赤兵軍暗殺を企てた事を白状（？）せしめた事
　　　は……反日の気勢をあげんとする奸策で、実に国際上憎むべき卑劣な行為
　　　である。[91]

　こうした状況のもとで、裁判におけるすべての被告のバックにいる真の
黒幕とされたトロツキーに対する日本の世論および日本支配層の関心が高
まったのも当然であろう。3次にわたるモスクワ裁判についてセンセーショ
ナルに伝える一般紙（『朝日』『毎日』『読売』）の紙面には、しばしば裁判に
関するトロツキーのコメントが引用された。また、第1次裁判に関してノ
ルウェーの大臣に宛てたトロツキーの公開状が1936年に日本の雑誌に翻訳
されたり[92]、モスクワ裁判を弾劾したトロツキーの有名な「私は自分の命
を賭ける」という声明が日本の支配層側の複数の媒体に訳載されている[93]。

その他にも、1936〜38年の時期に、モスクワ裁判に関するトロツキーのさまざまな論文や声明が日本の雑誌や著作に翻訳掲載され、多くのジャーナリストやソ連通や評論家たちがこぞってこの奇々怪々な裁判について論じ、そこにおけるトロツキーの真の役割について盛んに論じ合った。

　この時期にモスクワ裁判とスターリニスト体制を批判した人のほとんどはナショナリストか、国家社会主義者、あるいは元共産主義者であり、彼らはトロツキーとその革命思想に対していかなる政治的シンパシーも持っていなかった。しかしながら、たった一人だけ、モスクワ裁判とスターリニスト体制を厳しく糾弾するだけでなく、トロツキーとその同志たちを政治的にも擁護した人物がいた。それはアナルコ・サンディカリストの延島英一である[94]。ソ連通でもあった延島はモスクワ裁判とソヴィエト国家に関するトロツキーの重要論文をいくつも翻訳し[95]、彼自身もモスクワ裁判を厳しく批判する論文を何本も書いている[96]。さらに彼は、1937年5月9日に、モスクワ裁判の真実調査委員会のメンバーであったアルフレッド・ロスメルにわざわざ英語で手紙を書いて、協力を申し出てさえいる[97]。その中でとくに延島は、スターリニスト官僚制の犠牲者であるトロツキストを擁護する自己の立場を次のようにはっきりと述べている。

> もちろん、私は、スターリニスト官僚によるプロレタリアートの犠牲者を擁護する仕事を続けていくつもりですし、私自身はトロツキストではありませんが、アナルコ・サンディカリストの犠牲者と同様に、トロツキストの犠牲者を擁護していくつもりです。というのは、両者は共に、ソヴィエト制度が堕落し官僚主義に取って代わられたことを、非難しているからです。[98]

　1940年8月にトロツキーがスターリニストの手先によって暗殺されたときにも、延島はトロツキーの追悼文を『月刊ロシア』という雑誌に書いている。延島は、偉大なマルクス主義者としてのトロツキーに大いに敬意を払いつつも、トロツキーの思想に対してはしばしば激しく不同意を表明している。たとえば、ソ連では、資本主義的ないし封建的な階級関係とはまったく異なる新しい階級関係がしだいに発展してきており、したがってトロツキーがその勝利を強く信じて疑わなかった第4インターナショナルは克服しがたい困難に直面することになるだろう、と[99]。

8．最終局面といくつかの結論

　1930 年代末から 1945 年 8 月の終戦まで、マルクス主義的およびその他の
いかなる反体制的な思想や活動はほぼ完全に日本から姿を消した。とくに講
座派系のマルクス主義知識人を一斉検挙した 1936 年のコム・アカデミー事
件、さらに今度は労農派系のマルクス主義知識人を大量弾圧した 1937 年 12
月から 1938 年 2 月にかけての 2 次にわたる人民戦線事件は、国内のマルク
ス主義知識人をほぼ根こそぎにした。それ以降、マルクス主義文献はほぼ市
中に現われなくなった。

　それにもかかわらず、1941 年末までは、スターリンとスターリニズムを
批判するトロッキーの文献が時おり日本の雑誌に翻訳掲載されることがあっ
た。それはトロッキーの思想を広げるためではもちろんなく、仮想敵たるソ
連とその支配者スターリンを暴露する文献としてである。その中で最も目立
つのは、1937 年にマックス・シャハトマンの序文付きでアメリカで出版さ
れた『偽造するスターリン学派』のほぼ全体が、「ソ連邦の国家構造及びそ
の性格」というタイトルで、1940 年から 41 年にかけて『東亜解放』という
翼賛雑誌に連載・訳出されたことである[100]。連載 2 回目の編集後記を見る
と、この連載が非常な好評を得たことがわかる。

　　翻訳資料「ソ連邦の国家構造及びその性格」は、前号からの引続きで非常
　　な好評を博している。東亜解放運動に於ける防共対策の重大性を看過して
　　はならぬ。この意味においてソ連に対する研究資料としてこの翻訳の歓迎
　　されるのは当然であろう。[101]

　同じく、1941 年 3 月に『新興亜』という翼賛雑誌でもトロッキーのスター
リン論が翻訳されている[102]。しかし、この 2 つの翻訳がトロッキーの何ら
かの著述が日本で翻訳出版される最後の機会となった[103]。

　1941 年 12 月に日米戦争＝太平洋戦争（当時の日本支配層はそれを「大東亜
戦争」と大げさな名前で呼んだ）が勃発すると、国家と国民の全体が戦争に動
員されることになった。挙国一致でアメリカ帝国主義との死闘を闘いぬかな
ければならないという意識がマルクス主義者の間でさえ圧倒的となった。こ
うして、戦前における日本マルクス主義の歴史は事実上終わりを告げた。し
かし、ごく一部の者はマルクス主義文献を天井裏や押し入れの奥に隠したり、

庭に埋めたり、あるいは、警察官には読めなさそうなドイツ語文献やロシア語文献だけを保持したりした。職業的知識人のあいだにもひそかにマルクス主義の研究をつづける者がいたし、とくに日本史研究や古典派経済学の研究、哲学や自然科学といった純粋な学術分野の中でかろうじて生き長らえた。あるいは、満鉄調査部や東亜研究所（1938年設立、近衛文麿が総裁）のような国策機関に職を得て、そこで歴史や中国社会の研究や調査をしたりした。

　最後に、結論として、戦前日本におけるマルクス主義の発展の基本的な特徴について簡単にまとめておこう。不均等・複合発展法則にもとづいて、日本の知識人は、歴史の近代啓蒙主義的段階から初期の社会主義意識への発展過程を短期間のうちに圧縮することを余儀なくされるとともに、マルクス主義の本格的な導入がボリシェヴィズムの受容と同時に遂行された。そして同じ法則のもとで、日本の労働者階級は、近代的な諸文化や政治的・経済的民主主義に対する初歩的要求をマルクス主義とボリシェヴィキ的共産主義の受容に結合させた。このような条件は戦前日本におけるマルクス主義の発展に爆発的な性格を与え、そのおかげでマルクス主義文献の出版活動は、警察による過酷な弾圧にもかかわらず、たちまちにして世界トップレベルの水準にまで達したのである。

　以上をコインの表面とすれば、裏面もあった。この複合発展法則は、他方では、日本社会における自立した自由主義的・社会改良的潮流を弱め、マルクス主義者を孤立させる役割も果たした。欧米社会では、長い年月をかけて徐々に蓄積されてきた自由主義ないし社会民主主義の広範で分厚い層が存在していた。この堆積層は一方では共産主義に対する政治的障壁をなすものであったが、他方では、共産主義のための民主主義的・文化的基層を与えるものでもあった。したがって、たとえ共産主義的表層が破られても、その下には、より分厚くより強力な自由主義的・社会民主主義的深層部がなお存在していたのであり、これが全体主義的国家主義に対する一定の防波堤としての役割も果たしえたのである[104]。しかし、日本では、この自由主義的ないし社会民主主義的な政治層は短い歴史しか有さず、最初から非常に脆弱で薄かった。しかも、これらのカテゴリーに属していた知識人のほとんどは最初から国家主義的傾向が強かった。このことは、日本社会におけるマルクス主義の突出と孤立の両方を生み出した。

　また、日本のマルクス主義者自身も、長年にわたる、急進主義的自由主義や改良主義的社会主義との熾烈な闘争を通じて自己を鍛え確立していったの

ではなく、ロシア革命のインパクトのもと、ほとんど10年足らずで知識人の中で、とりわけ若い知識人の間でヘゲモニー的地位を獲得した。それは内的に脆弱で、外部からの衝撃に弱かった。

これらのマルクス主義者は、1920年代後半からしだいにスターリニズムに支配され、一国社会主義的展望を受け入れるようになっていた。この一国社会主義は明らかに日本型国家社会主義に親和的であった。それゆえ、日本のマルクス主義者たちは、自己の教義（共産主義）を放棄したときに、自由主義者や社会民主主義者になるのではなく、天皇制に忠実な国家主義ないし国家社会主義の陣営へと飛び移ったのである[105]。また、戦時中に、日本国家がその大陸侵略において反欧米帝国主義とアジア民族の協同という建前をとっていた事実、そして太平洋戦争によって日本が英米帝国主義に武力で直接挑戦したという事実は、共産主義者やマルクス主義者が日本民族主義の側に転向することをいっそう容易にした。

他方、スターリニズムに疑問を持つようになった共産主義者や社会主義者たちも、トロツキストのような反対派共産主義者になるのではなく、天皇制を支持する国家主義の陣営へと直接移行した[106]。こうした状況もまた、日本の共産主義者の孤立をいっそう深め、したがってまた彼らの転向をいっそう促進したのである。

日本の警察国家による野蛮な弾圧だけでなく、こうした知的・社会的状況も、戦前の日本において、マルクス主義の爆発的繁栄が驚くほどの短期間でそのほぼ完全な解体と壊滅へと転換するのを可能にした。ちょうど日本国家がその経済的土台が脆弱なまま極度に拡張主義的な帝国主義政策へと突き進んだように、日本の知識人も、その政治的土台が脆弱なままボリシェヴィキ的マルクス主義へと突き進んだ。このことこそが、1920年代初頭以降における日本マルクス主義の爆発的成長を説明するとともに、わずか十数年後の1930年代後半以降におけるその急速な衰退をも説明する。

とはいえ、すでに少し述べたように、戦前におけるこのようなマルクス主義の隆盛があったからこそ、戦後、天皇制警察国家と日本軍国主義の重みが取り除かれるやいなや、今度は占領軍による抑圧や弾圧にもかかわらず、日本のマルクス主義は激しい復活と発展を遂げたのである。1945年12月にはすでに『共産党宣言』をはじめとするいくつかのマルクス主義文献が出され、翌年には一気に130点以上のマルクス主義文献が出されるようになった。あれほどの徹底した弾圧にもかかわらず、マルクス主義は不死鳥のように復活したのである。

エピローグ——山西英一と戦後日本のトロツキー

　日本軍国主義の敗北によって戦争が終わりを告げてわずか数ヶ月で、マルクス主義文献がいっせいに市中に出回るようになった。しかし、終戦直後におけるマルクス主義翻訳文献の復活には、ある重要な例外があった。そこには、戦前、あれほど多くの翻訳が出されたトロツキーのものが含まれていなかったのである。すでに述べたように、戦前にトロツキストは一人もおらず、トロツキスト団体も存在しなかった。戦前にトロツキーの著作や論文を訳したのはすべて非トロツキストであった。しかし、戦後、圧倒的な犠牲を払ってナチスに勝利したソ連とスターリンの権威は圧倒的なものとなり、あえてトロツキーの文献を訳そうする者は在野には一人もいなかった。戦前との連続性は、トロツキーに関しては、太平洋戦争の4年間でほぼ完全に断たれてしまったのである。

　そうした中、戦後最初にトロツキーの著作を訳したのは、日本における最初のトロツキストであった山西英一である。山西は1931年にソ連を経由してヨーロッパを周遊した。当初、彼は完全にスターリニズムの影響下にあり、トロツキーを赤鬼のごとき存在とみなしていた。だが、ドイツにおけるナチスの台頭を目撃し、それに対してトロツキーが反ファシズム統一戦線を粘り強く訴えていたことを知った山西は、当初の偏見を振り捨て、日本人最初の「トロツキスト」となった。しかし、山西が日本に帰国した時期にはすでに、あらゆる左翼運動が事実上不可能になっていた。山西は隠れトロツキストとして潜伏し、密かにトロツキーのものを翻訳する作業に打ち込んだ。

　日本帝国主義の敗北は、トロツキー派としての山西の公然化を可能にした。彼は1949年にまず『中国革命』を翻訳出版し（中央公論社）、1950年に『裏切られた革命』を白文社から翻訳出版した。そして、1950年から1951年にかけて弘文堂から『ロシア革命史』全5巻を出版するという大事業を果たした。スターリン批判やハンガリー事件をきっかけに世界的にトロツキスト運動が起こるずっと以前、戦後まもない時期にトロツキーの翻訳文献が次々と出たのは、もっぱら山西のおかげである。彼は戦時中から『ロシア革命史』の翻訳に従事しており、後にこう回想している。

　　本当に仕事〔『ロシア革命史』の翻訳〕に取りかかったのは、大戦が激化した1944年6月25日だった。工場動員や空襲や灯火管制に悩まされながら

も、戦後思想の混乱を思い、いつ爆死するかもしれないことを恐れ、これだけは何としても日本語にして残さなければならぬと考えて、乏しい燭火のもと、凍る指先でペンを進めたりして、訳出したのだった。[107]

こうして、戦後日本におけるトロツキー翻訳の歴史は、したがってまた日本におけるトロツキズムの歴史は、戦時下の「燭火のもと」で始まったのである。

　トロツキーの翻訳者が非トロツキストからトロツキストへと移ったことこそ、戦前と戦後におけるトロツキーを取り巻く情勢の根本的な変化を示している。もっぱら非トロツキストがトロツキーを訳すという日本的特殊性は消え去り、他の国々と同じく、トロツキストがトロツキーを翻訳し擁護するという時代が日本でも始まったのである。

【注】
(1) トロツキー「日本における労働者階級の展望」『トロツキー研究』第35号、2001年、43〜44頁。
(2) トロツキー「破局に向かう日本」『トロツキー研究』第35号、100頁。
(3) トロツキー「ロシアにおける発展の特殊性（『ロシア革命史』より）」『永続革命論』光文社古典新訳文庫、2008年、391頁。
(4) 当時ロシアで皇帝暗殺などで華々しく活躍していたナロードニキがこの自由民権運動の青年急進派に一定の影響を与えたことが知られている。当時、ナロードニキは「虚無党」と訳され、虚無党に関する著作も何冊か日本で出版された。
(5) 福沢諭吉の帝国主義思想については以下を参照。杉田聡『福沢諭吉と帝国主義イデオロギー』花伝社、2016年。明治期の社会主義者については多くの文献が存在するが、最近のものとして以下を参照。大田英昭『日本社会主義思想史序説――明治国家への対抗』日本評論社、2021年。
(6) 幸徳秋水『帝国主義――20世紀の怪物』（復刻版）岩波文庫、1952年（初版は1901年）。
(7) レーニンの『帝国主義論』が執筆されたのは1916年で、ロシアで出版されたのは1917年の初頭である。幸徳の『帝国主義』は、帝国主義を論じたその他の主要な諸作品よりも時期的に早い。たとえば、ブハーリンの『帝国主義と世界経済』の出版は1916年だし、ローザ・ルクセンブルクの『資本蓄積論』は1913年、ヒルファディングの『金融資本論』の出版は1910年、そして、その種の文献として最も早い部類に属するホブソンの『帝国主義』でさえ、その初版の出版は1902年である。

(8) これは『共産党宣言』の、東アジアにおける最初の翻訳だったので、その最初の部分的な中国語訳（1906 年）やその後のいくつかの中国語訳は、さまざまな用語の点でこの日本語訳にもとづいていた。以下参照。劉孟洋「日本媒介の『共産党宣言』漢訳と訳語の変遷：「平民」から「無産者」への移り変わりを中心に」、『東アジア文化交渉研究』第 10 号、2017 年。劉孟洋「『共産党宣言』における訳語の中日両言語間の交渉——「Bourgeois」の訳語を中心に」、『或門』第 31 号、2017 年。『共産党宣言』に限らず、当時における中国語訳のマルクス主義文献はしばしば日本語訳からの重訳だった。たとえば、アウグスト・ベーベルの有名な『女性と社会主義』（『婦人論』）の最初の中国語訳（1927 年）は、1922 年から 24 年にかけて出版された牧山正彦訳の『婦人と社会主義』（弘文堂）からの重訳であった（昭和女子大学女性文化研究所編『ベーベルの女性論再考』御茶の水書房、2004 年、80 ～ 81 頁）。

(9) マルクス主義文献が日本で本格的に翻訳出版されるようになる以前は、クロポトキンは日本の社会主義者の間でマルクス以上に人気であった。クロポトキンの著作は、1917 年の 10 月革命以前にすでに 9 冊が翻訳出版されており、戦前全体だと、『クロポトキン全集』全 12 巻を含めて、合計で 60 冊以上も翻訳出版されている。

(10) 神崎清『実録 幸徳秋水』読売新聞社、1971 年、494 頁。

(11) 黒岩比佐子『パンとペン——社会主義者・堺利彦と「売文社」の闘い』講談社、2010 年、236 頁以下。

(12) 幸徳秋水『社会主義神髄』岩波文庫、1953 年、8 頁。とはいえ、この著作は当時にあっては、「従来のいかなる著述より最も善くマルクス主義思想の大綱を把握し伝えたる点において、画期的な地位を占めると言うべきもの」であったと評価されている（細川嘉六『日本社会主義文献解説』岩波書店、1932 年、29 頁）。

(13) 大杉はもともと最初に日本の社会主義者を代表してコミンテルンのエージェントと接触して、日本でコミンテルン支部形成に向けた過程を開始した人物であったが（この点にも当時における日本社会主義の未分化性が示されている）、結局、共産党には参加しなかった。労農ロシアにおけるアナーキストへの弾圧が大きなネックの一つであったのは言うまでもない。

(14) 警察による組織的煽動によって引き起こされたこの悲劇的事件は、人種差別的・排外主義的蛮行であるというだけでなく、階級的弾圧の一形態でもあった。というのも、在日朝鮮人は、ヨーロッパにおけるユダヤ人と同じく、一般の日本人よりも大きな割合で社会主義者、無政府主義者、労働組合活動家、その他の左派活動家を輩出する傾向があったからである。また、関原正裕氏によると、この虐殺に加わった自警団の中には、1919 ～ 1920 年に朝鮮半島およびシベリアに出兵した部隊に配属されていたものが少なからずいた。彼らはその地で、赤軍と交戦するとともに、ロシア革命の影響を受けて決起した朝鮮民衆を弾圧し虐殺する作戦に参加していた。彼らは、戦地で実際に戦闘行為および虐殺行為にすでに参加していたか、あるいは少なくともそれを身近に目撃していたからこそ、関東大震災後の混乱に乗じてあれほ

ど容易に虐殺行為に手を染めることができたのだ。したがって、彼らにとって、この虐殺は、朝鮮半島やシベリアで遂行した反共産主義・反朝鮮独立の反革命戦争の延長だったのである。以下を参照。関原正裕「関東大震災時の朝鮮人虐殺における国家と地域 —— 日本人民衆の加害責任を見すえて」、一橋大学博士学位論文、2021 年。https://hermes-ir.lib.hit-u.ac.jp/hermes/ir/re/72500/soc020202100703.pdf

(15) 労農派の全体について詳しくは以下の文献を参照。石河康国『労農派マルクス主義——理論・ひと・歴史』上下、社会評論社、2008 年。

(16) 1917 年以前に翻訳出版されたマルクス、エンゲルスの文献としては、すでに紹介した『共産党宣言』以外にも、マルクスの「賃労働と資本」が、笹原潮風訳で「賃銀労働及び資本」という表題で 1909 年の 3 月から 12 月にかけて『木鐸』という雑誌に連載で掲載されたことがある。以下を参照。http://www.fitweb.or.jp/~taka/lkjdex.html.

(17) 西川光次郎『カール・マルクス——人道の戦士、社会主義の父』中庸堂書店、1902 年、2 ～ 3 頁。序文はキリスト教社会主義者であった木下尚江が書いており、この面からも当時の社会主義の混交性がうかがえる。西川については、以下を参照。しまねきよし「西川光次郎論」『明治社会主義者の転向』東洋経済新報社、1976 年。

(18) 井本三夫『米騒動という大正デモクラシーの市民戦線』現代思潮新社、2018 年。井本が正しく指摘しているように、米騒動に関する過去の研究においては、ほとんどの日本の研究者は 1918 年に農村における農民と米商人とのあいだの衝突から始まったとみなしているのだが、実際にはそれに先立って 1917 年半ば以降に日本の大都市で工場労働者による大規模なストライキ運動が起こっていた。

(19) この点の詳細については、本書の第 6 章を参照せよ。

(20) 前掲トロツキー「日本における労働者階級の展望」42 ～ 43 頁、44 ～ 45 頁。日本に関するトロツキーの見解についてより詳しくは、本書の第 2 章を参照せよ。

(21) 当時のプロレタリア文化・芸術運動に関する最新の研究として以下を参照。中川成美・村田裕和編『革命芸術プロレタリア文化運動』森話社、2019 年。

(22) プロレタリア文化運動のこの巨大な波は、しかし、わずか数年で粉砕され、破壊されてしまう。1934 年以降には「プロレタリア」を関した出版物の点数はいっきに一けた台に落ち、その後、ゼロ点数になってしまう。これほどの劇的な変化は、戦前のマルクス主義文献・左翼文献の全体としての推移を一定反映しているが、しかし、ここでの変化はとりわけ劇的である。それは、戦前における弾圧の激化だけでは説明がつかず、1930 年代初頭のソ連におけるプロレタリア文化論から社会主義文化論への転換をも反映している。戦前の過酷な弾圧とソ連の気まぐれな転変とが、このような推移の異常な先鋭さをもたらしたのである。

(23) Leon Trotsky, *The Bolsheviki and World Peace*, trans. Lincoln J. Steffens. New York: Boni & Liveright, 1918.

(24) トロツキー『過激派と世界平和』上田屋、1918年。ただし全訳ではなく、トロツキーの革命的見解が展開されていた最後の章は割愛されており、途中もいくつか省略されている。同書は1週間後に再版となり、翌月には3版を重ねた。

(25) レーニンの著作が日本において最初に翻訳出版されたのは、1921年9月に出版された以下の文献である。ニコライ・レーニン『労農革命の建設的方面』三徳社、1921年（翻訳は山川均と山川菊栄）。

(26) 雑誌や新聞には、すでに紹介した『共産党宣言』や『賃労働と資本』などの翻訳が出されていたが、マルクスの作品が著作として翻訳出版されるのは、1919年の『資本論』第1巻（部分的）が最初である（同年に2種類出ている）。本書の第6章参照。

(27) たとえば、以下を参照。小山弘健『日本マルクス主義史』青木新書、1956年。細川嘉六監修・渡辺義通・塩田庄兵衛『日本社会主義文献解説』大月書店、1958年。守屋典郎『日本マルクス主義理論の形成と発展』青木書店、1967年。絲屋寿雄『日本社会主義運動思想史』Ⅰ～Ⅲ、法政大学出版局、1979～1980年。守屋典郎『日本マルクス主義の歴史と反省』合同出版、1980年。Germain Hoston, *Marxism and the Crisis of Development in Prewar Japan*, Princeton University Press, 1986. 黒川伊織『帝国に抗する社会運動 第一次日本共産党の思想と運動』有志舎、2014年。ホストンの労作は、トロツキーのこの文献に触れていないとはいえ、戦前日本における講座派と労農派との論争を分析する際に、トロツキーの「不均等・複合発展法則」との相違や類似性を重視しているのは注目に値する。また、戦前のマルクス主義ないし社会主義の歴史を論じたものではないが、以下の著作は非常に珍しく、トロツキーのこの著作に詳しく触れている。山内昭人『初期コミンテルンと在外日本人社会主義者――越境するネットワーク』ミネルヴァ書房、2009年。しかし、当時の日本語訳の調査については不十分であるし、『戦争とインターナショナル』の戦後訳（柘植書房）があることにも触れていない。

(28) 大庭柯公『露国及露人研究』朝日新聞、1951年、126頁。当時、世界的人物について論じた啓蒙的著作も、ロシア人としてはたいていレーニンとトロツキーとを並べて取り上げていた。尾崎士郎・茂木久平『西洋社会運動者評伝』売文社出版部、1919年。伊東圭一郎『世界改造の人々』実業之日本社, 1920年。

(29) 1918年から1923年にかけて、日本の知識人、ジャーナリスト、社会主義者たちは、他の国と同じく、レーニンとトロツキーを一個のペアとして論じる傾向にあった。最も典型的なのは、山川均による1921年の著作『レーニンとトロツキー』だが、それ以外にも多くの文献でそのことを確認することができる。たとえば以下を参照。昇曙夢「レーニンとトロツキイを論じて露国の将来に及ぶ」（『新公論』5月号、1918年）、同「レーニンとトロツキー」『露国改造の悲劇』（豫章堂、1920年）、筆者不詳「レーニンとトロツキーの労働組合論」（『同胞』5月号、1921年）、筆者不詳「レーニンとトロツキーの演説」（『雄弁』7月号、1922年）、土田杏村「レーニン及びトロツキー二氏最近の演説を読む」（『文化』2月号、1923年）、筆者不詳「レーニンとトロツキー論」（『実

業公論』３月号、1923年）、筆者不詳「赤熱の鐵火レーニン、トロツキー」（『雄弁』５月号、1923年）など。

(30)　室伏高信『戦争私書』中公文庫、1990年、28頁。室伏のトロツキー評価は常に高く、すでにトロツキーがソ連の最高権力の地位から転落していた1925年の時点においてさえ、次のように書いている――「レーニンとトロツキイの、いずれの一人を欠くとも恐らくは、十一月革命は起こらなかったであろう」（室伏高信「トロツキイの永久革命」『自由人は斯く語る（改訂版）』批評社、1925年、287頁）。

(31)　Leo Trotzky, *Der Krieg und die Internationale*, Zurich: "Borba", 1914. 同書の戦後訳は以下。トロツキー『戦争とインターナショナル』柘植書房、1991年。私が西島栄名で執筆した同書の訳者解題で、『戦争とインターナショナル』の出版事情と日本での反響について詳しく紹介した。

(32)　リンカーン・ステフェンスは、２月革命後にトロツキーがロシアに帰る時、たまたま同じクリスチャニアフィヨルド号に乗船しており、その時のことを後に自伝で回想している。以下を参照。Kenneth D. Ackerman, *Trotsky in New York 1917: A Radical on the Eve of Revolution,* Counterpoint, 2016.

(33)　トロツキー自身の自伝によると、この英語版は「アメリカで２カ月間に１万6000部も売れた」（トロツキー『わが生涯』上、岩波文庫、2000年、467頁）。この英語版の出版をめぐっては、以下の著作の補章を参照。山内昭人『リュトヘルスとインタナショナル史研究――片山潜・ボリシェヴィキ・アメリカレフトウィング』ミネルヴァ書房、1996年。

(34)　当時の日本政府は、この革命的著作に対する日本知識層の関心の大きさを警戒して、英語版の『ボリシェヴィキと世界平和』を発禁にした。室伏の日本語訳も誤訳の多さを指摘されて、まもなく絶版になっている。福本富（堺利彦？）「室伏高信君の誤訳ぶり」『新社会』４巻第９号、1918年。室伏は後にこのことについてかなり恨みがましく書いている（前掲室伏『戦争私書』、95頁）。

(35)　『新社会』1918年５月号、『日本経済新誌』第23巻３～９号(1918年３～８月)、『倫理講演集』第190号(1918年６月)、『大日本』1918年６月号、『デモクラシイ』1918年12月号。より詳しい書誌情報は、本書巻末の付録１を参照。

(36)　トロツキー「過激派と世界の平和」『大日本』６月号、1918年、45頁。

(37)　この点について詳しくは以下の諸論文を参照せよ。西島栄「第一次世界大戦をめぐるトロツキーとレーニン」『葦牙』第15号、1991年。西島栄「第一次世界大戦とトロツキーの『平和綱領』」『トロツキー研究』第14号、1995年。一般にトロツキストは、1917年にレーニンがその有名な「４月テーゼ」を通じてトロツキーの永続革命論の立場に転換したことでロシア革命が成功したと言うにとどまっているが、実際には、そのような戦略的・綱領的レベルにおいてだけでなく、戦術的レベルにおいても、レーニンとボリシェヴィキはトロツキーの立場に移行したのである。

(38)　この『過激派と世界平和』は中国にも輸出されて、中国の革命派知識人にも読まれたようだ。たとえば、当時における中国民主化運動の理論的指導者

であり、後に中国共産党の創設者にして初代書記長、さらに後に中国トロツキスト組織の書記長となる陳独秀は、1919 年 12 月に『新青年』に「過激派と世界平和」というエッセイを書いている。トロツキーの名前は直接には出てこないが、このエッセイが日本で前年に出版された『過激派と世界平和』に示唆されたものであるのは明らかだと思われる。

(39) 1925 年に『露西亜革命記』と題名を変えて、別の出版社から再刊されている。その際、崋山の「序文」は割愛された。

(40) トロツキーの『テロリズムと共産主義』(1920 年) が出版された当時は、ほとんどまだマルクス主義の翻訳文献が出版されていない時代だったので、翻訳は出なかったが、堺利彦は 1922 年に出版された『革命ロシア十講』の第 9 講において、主にこの著作を使って、ボリシェヴィキ革命とパリ・コミューンとの関係について論じるとともに、カウツキーらの批判に反論している。堺利彦「第 9 講 ボリシェヴィキ革命と巴里コンミュン」、田所照明編『革命ロシア研究十講』酒井書店、1922 年。それから約 10 年近く後の 1931 年、木下半治が『巴里コミューン』という翻訳書を自ら編集出版した際、レーニンのものと並んでトロツキーの『テロリズムと共産主義』の一部を翻訳して収録している。すでにこの時点でトロツキーは革命の裏切り者というレッテルが貼られていたので、木下は「訳者のことば」で次のように言い訳している——「トロツキー華やかりし頃の労作で、まま問題となり得る個所も含んでいるようであるが、エメールの『国際労働運動史』にも読むべき文献として挙げられている」(木下半治編訳『巴里コミューン』春陽堂、1931 年、2 頁)。

(41) ただし、トロツキーの永続革命論の基礎となるロシア資本主義論に関しては、以下の 2 文献がある。嘉治隆一の『近代ロシア社会史研究』(同人社、1925 年) の付録として収録された「ロシア革命の経済的基礎」と、『社会思想』1927 年 12 月号に掲載された「ロシア資本主義の発達」である。どちらもトロツキーの『1905 年』の序説の一部を訳したものである。

(42) 室伏高信「プロレタリアの独裁政治」(『批評』11 月号、1920 年)、河上肇『社会組織と社会革命に関する若干の考察』(弘文堂書房、1922 年)、前掲室伏「トロツキイの永久革命」(1925 年)。室伏はトロツキズムこそが真のマルクス主義であり、「レエニニズム」(スターリニズムのこと) は「反革命」「日和見主義」であるとさえ述べている (同前、303 〜 305 頁)。しかしこれらの事例は日本ではやはりまったく例外的であった。河上の永続革命論認識については、以下を参照。森田成也「トロツキーと戦前の日本に関する二題——茂森唯士と河上肇」『葦牙ジャーナル』第 153 号、2021 年 4 月 15 日。

(43) トロツキー『文学と革命』茂森唯士訳、改造社、1925 年。トロツキーは当時、茂森が訳したこの『文学と革命』を入手し、茂森にわざわざ感謝の手紙を書いている。このエピソードについては、前掲森田「トロツキーと戦前の日本に関する二題」、および以下を参照。https://www.facebook.com/seiya.morita.758/posts/215136940259379

(44) 「出版界のいろいろ」『新人』8 月号、1925 年、60 頁。

(45) トロツキー「革命芸術と社会主義芸術」『改造』2 月号、1924 年、182 頁。

(46) この論稿は同年６月に昇の『革命期の演劇と舞踏』にも収録されており、その際、昇は次のように書いている──「トローツキイ氏の論文は昨年末共産党機関紙『プラウダ』に連載され、ルナチャールスキイ氏との間で激論を醸し、文壇の耳目を蠢動せしめた堂々たる芸術論 …… である」（昇曙夢『革命期の演劇と舞踏（新ロシヤパンフレット）』新潮社、1924 年、１頁）。

(47) 志田昇「『敗北の文学』の誕生──宮本顕治とトロツキー」『葦牙』第 13 号、1990 年、72 頁。このトロツキー『文学と革命』の影響については、最近の研究にあっても必ずしも認められていない。たとえば、蔵原惟人を中心に 1920 年代におけるプロレタリア文化運動を研究した立本紘之『転形期芸術運動の道標──戦後日本共産党の源流としての戦前期プロレタリア文化運動』（晃洋書房、2020 年）は『文学と革命』についても、1920 年代における文学論へのトロツキーの影響についてもいっさい触れていない。ただし、以下の文献では、志田論文が参考にされている。木村政樹『革命的知識人の群像──近代日本の文芸批評と社会主義』青土社、2022 年。

(48) 岡澤秀虎『ソヴェート・ロシヤ文学理論』神谷書店、1930 年、294 頁、強調はママ。この評価に続いて、岡澤は『文学と革命』の序文を数頁にわたって引用している。なお、岡澤はこの評価を戦後の著作でもそのまま繰り返している。岡澤秀虎『ソヴェート文芸思潮史』北斗書院、1947 年、314 〜 315 頁。

(49) トロツキー『文学と革命』上、岩波文庫、1993 年、296 頁。

(50) 志田昇「トロツキーの文学論──芸術の特殊性とマルクス主義の文芸政策」『葦牙』第 9 号、1988 年。トロツキー文学論に関しては、志田氏の以下の論考も参照。志田昇「『プロレタリア文化論』に関する覚書──草鹿外吉氏への反論」『葦牙』第 11 号、1989 年。同「常識と非常識──草鹿外吉氏への再反論」『葦牙』第 12 号、1990 年。

(51) 詳しくは、前掲志田「『敗北の文学』の誕生」を参照。

(52) 以下を参照。志田昇「1920 年代ソ連の文芸論争と日本文学」『思想』第 862 号、1996 年。佐々木力「宮沢賢治とトロツキー」『トロツキー研究』第 41 号、2003 年。

(53) 長堀祐造『魯迅とトロツキー──中国における文学と革命』平凡社、2011 年。同書によると、魯迅はトロツキーのその他の日本語訳も購入している。

(54) 同前、23 頁。

(55) 前掲トロツキー『文学と革命』上巻、308 頁。訳文は大幅に修正。

(56) 前掲長堀『魯迅とトロツキー』、30 〜 36 頁。

(57) 蔵原・外村輯『文藝政策』（魯迅訳）、水沫書店、1930 年。

(58) トロツキー『無産者文化論』武藤直治訳、聚芳閣、1925 年。『ロシア革命家の生活論』西村二郎訳、事業之日本社出版部、1925 年。トロツキー『転換期の文化』丘逸作訳、中外文化協会、1927 年。武藤訳と丘訳は英語版からの重訳であり、西村訳はロシア語版からの翻訳である。トロツキーは『日常生活の諸問題』の日本語版のための序文を 1925 年の 8 月に書き始めたが、この論考は完成することなく、ハーバード大学ホートン図書館のトロツキー文庫の中に眠ることになった。本書の付録２に訳しておいた。

(59) 西村二郎「序」、トロツキー『ロシヤ革命家の生活論』、4 頁。

(60) 土田杏村「トロツキーの家庭社会化論」『結婚論』第一書房、1933 年。この論文はもともと「トロツキイ氏のプロレタリア文化論を読む」という表題で、『文化』1925 年 4 月号に掲載された。土田杏村の生涯と思想については以下を参照。山口和宏『土田杏村の近代 —— 文化主義の見果てぬ夢』(ぺりかん社、2004 年)、清水真木『忘れられた哲学者 —— 土田杏村と文化への問い』(中公新書、2013 年)。しかしどちらも杏村のトロツキー論についていっさい触れていない。

(61) 前掲土田「トロツキーの家庭社会論」、166 頁。

(62) 同前、168 頁。

(63) 詳しくは本書の 3 章を参照。片山の名誉のために言っておくと、片山はトロツキーを攻撃しつつも、次のように書く誠実さを持ち合わせていた——「サヴェット・ロシア国防の柱石である 80 万の赤衛軍を編成して、陸海軍委員長として新ロシアを建設したものが、かのレオン・トロツキーである。革命ロシアを考えるとき、レーニンと並んで思い浮かべられるはかのトロツキーでなければならぬ」(片山潜「トロツキーの没落」『経済往来』4 月号、1928 年、159 頁)。

(64) この種のメディアとしては、タイムス通信社が発行していた『国際パンフレット通信』と、日本読書協会が出していた『外国の新聞と雑誌』がある。どちらにもトロツキーの重要文献が何度も掲載されている。

(65) 『わが生涯の』の第 1 巻は『自己暴露』という題名で 1930 年 7 月に出版され、第 2 巻は『革命裸像』という表題で同年の 12 月に出版されている。どちらも函つきの立派な装丁で出されており、出版社の意気込みが伝わる。

(66) 青野末吉「訳者小序」、トロツキー『自己暴露』アルス社、1930 年、5 頁。

(67) 青野末吉「訳者小序」、トロツキー『革命裸像』アルス社、1930 年、6 頁。

(68) その最大の要因となったのは、後でも述べるモスクワ裁判である。トロツキーがソ連指導者の暗殺やソ連の鉄道などの破壊を実行ないし計画するような反革命テロリストになり果てたというソ連当局の大宣伝は、労農派の人々をも——たとえその宣伝を文字通りに信じていなかったとしても——トロツキーから決定的に遠ざけたのである。

(69) 当時、トロツキーの『裏切られた革命』は、3 種類の翻訳書がほぼ同時期に出版されただけでなく、さまざまな雑誌にその抄訳や部分訳が掲載された(現時点で確認できるところでは 5 点。巻末の付録 1 参照)。

(70) 荒畑寒村「訳者の言葉」、トロツキー『裏切られた革命』改造社、1937 年、295 〜 298 頁。

(71) 『裏切られた革命』は『改造』8 月号の特別付録として出版されたが、同号には同じ労農派の猪俣津南雄による書評論文が掲載されている(猪俣津南雄「トロツキーの『裏切られた革命』」『改造』8 月号、1937 年)。それは完全にスターリニズムの側に立った論評だった。以下を参照。https://www.academia.edu/80149974/

(72) たとえば、日本の主流のブルジョア雑誌『文芸春秋』は、トロツキーの『ロシア革命史』の 1 つの章をロシア語版から訳して掲載している。トロツキー「二

月革命の真相（皇帝没落曲）」『文芸春秋』2 月号、1931 年。

(73) 小池史郎「訳者序」、トロツキー『レーニンの横顔』春陽堂、1931 年、1 頁。

(74) 筆者不詳「トロツキー対スターリンの紛争──ト氏の新著より見たる『ロシアの真相』」『内外社会問題調査資料』22 号、1929 年、12 頁。

(75) 筆者不詳「トロツキーの自叙伝とその概要──スターリンを攻撃する革命の元勲」『内外調査問題資料』98 号、1929 年、20 頁。

(76) トロツキーとアンドレ・ジッドとの関係に関しては以下の拙稿を参照。森田成也「トロツキーとアンドレ・ジッド」『葦牙ジャーナル』第 142 号、2019 年 6 月。https://www.academia.edu/40850220/

(77) 小林清『行動主義文学論』紀伊国屋出版部、1935 年、79 頁。

(78) 三浦逸雄「訳者の覚書」、トロツキー『スターリン政権を発く』新潮文庫、1937 年、271 ～ 272 頁。三浦は、この日本語訳のためにトロツキーの日本語版序文を書いてくれるよう頼む手紙をメキシコに宛てて出したそうだが、これは実現しなかったようだ。

(79)「調査課」「産業部」など名称はいろいろ変遷したが、「満鉄調査部」として統一しておく。この巨大なシンクタンクの成り立ちと歴史について、詳しくは以下を参照。草柳太蔵『実録満鉄調査部』上下、朝日新聞社、1979 年。それによると、1938 年時点で、満鉄調査部には 2125 名ものスタッフがおり、その予算は 800 万円（1979 年の物価指数に換算すると 38 億円相当）であった。それが提出したレポートは 6200 件、集めた資料は 5 万点にも及んだ（前掲草柳『満鉄調査部』上、13 ～ 14 頁）。

(80)『露国工業経済に関する指導的意見』（『露文和訳　労農露国調査資料』第 25 編）南満州鉄道庶務部調査課、1925 年。

(81) 確認できたかぎりでは、『ソヴェート連邦事情』にはトロツキーの論文が 6 本翻訳されているが、満鉄調査部が発行していた他の雑誌にもトロツキーのものが翻訳されている。詳しい書誌情報は、本書巻末の付録 1 を参照。

(82) エル・トロツキー「スターリンと支那革命」上、『ソウェート連邦事情』第 2 巻 6 号、1931 年、92 頁。

(83) エル・トロツキー「ソウェート経済の危機 (第二次五箇年計画を控えて)」『ソウェート連邦事情』第 4 巻 2 号、1933 年、109 頁。

(84) 島野三郎「トロツキイ著『わが一生』」『ソウェート連邦事情』第 1 巻 5 号、1930 年、195 頁。『外事警察報』にもトロツキーの『ロシアの実情』（後に『偽造するスターリン学派』の名称で流布）の書評が掲載されている。L・T「トロツキーの新著に就いて」『外事警察報』第 79 号、1929 年。

(85) 以下を参照。石堂清倫『わが異端の昭和史』上、平凡社ライブラリー、2001 年。

(86) 佐野学・鍋山貞親『日本共産党及コミンターン批判──一国社会主義に就いて』無産社、1934 年、74 頁。両名はまた「天皇制打倒」を主要目標とする日本共産党を批判し、「資本主義打倒を明確に主要目標とする」新しい党を作るよう訴えている（同前、243 頁）。

(87)　以　下　を　参　照。https://www.jcp.or.jp/akahata/aik4/2005-08-18/2005081812faq_01_0.html

(88) ワタナベコウ『漫画 伊藤千代子の青春』新日本出版社、2021年。この漫画に対する私の書評として以下を参照。森田成也「書評論文　個人的なものは政治的である」――『漫画 伊藤千代子の青春』によせて』『葦牙フォーラム』第159号、2022年。https://www.academia.edu/76618999/

(89) 以下を参照。https://www.jcp.or.jp/akahata/aik4/2005-02-17/2005-02-17faq.html. これらの虐殺に責任のある国家犯罪者たちは、戦後においても誰一人罪を問われず、処罰もされていない。

(90) この問題についてより詳しくは、本書の第4章を参照。

(91) 夏秋亀一「赤色黒魔大王スターリンを語る」『大日』3月号、1937年、27頁。

(92) トロツキー「諾威法相への公開状」『セルパン』12月号、1936年。

(93)「モスコー裁判に対するトロツキーの曝露演説」『外事警察報』第180号（1937年7月）、「ソ連反幹部派裁判に対するトロツキーの曝露演説」『国際思想研究資料』第4号、1937年9月。

(94) 延島英一について詳しくは以下を参照。志田昇「トロツキーを擁護した日本人――延島英一の人と思想」『葦牙』第14号、1991年。

(95) トロツキー「ソヴィエト国家の階級的性格」『日本評論』4月号、1937年。

(96) 延島英一によるモスクワ裁判（および赤軍幹部粛清裁判）批判記事は、『現代新聞批判』（6本）、『日本評論』（3本）、『セルパン』、『時局と人物』などの雑誌に掲載されている。詳しくは本書の第4章と5章を参照。

(97) この手紙はハーバード大学のホートン図書館所蔵のトロツキー文庫の中に収録されている。政治学者である加藤哲郎氏がトロツキー文庫を調査してこの手紙を1987年に発見し、その全文を翻訳した。加藤哲郎「歴史の真実と真理への接近――トロツキー文庫の日本人の手紙に寄せて」『葦牙』14号、1991年。延島は1938年2月5日にもロスメルに手紙を書いて、トロツキーのフランス語の著作『スターリンの犯罪』を翻訳出版したいので、コピーを1部送ってくれと要請している。彼の死後、志田昇氏が遺族の協力を得て、延島の残した蔵書や原稿類を調査したところ、まさにその全訳の原稿が出てきた。延島はちゃんと約束は果たしたのだが、出版社を見つけ出すことができなかったのだ。

(98) 前掲加藤「歴史の真実と真理への接近」、146頁。

(99) 延島英一「トロツキーの最後」『月刊ロシア』10月号、1940年、107頁。

(100) マックス・シャハトマン＆レオン・トロツキー「ソ連邦の国家構造及びその性格」『東亜解放』1940年12月号〜1941年6月号。マックス・シャハトマンの序文も翻訳されている。

(101)「後記」『東亜解放』1月号、1941年、158頁。建前は「東亜解放」や「防共」であるが、『偽造するスターリン学派』がその役に立つとはあまり思えないので、「防共」を口実にしてマルクス主義文献を訳していた可能性も否定できない。

(102) レオン・トロツキー「ヨゼフ・スターリン」『新興亜』3月号、1941年。訳者序文の類はないが、同誌の「編集後記」にはこうある――「『ヨゼフ・スターリン』は世界のスフィンクスの全貌を遺憾なく描破して興味深い」。

（103）ただし、独ソ戦が勃発した直後に第4インターナショナルが発表した声明が1941年9月発行の『ソヴェート連邦事情』に訳されている。「第四インターの対独ソ戦マニフェスト」『ソウェート連邦事情』12巻9号、1941年。

（104）ドイツのファシストは、その全体主義的支配を確立するために、このような政治的堆積層を暴力的内戦の手法を用いて上からだけでなく下からも全面的に破壊しようとした。また、ドイツのファシストが、共産主義者やマルクス主義者や労働運動を弾圧するだけでなく、ユダヤ人絶滅という常軌を逸した政策を採用した主要な理由の一つは、まさにユダヤ人がヨーロッパ社会においてこうした市民層の政治的・文化的・経済的結節点をなしているとみなしたからに他ならない。したがってこの恐るべき政策は、歴史的に蓄積されてきたこの市民層をばらばらに解体するという政治的・階級的目的を持っていたものとみなすことができる。

（105）ただし、共産主義者のこの種の「転向」が日本だけの現象だと考えるとすれば、一面的だろう。たとえば、イギリスの著名な女性参政権運動家エメリン・パンクハーストの三女で、オーストラリア移住後にオーストラリア共産党の創設者となったアデラ・パンクハーストは、その後反共主義者となり、さらに夫のトマス・ウォルシュ（彼も元共産党指導者）とともに1939年12月に日本政府の招きで来日した後、オーストラリアに帰ってから「オーストラリア・ファースト運動」という親日ファシスト団体を結成している。とはいえ、その大量性において、そして戦後その多くがマルクス主義に再転向した点で、日本の転向現象はすぐれて「日本的」である。

（106）この点に関しては、反国家主義を標榜していた日本のアナーキストも例外ではなかった。たとえば、先に紹介した延島英一も、日本国家が欧米帝国主義の植民地主義に反対して、「大東亜共栄圏」としてアジア諸国の共存共栄を追求しているという理屈で、1940年代には日本のアジア侵略政策を擁護する論陣を張るに至っている。たとえば以下を参照。延島英一「大東亜戦争の政治的性格」『国際評論』3月号、1942年。同「大東亜戦争の政治的諸問題」『国際評論』4月号、1942年。

（107）山西英一「トロツキー著『ロシア革命史』を邦訳するまで」『国際共産主義運動史──山西英一論文集』（上）、新時代社、1979年、205頁。

第2章

トロッキーの日本論
日露戦争から「田中メモ」まで

> 「ミカドの帝国は、ツァーリの帝国を爆発させた社会的諸矛盾をすべて内包している。農業の半封建的な諸関係、「神授」の君主制、人民の貧窮、工業にとって狭隘な国内市場、軍事予算の未曽有の増大、この国のすべての内部矛盾を反映する軍事カースト、等々である」
>
> ——トロッキー（1937年9月20日）[1]

　日本に対するトロッキーの関心は、初期の頃のヨーロッパへの関心、中期における中国やアメリカへの関心、後期におけるラテンアメリカへの関心などと比べて、はるかに小さかった。日本からも多くの若い社会主義者が参加した1921年のあの有名な極東勤労者大会にもトロッキーは参加していないし、その大会で極東問題と日本問題をめぐる主要な報告を行なったのは、コミンテルン議長のジノヴィエフであった[2]。それにもかかわらず、日露戦争以降、アジアの東端に位置する新興帝国主義国家たるこの島国へのトロッキーの関心が途絶えたことはなかった。とりわけ、ソ連の防衛、中国革命、日中戦争、そして、起こりうる第2次世界大戦との関係で、日本帝国主義の動向に対して絶えず注意が払われていた。

　トロッキーの日本認識は当初、東アジアのイギリスとする見方が支配的だったが、1920年代以降、基本的に1905年革命前の帝政ロシアとのアナロジーにもとづくようになった。急速に発展する資本主義的諸関係と古いカースト的な上部構造や農業関係との深刻な矛盾を日本の主要な矛盾であるとみなし、このことから一方では、日本の凶暴な帝国主義的侵略政策とその（外面上の強さにもかかわらず）深刻な内的脆弱性が生じ、他方では社会革命の不可避性が生じるというものであった。

トロツキーのこの基本見解は、戦前日本の論争に引きつけて言うと、「労農派」の主張よりも「講座派」の主張に近い。トロツキーがこだわった旧帝政ロシアとのアナロジーは強みでもあり、弱みでもあった。それは、日本の軍国主義体制の内的脆弱さを認識することを可能にし、日本の最終的な敗北を正しく予測させたが、下からの革命運動を過大評価することにもなったのである。

　以上のようなトロツキーの日本論の基本的枠組みが確立するのは、1930年代になってからだが、本章では、時系列的にトロツキーの日本論を見ていくことにする。

1．10月革命以前

　10月革命以前のトロツキーの政治的関心は、ロシアそれ自身を別とすれば、ほとんどもっぱら西方か、あるいはせいぜいバルカン半島に向けられていた。日本のみならず、中国やインドのような巨大な国家でさえ、エピソード的に触れられることはあっても、10月革命以前のトロツキーにとってはあまり重大な関心の対象ではなかった。

日露戦争から第1次世界大戦へ

　それでもトロツキーが最初におそらく日本という島国に注目するようになるのは、やはり何といっても日露戦争の時であろう。アジアの小さな新興資本主義国がロシアという超大国を相手に本格的な戦争を行ない、ツァーリ軍を追いつめ、かくして、第1次ロシア革命爆発の政治的・社会的きっかけを与えたことは、ロシアの革命家全員にとって、日本という国に対する一定の興味を引き起こしたはずである。トロツキーは、1904年3月15日に『イスクラ』に書いた論文「われわれの『戦争』カンパニア」の中で、日本とロシアの戦争について次のように述べている。

　　まず第1に、現在の戦争に関してだが、社会の階級構造一般の産物について言えることと同じことが戦争についても言える。日本については、戦争は疑いもなく「国民的」事業であり、同時に、完全に反プロレタリア的性格を保持していると指摘できよう。……日本に対するロシアの戦争は、ロシアに対する日本の戦争とまったく異なっている。根本的な違いは交戦

陣営のそれぞれの立場にある。この違いは、すでに『イスクラ』で一度ならず説明されたように、われわれの「戦争」カンパニア全体の性格を規定するものでなければならない。日本の側からすれば、この戦争は、ブルジョア的発展の諸条件を獲得するための、すなわち資本主義的搾取をさらにいっそう拡大するためのブルジョア的「国民」の戦争である。ロシア側からすれば、この戦争は、国民のブルジョア的発展の諸条件と非和解的に矛盾している専制政府の戦争である。[3]

　ここでは後の日本認識とは異なり、ツァーリのロシアとミカドの日本とを同じ構造を持った国として把握するのではなく、むしろ対照的な国として把握している。

　日露戦争開始後の数年間、すなわち第1次ロシア革命の勃発、トロツキーのペテルブルク・ソヴィエト議長への就任、投獄、ソヴィエト裁判、流刑、脱走、そして亡命という波乱万丈の数年間、トロツキーの頭からは日本のことはすっかり忘れられていたと思われる。トロツキーにとっては、この大革命を総括し、新しい革命への準備を整えることこそが、最重要課題であった。トロツキーが他のことにも関心を向けられるようになったのは、2度目の亡命地であるオーストリアのウィーンに落ち着いてからである。トロツキーは、この時期に書かれた論文「時間上に広がるわが祖国」（1908年）の中で、日本についてこう述べている。

　　われわれの眼前では、島国日本が暗闇から立ち現われて、大いなるアジア大陸の前に資本主義文化の開拓者として浮上した。これは、かつて、その教師たる島国イギリスがヨーロッパ大陸の前に浮上したのと似ている。日本はその歴史的登場を、アーリア人に苛酷な教訓を与えることでもって記し、その教訓は波紋となってアジア中に広まっている。極東の静まり返っていた均衡は、修復不可能なまでに破壊された。今や日本は資本主義国家の鉄のあごでもって、不幸な朝鮮を思うさまに嚙み砕いている。[4]

　このようにトロツキーははっきりと日本による朝鮮侵略を糾弾しており、アジアにおけるこの資本主義国家の帝国主義的行動が極東の政治的均衡を取り返しのつかない形で破壊したことを正しく指摘している。しかし、ここでも日本をツァーリのロシアとのアナロジーでとらえる観点は見られず、むしろイギリスとのアナロジーでとらえられている。

第1次世界大戦における日本

　次に日本がトロツキーの論文に登場するのは、第1次世界大戦が勃発してからである。第1次世界大戦は基本的に英独によるヨーロッパのヘゲモニー争いを本質としていたが、それにもかかわらず、いくつかの周辺国家が、漁夫の利をせしめようと参戦した。日本はそうした国の1つであった。日英同盟という軍事同盟を結んでいた日本は、1914年にドイツに宣戦し、中国大陸におけるドイツの支配地域を軍事力で奪い取った。1915年には、あからさまに帝国主義的な21ヵ条の要求を中華民国の袁世凱に突きつけた。

　この時期、トロツキーは、家族と暮らしていたウィーンを脱出してスイスに一時滞在したあと、フランスのパリに腰を落ち着けていた。この地で、トロツキーは、他のロシア人亡命者とともに、国際主義的日刊紙『ゴーロス』（後に『ナーシェ・スローヴォ』）を編集するかたわら、生活のために、引き続き、キエフの急進民主主義新聞『キエフスカヤ・ムイスリ』に記事を送っていた。その中の1つには、「『日本』問題」という題名がつけられている（1915年1月6日付）[(5)]。題名に「日本」という国名が入るのは、この時期の論文としてはおそらく唯一のものである。

　この論文は、当時、非常に話題になっていた日本軍のヨーロッパ戦線への投入問題を扱っている。当時、ドイツとの戦線において膠着状態にあったフランスの一部の政治家は、同盟国である日本の軍隊をヨーロッパに派遣させ、それでもってドイツの包囲を打ち破ることを主張していた。その中心人物は、古くからの外交官ピションと大戦末期に首相となるクレマンソーであった。この論文を読めばわかるように、日本そのものについてはほとんど論じられていない。あくまでも、フランスの政治情勢とのかかわりでのみ、日本のことに触れられているにすぎない。日本側は、輸送の困難さなどを理由に、結局ヨーロッパ出兵を拒否したが、連合国側からの出兵要請は、その後も断続的に行なわれ、部分的な合意にいたったようである。このヨーロッパ出兵論は結局、10月革命後のシベリア出兵として、ある意味、非常に歪んだ形で実現することになる。そして、このシベリア出兵を最も熱心に煽動したのが、ヨーロッパ出兵論でも先頭に立っていたフランスであった[(6)]。

ロシア革命の過程で

　トロツキーは第1次世界大戦の後半にヨーロッパからアメリカへと亡命し、その地で日本から渡米していた片山潜と知り合うようになる。彼との交

流は、片山の故国日本への関心を大いに高めただろうが、トロツキーと片山との交流の話は、本書の第3章に譲ろう。トロツキーは1917年の2月革命の勃発の報をこのアメリカの地で聞くことになる。トロツキーはさっそく帰国準備を開始し、一時的にイギリス軍に拘留されるも、何とか5月初めに革命のペトログラードへの帰還を実現する。この帰国の数日後に、トロツキーはロシアにおける革命の成り行きについて重要な演説を行ない、ブルジョア臨時政府を糾弾し、革命のさらなる発展（永続革命）とヨーロッパ革命の必然性を力強く展望するが、その中で以下のように日本に言及している。

　　戦争によるあらゆる激動の後で、社会主義文化の50年に及ぶ教育の後で、
　　人民がこれまで経験したその他いっさいの後で、社会革命にとってこれ以
　　上有利な条件が他のどこにあるというのか？　そして、すべての国の人民
　　が排外主義のあらゆる欺瞞、嘘、汚物を自分自身から払拭するのを余儀な
　　くさせた戦争が、それでもなおヨーロッパを社会革命に導かないとすれば、
　　このことは、ヨーロッパが経済的に衰退することを運命づけられているこ
　　と、それが文明国としては滅びること、旅行者にとっての単なる好奇の対
　　象としてのみ役立つことを意味するだろう。そして革命運動の中心がアメ
　　リカか日本に移ることを意味するだろう。[7]

　ヨーロッパ革命か、さもなくばヨーロッパ文明の衰退というこの構図は、ローザ・ルクセンブルクの「社会主義か野蛮か」という構図と共鳴しあうものだが[8]、その中で、革命運動の中心がアメリカか日本に移るとトロツキーは言っている。どちらの国の労働運動もヨーロッパに比べてはるかに脆弱だったが、第1次世界大戦期における両国の強力な経済発展とそれにともなう労働者階級の急速な発達がこのような組み合わせをトロツキーに思いつかせたのだろう。また、この2つの国は、トロツキーがこの時期の直前に亡命していた国（アメリカ）と、その地で近しく交流した革命家の故国（日本）に一致している。数ヵ月前にトロツキー自身が目にしたアメリカの高度な技術水準と、片山から聞いた日本の話から、このような組み合わせになったのかもしれない。あるいは、ここの「日本」は、勃興しつつあるアジア全般を象徴的に示すものとして挙げられている可能性もある。実際、後でも見るように、トロツキーは世界大戦によるヨーロッパの衰退と、アメリカとアジアへの重心移動を予言しているからである（そして21世紀の今日、それは米中二大帝国の対立として現実化している）。

２．赤軍の指導者として

トロツキーが、日本という新興資本主義国家についてそれなりに言及するようになるのは、やはり 1917 年の 10 月革命が成功してからである。その最初の言及は、トロツキーが 10 月革命直後に就任した外務人民委員としての仕事においてであり、講和をめざす政府活動の一環として、日本政府の態度についても簡単に言及されている。しかし、より本格的に日本の存在がトロツキーにとって大きくなるのは、内戦期におけるシベリア出兵という事件を通じてであった。

日本によるシベリア出兵

日本は、ソヴィエト・ロシアに干渉軍を起こった帝国主義諸国の中で、最も大量の兵士を、最も長期にわたってロシアに送った（出兵は 1922 年まで続く）。日本は、ボリシェヴィキ政権がすぐに崩壊すると信じ、このどさくさに、豊かなシベリア地域を支配しようとしたのである。最大時で 7 個師団、7 万 5000 人もの兵員を動員し、バイカル湖以東の町や河や港や道路や鉄道を占領した。

日本のシベリア出兵は、各国がいっせいに軍事干渉を行なう時期とほぼ同じ 1918 年に始まる。日本軍は 1918 年 8 月にウラジオストクに上陸し、そこからアムール川沿いに西進する。アメリカ軍も同時期にウラジオストクに部隊を上陸させる。こうして、その前後から日本の軍事干渉に対する言及は、軍事人民委員として書いたり演説したりした膨大な文書類（その大多数は、『革命はいかに武装されたか』という表題の 3 巻 5 冊の大著に収録されている）に、しばしば見られるようになる[9]。

しかし、赤軍およびソヴィエト政権にとって日本の軍事干渉には 2 つの異なった面があった。まず一方では、日本は最大かつ最長の期間、ソヴィエト・ロシアに軍事干渉をした帝国主義国であり、その意味で一貫して重大な敵であった。しかし、他方では、日本軍の干渉は、東端のウラジオストクから行なわれており、ソヴィエト・ロシアの心臓部であるウラル以西に至るまでには巨大なシベリアを横断しなければならなかった。

アメリカ軍がその技術の点でいかに豊かであっても、そして日本の軍国主義がいかに強力であっても——もっとも、言っておかなければならないが、

大戦中、日本はロシアに腐った物資、使えない弾薬やライフルを大量に供給していた——、彼らが、ソヴィエト共和国のヨーロッパ側国境にたどりつくまでに巨大なシベリアで遭遇する抵抗と障害を克服するのに、何週間、何ヶ月もかけなければならないだろう。そして、その間に、赤軍は強化され、発展するだろう。⁽¹⁰⁾

　それゆえ、日本のシベリア出兵はソ連に対して長期にわたる脅威を与えつづけたとはいえ、直接的な危険にはならなかった。それよりも、英仏の支援を受けた白衛派が西部や南部や中央部からモスクワやペトログラードに向けて突進してくることの方が、はるかに差し迫った危険性であった。それゆえ、トロツキーの軍事関係の文献では日本は相対的に副次的な地位に置かれており、日本のことが詳しく論じられるのは、シベリア出兵の最初の時期と、他の基本的な脅威が粉砕された後の 1921 年以降の時期におおむね限定されている。

シベリア出兵の最初の時期と米騒動

　この時期、トロツキーが日本について触れた文献は 5 つほど確認できる。1 つ目は、1918 年 10 月 30 日の全露ソヴィエト中央執行委員会での演説「息つぎ」である。これは、シベリア出兵が始まった時期におけるもので、その中でなかんずく、トロツキーは次のような注目すべき見解を述べている。

　　1ヵ月ほど前、われわれは、日本の中で数百万の労働者を巻き込む運動が起こったのを見た。日本のブルジョアジーがかつて適用と模倣の能力を発揮したとしたら、世界的大殺戮の坩堝の中で鍛えられた日本のプロレタリアートもまた革命的模倣の巨大な能力を示すだろう。われわれはこのことを疑わない。そうなれば、シベリアに対する日本ブルジョアジーの妄想的欲望は、月を追ってますます大きな抵抗に出くわすだろう。⁽¹¹⁾

　この演説ですでに米騒動および都市部のストライキ運動のことに触れられ、日本のプロレタリアートが「革命的模倣の巨大な能力」を発揮するだろうことが言われている。

　2 つ目は、1918 年の 11 月 18 日に、ボロネシの労働者農民赤軍兵士代表ソヴィエト合同会議において行なわれた「世界革命の守りに就いて」という長大な報告である。この中で、かなり日本についても詳しく触れた個所があ

り、それは「息つぎ」で論じられたことをさらに詳しく展開したものだ。ト
ロツキーはまず日本の資本主義化が「遅ればせ」のものであるがゆえに、日
本帝国主義はアジアにおけるヘゲモニー的地位を長期にわたって獲得できな
いと指摘している。

　　同志諸君、ここで日本について若干述べておきたい。日本という国につい
　て、われわれはほとんど知らない。それは極東にある「アジアのイギリス」
　とも言うべき国であり、アジア大陸の番犬のような役割を果たしている。
　イギリスはヨーロッパ大陸のかたわらにあり、日本はアジア大陸のかたわ
　らにある。日本は、アジアを、自国の利益と野望にしたがって分割し、再
　分割したいと思っており、かつてイギリスが何世紀ものあいだヨーロッパ
　大陸において行動したときよりもはるかに傲慢かつ野蛮に行動している。
　しかし、現代はそのような行動にふさわしい時代ではない。日本はそのよ
　うな道をとるのが遅すぎたため、主人としての、経済的独裁者としてのヘ
　ゲモニー的地位──それだけが、自国の労働者階級を長期にわたって支配
　することをブルジョアジーに可能する──を獲得することはできない。[12]

　ここでもアナロジーの対象はロシアではなく、イギリスである。また、日
本ブルジョアジーのこの脆弱さは、寄生地主制に支えられた天皇制と軍部の
強い政治的自立性とそれへのブルジョアジーの従属を生み出すとともに、国
内市場をひどく狭隘なものにすることによって、対外侵略への強い衝動をも
たらしたのだが、これらの点はまだトロツキーの分析の外にある。トロツキー
がここで注目するのは、脆弱なブルジョアジーに比しての日本の労働者階級
の潜在的可能性である。当時日本で起こっていた大規模なストライキ運動と
米騒動を取り上げつつ、後発資本主義国たる日本の労働者階級の飛躍につい
て次のように論じている。

　　……日本の労働者階級は〔ロシアの労働者階級よりも〕さらに遅れて歴史
　的発展の道に入った。それゆえ、いっそう急速に発展することを余儀なく
　されている。300万人もの労働者が「米と平和」というスローガンを掲げ
　てストライキを行なった。彼らは現在、わが国の1903年──わが国ではじ
　めて強力で自然発生的なストライキ運動が起こった年──と、わが国の
　1905年──革命がまだツァーリに対しぺこぺこお願いしていた時期〔血の
　日曜日事件のデモ行進のこと〕──と、そして1917年の最初の時期──わ

が国の男女労働者が平和とパンを要求した年——を一つに結びつけたような発展段階を経過しつつある。[13]

　ここで初めてロシアとのアナロジーが登場するが、それは何よりも日本を労働者階級の巨大な立ち上がりを目にしたからであった。この演説は、この時期のものとしては最も詳しい日本論であるだけでなく、永続革命論の日本への適用可能性をはっきりと示した最初のものであろう。トロッキーはこの文章に続けて、日本とアメリカとの対立の発展に言及しているが、これはまるでこの20年以上後に起こる太平洋戦争を予見するかのごとくである。

　　日本ブルジョアジーの略奪的性格、その軍国主義的狂暴さは、今後ますます強くなっていくだろう。なぜなら、アメリカ合衆国は今や日本にとって最も脅威の存在になっているからである。以前、アメリカは陸軍を持っていなかったが、今では巨大な陸軍を持っている。アメリカの海軍はますます強化されている。日本はアメリカに比べて貧しく、その貧しさの上に日本は強力な軍隊を建設しなければならない。まさにそのために、日本の労働者階級は容赦なく、身ぐるみ搾取されなければならない。これこそが、日本革命が不可避であることをわれわれに語る客観的諸要因である。[14]

　そして、トロッキーは日本に関する議論を次のような期待でもって締めくくっている。

　　日本のブルジョアジーは、生産技術や略奪技術の点で、ごく短期間のうちにヨーロッパ・ブルジョアジーに多少なりとも追いついた。今度は日本の労働者階級が、プロレタリア革命の技術の点でヨーロッパの労働者階級に追いつかなければならない。[15]

　結果的にはこの期待がかなえられなかったことをわれわれは知っている。ツァーリ体制の何十倍も弾圧的で容赦のなかった天皇制政府がそのような可能性を阻んだのである。だがこれについてはもっと後で論じよう。

シベリア出兵の最後の時期

　3つ目は、時かなり経て、1921年12月26日の第9回全露ソヴィエト大会での演説「前線はないが危険はある」の一節である。極東問題について論

じる中で、トロツキーは、日本が執拗に極東で軍事干渉、強盗行為を繰り返していることを厳しく糾弾している。そして、極東共和国という緩衝国家が普通選挙原則によって政府が選出されていたにもかかわらず、日本が繰り返し侵略行為を行なったこと、そしてその行為がアメリカ、イギリス、フランスによって容認されていたことを鋭く指摘している。

> われわれは、ハバロフスク占領の事実をヨーロッパのエセ民主主義の顔面に投げつけよう。われわれはそれを第2インターナショナルの顔に投げつけ、こう言おう。ここに諸君の言う民主主義がある。にもかかわらず、それは何も守らなかった、と。[16]

　この厳然たる事実は、1918年以降の内戦と干渉の主たる原因をボリシェヴィキによる憲法制定議会の解散に求める昨今のソ連版歴史修正主義者たちの議論がいかに根拠のないものであるかを示している。ちなみに1921年末に行なわれたトロツキーのこの大演説は、極東勤労者大会に出席するためにソ連の首都に来ていた何人かの日本人社会主義者も聴いていて、大きな感銘を与えている（本書の第3章参照）。
　4つ目は、1922年の小論文「ジェノヴァとウラジオストクにおける日本」であり、ジェノヴァ会議で世界平和について吹聴している日本が、実践面においては、極東のソ連領で軍事的侵略や挑発を繰り返していることの偽善性を厳しく告発したものである。この告発は、後で紹介する「日本国民への新年メッセージ」でも繰り返されている。なお、この演説の中でトロツキーは日本を「カースト体制にもとづいた官僚的絶対主義の国」「カースト的君主制の国」と呼んでいることは興味深い[17]。
　最後の5つ目は、1923年6月25日に行なわれた「クラスニャ・プレスニャ地区党・労働組合・青年同盟・その他の組織の合同会議演説」の一節で、日本のシベリア出兵が終了し、1923年のヨッフェ・後藤会談をきっかけに日本との交渉が始まったときのものであり、日本の繊維産業の利益からソヴィエトとの貿易関係の可能性が広がっていることが指摘されている。このヨッフェ・後藤会談を日本側でお膳立てをしたのが、後で出てくる内藤民治であり、またソヴィエト側では、ヨッフェの親友であったトロツキーも積極的にこの交渉を進める立場であった。
　またこの演説では、日本の社会体制の特殊性についても多少突っ込んだ分析がなされており、それについて簡単に紹介しておこう。

日本の情勢は、わが国におけるかつての前革命期を彷彿とさせるものである。日本はブルジョア国家であるが、その上部構造は極端なまでに封建的で、カースト的で、軍国主義的である。日本はその改革時代〔明治維新〕を、19世紀半ばにおけるロシアの大改革時代——農奴制の半廃止、ゼムストヴォの導入、ある程度の出版の自由、等々——とほぼ同時期に通過した。日本にもそれ自身の大改革時代があり、それは憲法制定で頂点に達した。しかし、この憲法は身分的・カースト的基盤にもとづいて書かれていた。資本主義は相対的にゆっくりと発展し、何よりも国家の軍事力の増大に奉仕した。この分野では巨大な前進が達成された。このことを、実際、ツァーリズムは身を持って実感した〔日露戦争でツァーリズムが敗北したこと〕。しかし、帝国主義戦争の時期に、日本資本主義は猛烈に熱病的テンポで発展し、日本の工業と日本のプロレタリアートはきわめて高い量的水準に達した。[18]

　ここにおいてついに、旧帝政ロシアと日本との社会構造上の類似性が指摘されるに至っている。だが、トロツキーは、明治維新によって成立した日本国家が、そのカースト的・軍国主義的体質にもかかわらず、中世期から続く旧体制のまま上からの工業化を実行したロシアのツァーリ体制と違って、西側列強と対抗しつつ徳川封建体制を革命的に打倒することによって成立した近代中央集権国家であることを十分に考慮に入れていない。明治維新後の日本社会には明らかに永続革命的ダイナミズムがあったにもかかわらず、ロシア革命のような勝利の道をたどらなかった理由の一つは、まさにこの近代日本国家の相対的な「先進性」と「自立性」（あくまでも、旧ロシアのツァーリの体制や中国の軍閥支配などに比べてのそれ）にあったのである[19]。
　すでに述べたように、トロツキーは当初、日本をイギリスにアナロジーしていたが、日本における労働者階級の運動の巨大な発展を見て、むしろ帝政ロシアとのアナロジーにもとづくようになった。しかし戦前の日本はイギリス未満、旧帝政ロシア以上の存在だった。イギリスよりもロシアにはるかに近かったが、それでも帝政ロシアよりも近代的な国家構造を有していたのである。

3．コミンテルンの指導者として

　1919年にコミンテルンが創設されると、トロツキーはそれの指導にもあたるようになった。このソヴィエト時代の最初の時期、トロツキーは、コミンテルンの諸大会やあるいは種々の会議の場において、国際情勢の一環として日本にもしばしば言及している。たとえば、1920年のコミンテルン第2回大会の宣言では次のように言われている。

　　日本は、封建的外皮の中で資本主義的矛盾に苦しんでおり、最も深刻な革命的危機の瀬戸際に立っている。そのため、国際情勢の有利さにもかかわらず、今ではすでにその帝国主義的能動性が麻痺している。[20]

　また、1921年7月の「第2回共産主義女性国際会議の演説」において、トロツキーはとりわけ日本の女性労働者の置かれている状況とその革命的可能性に言及している。

　　統計から私が知ったところによると、日本では女性労働者が男性労働者よりもはるかに多く、したがって、私が個人的に利用している資料を信じるとすれば、日本の労働運動では、彼女ら女性プロレタリアが決定的な役割を担い、決定的な地位を占めることになるだろう。[21]

　この指摘はまったく正しかった。実際、1920年代には女性労働者を中心とする大規模な労働争議があいついで起こった。たとえば1927年に起きた信州岡谷の山一争議では1300名もの女工がストライキに決起した。中央から派遣された男性労働組合活動家が次々と脱落し屈服していく中で、19日間におよぶ争議を最後まで戦い抜いたのは47人の女工たちであった。さらにその3年後には、東洋モスリンでも2000名もの女工が決起する大ストライキが起きている。女性労働者は日本の労働者階級の前衛だった。
　1921年の第3回コミンテルン大会でのトロツキーの報告「世界経済恐慌と共産主義インターナショナルの新しい任務について」では、日本については次のように言われている。

　　日本もまた戦時を利用して、同国の資本主義は大きな成功をおさめた。し

かしながら日本の成功は、もちろんのこと、アメリカ合衆国の発展に匹敵するものではまったくない。日本の工業のいくつかの部門は、温室的テンポで発展した。しかし、日本が、競争相手の不在のおかげでいくつかの産業部門を急速に成長させることができたからといって、多くの競争相手が復活したときに、現在の獲得した地位をいつまでも維持できるわけではない。日本の男女労働者の総数（日本では、女性労働者がきわめて大規模に雇用されている）は 237 万人にのぼり、そのうちの 27 万人（約 12 ％）だけが労働組合に組織されている。……日本の絹産業は短期間に急速に成長したが、労働者の購買力はきわめて制限されており、すぐに下降しはじめた。そして、アメリカの工業が講和条約の調印のおかげで再編成されるやいなや、日本の絹産業部門でただちに先鋭な恐慌が起こり、それはたちまち他の部門に波及し、アメリカをとらえ、大西洋を越えて、今では全世界で、資本主義の歴史上類例を見ないような深さにまで達している。[22]

　日本資本主義のこのような内的脆弱さ、すなわち労働者の地位の低さゆえの国内市場の狭さ、その一方での国際市場における競争力がアメリカと比して著しく弱いこと、これらの点はまさにここでの指摘の通りであった。日本資本主義はこの内的弱点を結局、終戦後の戦後改革を経るまで克服することができなかったのである。
　また同じ大会で採択された「国際情勢とコミンテルンの任務に関するテーゼ」の中では、日本について次のように述べられている。

　　日本とアメリカ合衆国との対立は、両国がドイツに参戦したために一時的に後景に退いていたが、現在ではその傾向をはっきりと発展させつつある。日本は戦争の結果として、戦略的に重要な太平洋の島々を手に入れ、アメリカの海岸に近づいた。
　　急速な成長を遂げた日本の産業に訪れた恐慌は、再び移民問題を先鋭化させた。日本は人口密度が高く、天然資源が貧弱であるため、物か人間のどちらかを輸出しなければならない。どちらの場合でも日本はアメリカと衝突する。カリフォルニアで、中国で、ヤップ島で。
　　日本は国家予算の半分以上を陸海軍に支出している。英米間の闘争においては、日本は、フランスがドイツとの戦争において陸で果たしたのと同じ役割を海で果たすことになる。日本は現在、イギリスとアメリカとの対立を利用しているが、世界の支配をめぐるこの両大国の決定的な闘争が起

こる場合には、その闘争はまず何よりも日本の背中の上で繰り広げられるだろう。[23]

　ここでも日本とアメリカとの衝突の可能性が正確に予言されている。異なるのは、ここで重視されている（そしてナチスが台頭するまで基本的にトロツキーの国際情勢認識の基軸をなしていた）英米間の対立を超える英独間の闘争が、その後の世界の運命を決定づけたことである。
　同じような立場は、トロツキーが起草したコミンテルン第5回大会の宣言（1924年）でも繰り返されているが、そこでは前年に起きた関東大震災とアメリカによる日本人移民禁止が踏まえられている。

　　日本とアメリカとの対立はあいかわらず緊張したままである。日本の震災は力関係を変えたが敵意を和らげはしなかった。アメリカが自国への黄色人種の移民を禁止したことは、太平洋の帝国主義者たちの闘争に、人種闘争の色彩をつけ加えた。アメリカとイギリスとの武力衝突の暁には、日本帝国主義は先の帝国主義戦争の時とは比較にならないほど能動的な役割を果たすであろう。[24]

　以上のように、日本の情勢については、アメリカとヨーロッパの情勢に付随するものとして、あるいは、ソ連の情勢にかかわるかぎりでのみ、断片的にのみ論じられている。日本社会の後進的性質やそこでの革命の可能性、日米対立の不可避性など、大筋では正しい分析がなされているが、それ以上に深く突っ込んだ議論はなされていなかったし、日本そのものを主題にした演説も論文も書かれなかった。日本の共産党が創設されるのはようやく1922年になってからであり、その党もすぐに弾圧されて、国内では重要な役割を果たせなかった。コミンテルン指導者としてのトロツキーの目は、基本的にはヨーロッパとアメリカに向けられていた。アジアに関しては、中国とインドという2つの巨人が議論の中心であり、日本に対する関心はあまり高くなかったと言える。

4．ソヴィエト国家の指導者として

　レーニンと並んでトロツキーの名が西方のみならず、日本でも大いに流布されるようになり、またソヴィエト政権が最初の危機の時代を乗り越えて、一定の安定軌道に入り、ネップを導入してからは商業関係面でも日本とのつながりができてくると、ソ連国家の指導者としてのトロツキーに対し取材や交流を求めてくる日本人はしだいに多くなってきた。

　たとえば、『大阪毎日新聞』は、すでに何度もトロツキーとのインタビューに成功していた布施勝治を通じて（布施についてより詳しくは本書の第３章を参照）、1923年の年始にあたって、レーニンとトロツキーに日本国民への新年のメッセージを求めた。病床にあったレーニンはこの要請に答えられなかったが、トロツキーはこの申し出を快諾し、新年メッセージを寄越した。これは、『イズベスチヤ』の1923年1月1日号に全文掲載され、『大阪毎日』の1月4日号の夕刊にも第一面で大々的に掲載された。日本語訳のほうを以下に全文掲載する（読みやすいように少しだけ現代風にアレンジしてある）。

　　欧州諸国が軍国主義の本体たる陸軍および海軍の維持に困難を感ずるに至ったのは、欧州の今日の経済的恐慌状態に基づくものであろうが、これまでに文明の荒廃に力を致した軍国主義の勢力がようやく下火とならんとする今日、これを一挙にして葬り去るは、欧州文明を擁護するための必要

1923年1月4日付け『大阪毎日新聞』夕刊に掲載されたトロツキーの年頭メッセージ

条件である。曖昧姑息ではあるが、日、英、米3国はこの問題に指を染めた。我が労農露国もこの軍国主義の壊滅を計るべく、前後2回に亘って努力した。すなわちさきには世界各国を網羅せるジェノヴァ会議において、次には西部隣接諸国の参加を求めたるモスコー軍備縮小会議において、これを策したのである。しかるにジェノヴァ会議においては、我が露国は1箇年半の間に軍隊を4分の1、すなわち現在の80万より20万にまで減縮するとともに、隣接諸国もこれに準じて減縮すべく提議したのであった。これに対し隣接諸国は道義的軍縮を先決すべしと提議した。何という多数人民を欺瞞した上手な口実だろう。そして哀れな軍国主義者は、われわれの提議を目して誠意を欠けるものとしてこれに反対した。われわれはこれに対してかく答えよう、「われわれの提議が果して無誠意やなるや否やは、国際監査委員を設置して露国および各国が果してこの規程に基づいて期日間に軍縮を実行するや否やを監督させれば、ただちに判明するのである」と。しかしてわれわれはこの提議が不誠意にして顧みるに足らぬものであるか、あるいはまたいわゆる道義的軍縮が信頼するに足る先決問題なるやを比較検討せんと欲する。われわれはわれわれの提議をもって不誠意であると主張する者が、最近に至ってわが領土を占領せんとし、または現に占領していることを指摘せざるを得ないのを遺憾とするものである。今や全世界を挙げても最も困難にしてかつ悲劇的な時代に遭遇しているが、かかる時代の国民こそわれわれの態度に学ぶ所少なくないであろう。余は衷心希望する。1923年は、日本国民が世界の国民とともに学ぶべき最上の年とならんことを。その時においてこそ、軍国主義とか報復とか憤怒とかは根本より覆され、世界人民の関係は協力一致、兄弟のごとき親しさを基礎とするようになるだろう。

エル・トロツキー

12月27日、モスクワ・クレムリン宮において

　ここで述べられていることの趣旨は、1922年4月の小論文「ジェノヴァとウラジオストクにおける日本」と基本的に同じである。

布施勝治のインタビュー
　さらに、1924年の4月と6月にはあいついで、トロツキーと深い関係のある2人の日本人による比較的まとまったインタビューが『イズベスチヤ』に掲載されている。

　１つは、先の年頭メッセージにも関わっていたであろう『大阪毎日』新聞の布施勝治のインタビューであり（4月24日掲載）、もう１つは、ジャーナリストで日ソの通商事業にもかかわっていた内藤民治のインタビュー（6月18日掲載）である。布施のインタビューは4月25日付『大阪毎日』に掲載されている。右は、布施勝治が1926年に出版した『ソウェート東方政策』[25]に掲載された口絵で、1924年のインタビューの時にトロツキー自身が布施に提供したサイン入りのタイプ版覚書の上に、トロツキーの似顔絵が配置されている。右上に書かれた説明文には「レオン・トロツキー……写真の背景

レオン・トロツキーの写真と覚書

は卜氏が自署して著者の質問に答えた覚書」とある。

　さて、1924年4月のインタビューの中で布施は、とりわけ日米開戦の可能性についてトロツキーにたずねている。これは、ちょうど同じ頃にアメリカで日本人移民の入国を禁じる法律が議会を通過したこともあって、反米感情がうずまいていたことを反映している。このような問題関心は、このインタビューの掲載された前日の4月24日付『大阪毎日』に、4月19日の鉄道労働者大会でのトロツキーの演説からの抜粋がわざわざ掲載されていることにも示されている。この演説は、とりわけ、アメリカ帝国主義を糾弾してヨーロッパ合衆国の創設を訴えるものだった[26]。さて、この質問に対してトロツキーは次のように答えている。

　　現代における戦争の根源は、世界的舞台で非和解的な利害を追求している資本主義的社会構造にあります。破壊されたヨーロッパには現在、先の大戦前夜の時と同じだけの数の兵隊がいます。ヨーロッパにおける対立は、現在、先の帝国主義戦争前夜よりも先鋭になっています。

　　そして太平洋の沿岸において諸矛盾は緩和するどころか、先鋭化しています。私は、アメリカ合衆国と日本との戦争はありえないと考える人々に属しているでしょうか？　いいえ、いくら望もうとも、私はそのような考

えに与するものではありません。アメリカ合衆国と日本は、2つの最も強力な資本主義国家であり、強力な軍事力を有し、多くの敵対的な利害によって分裂しています。

　では、両者間の戦争が「不可避」であると考えているということでしょうか？　いえ、そうではありません。いっさいは、これら両国のそれぞれの国内で帝国主義的傾向がどの程度の抵抗に出くわすかにかかっています。[27]

　ここでもトロツキーは日米戦争の蓋然性が高いことを正しく指摘している。不幸なことに、まさにここでトロツキーがこの蓋然性を回避しうる唯一の力であった両国内での、とりわけ日本国内での「抵抗」は弱く、このインタビューの17年後に日米戦争は現実のものとなり、日本の国土を焼け野原にしてしまうのである。

　また、もう1つの重要論点は、欧米列強諸国によって植民地化ないし隷属させられているアジア諸国の中での日本の役割についてである。布施は、アジア諸国における日本の「解放」的役割に対する好意ないし支持をトロツキーに求めようとして、かえってトロツキーから厳しく日本帝国主義の抑圧的役割を指摘されている。

　トロツキーは以下に引用するように、まず一方では日本人を含むアジア人種に対する欧米の蔑視がまったく不当であることをはっきりと指摘するとともに、10月革命前からトロツキーが触れていた、世界の発展の中心がヨーロッパからアメリカとアジアに移る可能性について再びはっきりと明言している。

　　もちろん、問題が、日本人を劣等人種として見下そうとする忌まわしく恥ずべき態度に対する闘争が問題になっているかぎり、日本人民はソヴィエト連邦のうちに常に確固たる誠実な友人を見出すでしょう。優等人種と劣等人種というイデオロギーは、アジアが停滞の中にあった時代における旧ヨーロッパの支配階級の思い上がりを表現するものです。しかし、このような停滞は完全に歴史的に過去のものとなりました。アジアは目覚めました。そして、ヨーロッパが、ベルサイユ講和によって作り出された状況の中で腐敗していくなら、歴史的発展の重心は完全にアメリカとアジアに移るでしょう。そして、アメリカ合衆国の支配階級が黄色人種に対する敵対的・軽蔑的態度を養っているかぎり、彼らは新しい大規模な流血の衝突

の危険性を先鋭化させつつあります。⁽²⁸⁾

　しかし、他方では「アジア人のためのアジア」というスローガンが、１つのアジア民族（つまり日本）による他の諸民族の支配・抑圧を正当化するものであることをトロツキーは鋭く看破している。

　　あなたは、東方諸民族の解放というわれわれのスローガンが「アジア人のためのアジア」という日本国民のスローガンと一致しているとおっしゃっています。たしかに、アジア諸民族に対するヨーロッパ帝国主義の支配と専制に対してわれわれが断固として反対しているかぎりにおいて一致しています。しかし、このことから、一つのアジア民族が他のアジア諸民族を抑圧し隷属させる権利をわれわれが承認しているなどという結論は、言うまでもなく、まったく出てきません。そうではなく、われわれは、ヨーロッパのくびきから解放されたアジアの内部においては、すべての民族の自決権を支持します。ソヴィエト連邦と日本との正常で安定した関係は、遅かれ早かれ、両国の同権にもとづいて、そしてもちろんのこと、何らかの第三国を犠牲にすることのない形で、確立することができるし、確立されるでしょう。⁽²⁹⁾

　日本国家はヨーロッパ帝国主義のアジア支配に抗してアジア諸民族の解放と家族的共存（もちろん日本帝国の庇護下での）のために闘っているのだという「反帝国主義的」レトリックは、日本の知識層に深く浸透していたが（それは次に紹介する内藤民治の場合も同じである）、トロツキーはもちろんこのレトリックのいかさま性を見抜いており、その本質が「一つのアジア民族が他のアジア諸民族を抑圧し隷属させる権利」を主張するものでしかないことをはっきりと指摘している⁽³⁰⁾。

内藤民治のインタビュー

　1924 年 6 月における内藤民治のインタビューでも、これらの問題が繰り返し論じられている。まず、「日本とソヴィエトとの相互関係を脅かす主要な脅威は何であると見ているか。……それは、日本政府の政策か、日本の国家体制の全体か、それとも、日本人の国民性における欠陥か」という質問に対して、トロツキーは次のように答えている。

まずもって問題にならないのは「国民性における欠陥」です。これは排外主義の立場であり、アメリカ合衆国への日本人の入国を禁じているアメリカ・ブルジョアジーの立場です。われわれ共産主義者は、排外主義のあらゆる形態、あらゆる現象に対して非和解的に敵対しています。もちろん、さまざまな民族には、その歴史発展の特殊性の結果として、それぞれ民族心理的な特殊性があることを否定することはできません。しかし、まずもって、各民族の民族心理的特徴は、社会的条件の変化に伴って変化します。日本における資本主義的諸関係の急速な発展は、きわめて急速に日本を他のすべての資本主義世界に近づけつつあります。いずれにせよ、日本を含むすべての国の勤労大衆は等しく、搾取の廃絶と、すべての諸国民との友好の確立に利益を有しています。「白色」排外主義者がいかに叫び声や怒鳴り声を上げようとも、黄色人種の性格が白色人種の性格よりも悪いということは、いかなる場所においても、またいかなる時においても、証明されたことはないのです。[(31)]

　したがって、日ソ間の友好を妨げているのはもちろん、日本政府の政策であり、それを支えている日本の社会体制であるということになる。

　　したがって、次のような結論になるでしょう。日本とソヴィエト・ロシアとの友好関係にとっての脅威はつねに日本政府の政策であった、ということです。この政策は、少数だが非常に影響力のある有産階級の利害と計画とを反映しています。このことから出てくる結論は、日本の社会体制、その国家、したがってまたその対外政策の徹底した民主化が必要だということです。[(32)]

　そして、アジアにおける日本の役割について聞かれたトロツキーは、アジア民族に対するセンチメンタルな同情だけでは無力であり、それどころか日本帝国主義を手助けする可能性があることを正しく指摘している。少し長くなるが、日本が再び帝国主義化している今日、きわめてアクチュアルに聞こえる主張なので、引用しておきたい。

　　日本の若者が東方の被抑圧民族に同情しているということ、このことは完全に理解できるし、自然なことであり、喜ばしいことです。しかし、この同情が無定形で、無規定で、センチメンタルなままであるならば、それ

は、抑圧された植民地人民にとってほとんど利益とならないでしょう。それどころか、ある条件においては、日本の帝国主義者たちを無意識的に助けることになるかもしれません。一見したところ、こういうことはありそうにもないように見えます。しかしながら、そうなのです。日本の封建層と高級官僚、それにとりわけ日本の大資本の利害を反映している日本帝国主義は、中国をはじめとするアジアの諸民族を自らの支配下に置こうとしています。日本帝国主義のお気にいりは「アジア人のためのアジア」という定式です。しかし、日本帝国主義はこの定式を、アジアの各民族が独立する権利を有しているという意味にではなく、アジアの勤労大衆を搾取する権利を有しているのはアジアのブルジョアジーだけであり、その中でも、最も豊かで強力な日本のブルジョアジーだけであるという意味に理解しています。しかしながら、一瞬たりとも目を閉じてはならないのは、外見上解放的なスローガンである「アジア人のためのアジア」は、「アメリカ人のためのアメリカ」というスローガンがアメリカ帝国主義の武器になっていったのとまったく同じ程度に、日本帝国主義の武器となってしまっていることです。このことを理解せず、アジアへのヨーロッパとアメリカの侵入に反対する一般的な決まり文句に終始するような日本の革命家は、そのことにより無意識的に日本帝国主義を助けることになるでしょう。そして、東方の勤労大衆の社会的・民族的利益からすれば、日本帝国主義は、他のどの帝国主義にも劣らず危険なものなのです。[33]

　ここでトロッキーが指摘している「このことを理解せず、アジアへのヨーロッパとアメリカの侵入に反対する一般的な決まり文句に終始するような日本の革命家」たち（インテリ革命家の大部分がそうだった）は、1930年代において実際に天皇制に屈服して日本の「八紘一宇」を支持する国家主義者ないし国家社会主義者になり果てるのである。続けてトロッキーは、「日本人革命家」は何よりも自国の帝国主義と闘うべきことを強調している。

　　帝国主義には小指すら与えてはなりません。さもなくば、帝国主義は手全体を、そしてそれとともに魂をも奪い取ってしまうでしょう。まず何よりも自国の帝国主義と闘う日本人革命家こそ、実際に東方の人民が日本のブルジョアジーのみならず、他のすべての国のブルジョアジーの侵略企図から自らを解放することを助けることができるのです。[34]

２人の日本人に対して語った以上のことから、トロツキーが左右のオリエンタリズムに陥っていなかったことがわかる。左右のオリエンタリズムとは、一方では、アジア人種はヨーロッパ人種よりも基本的に劣っており、野蛮と停滞を内的本質とし（ヘーゲルがかつて言ったように）、せいぜいヨーロッパの模倣しかできない人種だとする認識（右のオリエンタリズム）と、他方では、そうした右のオリエンタリズムに対する反発から、今度は、アジアのいずれかの国による見かけ上の「反帝国主義的」スローガンを真に受けて、その国家およびその支配階級が内外で行なっている暴力、搾取、抑圧、侵略などを見ないようにしようとする、あるいはむしろそれを解放的で進歩的であるとして擁護しようとする態度（左のオリエンタリズム）のことである。どちらもアジアを肯定的であれ否定的であれ特別扱いし、欧米諸国と本質的に異なった異質な何かとみなす点では同じである。トロツキーをはじめとする初期ボリシェヴィズムの指導者たちがとっていた階級的普遍主義は、このような左右のオリエンタリズムに陥るのを妨げた。とはいえ、この時点では、アジア人民（とりわけ中国人民）の革命的潜在能力に関しては、トロツキーを含むコミンテルン指導者はまだ十分に評価していなかった。そのことが後に見るように、中国革命の運命をめぐる大論争へとつながっていくのである。

　ところで、この同じインタビューで、日本語に翻訳するべき著作について尋ねられたトロツキーは、『共産党宣言』を真っ先に挙げている。周知のように、すでに『共産党宣言』は幸徳秋水と堺利彦によって日本で 1904 年に英語から訳され、その後も何度も翻訳されていたが、繰り返し発禁処分になっていた。トロツキー自身の著作に関しては、『1905 年』を挙げているのは興味深い[35]。旧帝政ロシアと日本との類似性を考慮しての推奨であろう。この著作は実際、翌年の 1925 年に、その序文の一部が嘉治隆一によって日本語に訳され、『近代ロシア社会史研究』の付録として出版されている[36]。

『西方と東方』

　同じ年、トロツキーは『西方と東方』という著作を出版し、1924 年中に行なわれたヨーロッパ革命や東方問題に関する演説や論文を収録している。その中のいくつかの作品には、中国問題と並んで、日本問題も取り上げられている。たとえば、1924 年 4 月 29 日のモスクワ・ソヴィエトのメーデー記念集会で行なわれた演説「西方と東方におけるメーデー」の中でトロツキーは次のように述べている。

アメリカは、日本人のアメリカへの入国を禁止する新しい法律を発布した。日本人は、劣等人種、黄色人種だから、というわけだ！　日本は朝鮮を絞め殺しつつある。日本は、ブルジョア的ヨーロッパとアメリカといっしょになって、中国を絞め殺そうとしている。⁽³⁷⁾

　ここでもトロツキーは、一方におけるアメリカでの日本人排外を糾弾しつつ、他方ではただちに日本帝国主義による朝鮮侵略、および中国侵略の企図を告発している。続けてトロツキーは、日本がアメリカとの対立関係の中で、日本帝国主義がアメリカと妥協して、その矛先をソ連に向ける可能性について論じている。

　　現在、日本の支配者のあいだで闘争が繰り広げられている。支配層の中の極端に軍国主義的な翼は、日本を襲った恐るべき地震〔1923年の関東大震災〕でこうむった損失をソヴィエト連邦の犠牲によって取り返そうと望んでいる。日本は、被災地域の復興のためにアメリカから巨額の借款を受けることに合意した。同時に、アメリカは日本人の移民を野蛮かつ無慈悲に排除している。日本は明らかにこのことを、アメリカ・ブルジョアジーが太平洋のソヴィエト沿岸への道を日本に指し示しているものと理解しているようだ。最近の数ヵ月間、日本人はもう一度、ソヴィエト連邦の太平洋沿岸の住民がますます民族独立を求めつつあるとか、この住民の代表者たちが支援を求めて日本の高位の有力者たちに接近しつつあるといったことについて語っている。われわれはこの代表者なるものの名前をよく知っている。その中で最も仰々しく威勢のいいのがアタマン〔コサックの首領〕のセミョーノフ〔白衛派将軍〕である。どうやら、この極東の地で、日本の支配層の一分派は、新しい軍事的冒険を準備しているのでないとしても、少なくともそのような準備のための政治的・心理的前提条件をつくり出しつつあるようだ。

　同時にトロツキーは、そのような軍事的冒険が日本における1905年になりうることも語っている。

　　そして、メーデーの日に、われわれはこの試みを暴露し、このことに日本の労働者階級の注意を向けたい。日本においては、国の民主化のための闘争が行なわれている。いつだったか、以前われわれがすでに指摘したよう

に、日本はある意味で、それ自身の 1905 年の前夜に立っている。われわれはこの年のことをよく覚えている。それに先行したのが日露戦争であった。ツァーリ政府は当時、満州において冒険に走った。これは、事件の発展をいちじるしく促進し、1905 年の勤労大衆の蜂起を近づけた。もし日本のブルジョアジーがこの歴史的相似性に気づいていないとしたら、彼らはそれ自身の 1905 年に直面することになるだろう！[38]

　ここでも日本は旧帝政ロシアと比較され、日露戦争と将来の日ソ戦争とが比較されている。しかし、トロツキーはそう言いつつ、日本とのこのありうる戦争を最大限回避する必要性を力説している。

　　彼らは、その前段として、新しい日露戦争——今回は日ソ戦争——を行なうことを欲している。この戦争は、われわれの側のイニシアチブにもとづくものではなく——われわれはそんなものを望んでいない——、日本の極端な排外主義者たちのイニシアチブにもとづくものである。われわれは日本の勤労大衆に訴える。日本の参謀本部と国家官房の罠にはまらないよう勤労大衆に警告する。この参謀本部や国家官房では、新しい流血の事態が準備され、企画されている。そして、われわれの極東と日本とが新しい冒険から守られるよう、できることは何でもしなければならない。[39]

　ここで述べられている政策、すなわち何としてでも極東の安全を維持しようとする政策は、トロツキー独自のものではなく、当時のソ連の首脳全員に共通した政策でもあった。彼らが恐れたのは、西方からの欧米帝国主義の攻撃と、東方からの日本帝国主義の攻撃によって挟み撃ちされることであった。このような事態を回避するため、極東ではできるだけ平和維持政策を実行し、日本からの侵略行為や挑発行為には断固として反撃するとしても、深追いはせず、一方でソ連の工業と国防力とをしだいに充実させ、他方でヨーロッパとアジアで革命情勢が成長するのを待つという方針を取っていた。しかし、この政策は、ソ連とコミンテルン指導者の手を縛り、数年経たずして、第 2 次中国革命との関係で重大な結果をもたらすことになる。

対日妥協政策と中国革命の悲劇
　1920 年代半ばにおけるソ連首脳の極東政策は、一方では中国共産党の建設を国民党の枠内で進めつつ、他方では日本とのあいだでは一定の妥協と譲

歩を実現して、ヨーロッパとアジアにおける革命の発展を待つというものだった。このような姿勢をはっきりと示しているのが、トロツキーを議長とする委員会（委員はジェルジンスキー、チチェーリン、ヴォロシーロフ）で決定された「中国と日本に対するわれわれの政策の諸問題」（1926年3月25日）である。これはトロツキー単独の文章ではなく委員会で討議の上決定された公式の政策案であり、したがってトロツキー個人の主張が主として盛り込まれているのではなく、基本的にスターリン派である委員たちの意向も濃厚に反映している。とはいえ、トロツキーも同意したその政策案には、この時点でのソ連指導部の妥協的・待機的姿勢がはっきりと示されている。

　同文書はヨーロッパにおける情勢の安定化、帝国主義諸国間での反中国統一戦線の結成という状況を踏まえて、最大の脅威である日本への譲歩による「息つぎ」を訴えている。

　　現時点において中国革命にとってはなはだしい脅威になりうるのは日本である。それは、その地理的位置のせいだけでなく、日本が満州に対して死活に関わる経済的・軍事的利害関心を持っているからでもある。中国の革命運動は、日本との関係という問題が自己にとって極度に重要な意義を持つようになった段階に至っている。ここでは息つぎに達する試みをしなければならないが、このことは実のところ満州の国家的運命の問題を「脇に置く」ことを意味する。すなわち、南満州が当面のあいだ日本の手中にとどまることに事実上甘んじることを意味する。[40]

　このような妥協的姿勢は中国国内の革命分子に否定的な印象を与えかねないことを憂慮しつつも、国際情勢の不利さからして、このような妥協政策が必要であることがきっぱりと語られている。

　　日本に対する〔中国人民の〕極端な敵意の存在を踏まえるなら、中国の革命分子にとって、また中国の広範な世論にとって、このような方針がいかに受け入れがたいものであるかについて、あらかじめ考慮しておかなければならない。とはいえ、この方針は中国革命の内的要求に命じられたものである。それは、ヨーロッパとアジアにおいて新しい革命の波がやって来るまで、帝国主義の結束した攻撃に対して持ちこたえることはできない。他の場合と同様、この場合も、ソヴィエト国家の利益は、中国革命の利益と完全に一致している。ソヴィエト国家にとって息つぎ期の継続が必要で

あるのは、中国の革命運動にとって息つぎを獲得するのが必要なのと同じである。(41)

　このような妥協的姿勢は、このテーゼに対してスターリンが加えた修正によりはっきりと示されている。

　　広東政府は現在の時期において、攻撃的性格を持った軍事遠征や、一般に、帝国主義国を軍事干渉の道に追いやりかねないあらゆる行動という考えを拒否しなければならない。(42)

　これは、やがて始まる「北伐」にさえ反対する姿勢をはっきり示したものであった。日本に対するこのきわめて妥協的な政策は、中国で、ロシアの首脳全員（トロツキーを含む）の予想を越えて急速に革命情勢が発展したとき、ブレーキ的役割を果たすようになった。中国革命の力量を信じることができなかったソ連の首脳たちは、国民党や軍閥や日本のような「強力な」勢力との交渉や妥協を通じて問題に対処しようとした。トロツキーでさえ最初のうちはこの傾向を免れていなかったのである(43)。
　しかし、ソ連首脳の予想をはるかに超えた中国革命の急速な発展（と崩壊）は、中国をはじめとする第三世界諸国の革命的潜在力に対するこれまでの、トロツキーも免れていなかった過小評価（トロツキーはソ連指導者の中で最も高くそれを評価していたとはいえ）を根本的に克服することに役立った(44)。それは、アジアに対するオリエンタリズムの最後の残滓を取り除くことを意味した。次節以降で見るように、このことは、中国人民の革命的潜在能力、そして日本軍の侵略に抗するその民族的エネルギーに対するトロツキーの無限の信頼のうちに示されていると言える。

5．追放後のトロツキーの日本論Ⅰ——日中戦争勃発まで

　合同反対派の闘争からその敗北とアルマアタへの流刑に至るまで、トロツキーには日本問題について論じる機会はほとんどなかった(45)。アルマアタに流刑されてから、トロツキーは中国問題やインド・日本問題をはじめこの間の一連のコミンテルンの政策を総括的に批判する機会を得た。これらの一連のコミンテルン批判の集大成が言うまでもなく、『レーニン死後の第三イ

ンターナショナル』であるが、そこでの日本への言及は、基本的に「労農党」結成方針に対する批判（日本版国民党であるとされている）であった[46]。日本についてより系統的に論じるようになるのは、やはり国外に追放されて、より多くの情報に接することができ、より自由に国際問題について論じられるようになってからのことである。

　トルコに追放されたトロツキーのもとをさっそく訪問してインタビューをしたのが、すでに何度もトロツキーとのインタビューを行なってきた『大阪毎日』の布施勝治である。このインタビューの中で布施は、とりわけ、日本関連としては、日米戦争の可能性について尋ねている。この質問は、1924年のインタビューでも入っていたが、それから5年経って改めてその可能性について尋ねたのである。それに対するトロツキーの答えは、当時よりも、現在のほうが世界情勢が軍事的破局へと至る危険性が増大したと見ており、その従属変数として日米開戦の可能性もあるとみなしている。

　　戦争を不可避だと私がみなしているのか？　　未来の戦争勃発の期日に対する無駄な予想を下すことは避けて、私は、世界大戦から10年を経て、国際連盟が存在し、ケロッグ不戦条約などが締結された今日ほど、世界が無分別な頑迷さをもって軍事的破局へ向かっている時期は人類史上なかったと言わなければならない。[47]

　日米戦争は、このインタビューから12年後の1941年に実際に始まるのであるが、トロツキーは自分の予言が当たったことを見ることはなかった。布施勝治とのこのインタビューについては本書の第3章でも取り上げる。

満州事変をめぐって

　それ以降、トロツキーの日本論は、基本的に中国情勢との関連で、その時々の大事件の節目節目ごとの発言に限定されている。まず、トロツキーが日本について詳細に述べるのは、1931年9月に起きた満州事変に関連してである。この満州事変に関してトロツキーは、3つの文献を残している。1つ目は、「国際情勢の鍵はドイツにある」という大論文の一部であり（1931年11月26日）、2つ目は、『リバティ』という急進ブルジョア新聞に書いた長めの論文「日本の満州侵略と日ソ戦争の可能性」（1931年11月30日）、3つ目は、アメリカのUP通信社のインタビューに答えたものである（1932年2月29日）。

　この3つの基本的内容はほぼ同一であり、日本の侵略的衝動が、日本の急

速に発展しつつある資本主義とその半封建的な国家的・社会的上部構造との矛盾から来ていること、したがってまた、この侵略政策は長期的な成功をおさめることはできないこと、革命に目覚めた中国は、内部の深刻な分裂と対立にもかかわらず、日本軍を長期間にわたって苦しめ、いずれは撃退するであろうこと、そして、この軍事的破局の結果として、日本での革命的危機を著しく促すであろうこと、である。1920年代初頭から、トロツキーは何度も、現在の日本が1905年革命前夜の帝政ロシアに似ていることを強調してきたが、この同じモチーフがここでも繰り返されている。これらの一連のトロツキーの予測は、最後の社会革命に関してだけはずれたが、それ以外は基本的に当たっている。

　以上の基本線を踏まえて、いくつか注目すべき点を紹介しておこう。まず、「国際情勢の鍵はドイツにある」において、トロツキーは、日本がこれまで革命に向かう傾向を何度も示してきたのに、結局革命に至らなかった理由について次のように述べている。

> 日本の封建的・軍事的体制は、今世紀の始めにはまだ、日本の若い資本主義の利益に奉仕することができた。しかし、この4分の1世紀のあいだに、資本主義の発展が、日本の古い社会的・政治的形態にいちじるしい分解作用をもたらした。これ以降、日本はすでに何度となく革命へ向かって進んだ。しかし、資本主義の発展によって提起された課題を実行する強力な革命的階級が、日本には欠けていた。満州での冒険は、日本の体制の革命的破局をさらに促進させるだろう。[48]

　「資本主義の発展によって提起された課題を実行する強力な革命的階級が、日本には欠けていた」とあるが、その社会的・経済的理由については何も書かれていない。すでに述べたように、かつてトロツキー自身が日本の労働者階級がかつてのロシアと同じように強力で決定的な役割を担えることを言明していた。問題は「強力な革命的階級が欠いていた」ことではなく、そのような階級が成長してくるまでに、それを十分に封じ込めることのできる強力な軍事警察国家が形成されていたことであった。この遅れて成長した革命的労働者階級が対峙していたのは、数百年も前から維持されてすでにガタガタになっていた旧帝政ロシアのツァーリ政権や中国の清王朝でもなければ、2月革命によって成立した臆病で脆弱なブルジョア臨時政権のようなものでもなく、1917年革命の50年も前に、自らのイニシアチブで徳川封建体制を打

倒して、アジアで最も早く近代中央集権国家をつくり上げ、その後の50年間で強固に国民を支配するに至った帝国主義的ブルジョア国家（神権的・身分制的・半封建的要素をたっぷり備えているとはいえ）であった。だがこの論点については、後でもう少し詳しく展開しよう。

　しかしトロツキーは、日本がこの満州侵略によって自らの首を絞める結果になることを正しく指摘している。かつての中国と違って、すでに目覚めつつある中国は、日本軍を叩き出すほどの力量をまだ発揮できないとはいえ、日本軍を十分に苦しめることができ、日本はそのため次々と新たな軍隊を送ることを余儀なくされるだろうと正確に予言している[49]。同論文は最後に、極東の地理的広大さや人口の多さ、経済的後進性ゆえに、直接の脅威は東方ではなく、ナチスが台頭しつつあるヨーロッパにあると指摘することで締めくくられている[50]。

　次に、「日本の満州侵略と日ソ戦争の可能性」だが、この中でトロツキーは、日本による満州侵略の直接の引き金となったのが、1925～27年の中国革命の崩壊であることを正しく指摘している。このことは戦後の近代日本史の研究者によってもあまり注目されていないことなので、強調しておく価値がある。

　　1925～27年の中国革命は、民族解放の運動であり、巨大な大衆を行動に立ち上がらせた。運動の指導権を手中にした国民党は、究極的には軍事力によって革命を粉砕することに成功した。このことは、民主主義国家の形成を妨げ、中国を弱め、軍閥間の闘争を復活させ、それとともに、略奪的強欲に、とりわけ日本のそれに火をつけた。[51]

　しかし、この満州侵略は日本の強さを示すものではなく、逆にその内的弱さ、矛盾を示すものに他ならない。これまで何度も繰り返してきた1905年革命前夜のツァーリ体制と現在の日本とのアナロジーがここでも繰り返されているので、ここでは引用しないでおこう。しかし、次の一文は戦後日本の改革と発展を予示するものとして注目に値する。

　　この4半世紀のあいだに、日本資本主義の発展は、ミカドを頂点とした古い日本的な諸関係・諸制度を深刻に掘りくずした。支配的諸階級は、日本の農民たちに対し、満州の広大な土地を指し示している。しかし、農民たちはまずもって国内の農業問題を解決することを欲している。ただこの新

しい民主主義的な土台にもとづいてのみ、日本は近代国家としての形を最終的に整えることができる。[52]

　ここで述べたような展望が実現するまでにはさらに15年もの破滅的な戦争と敗戦、そして連合国による占領が必要だった。

　最後に、アメリカのUP通信とのインタビューであるが、トロツキーは日本が一気に中国との本格的な戦争に突入するのではなく、螺旋的に軍事行動の範囲を拡大し、「小出し」に戦争を遂行していくという手法を取っていることを正確に指摘している。しかしこれは第1段階であるとトロツキーは言う。「第1段階の後には――中断をともなって、あるいは中断なしに――、明らかに第2段階がやってくる。すなわち、本格的な戦争の段階である」[53]。この予言は、このインタビューの5年後の1937年に本格的な日中戦争の勃発として見事に的中することになる。だが、日本のこの野望と冒険は絶対に成功する見込みはないとトロツキーは明快に指摘する。

　　日本の目標は中国を植民地化することである。これは壮大な目標であるが、ただちに言わなければならないことは、それが日本の力量を越えているということである。日本は舞台に登場するのが遅すぎた。今やイギリスがインドを失う可能性に直面しているというのに、日本は中国を新しいインドに変えることはないだろう。[54]

　これもまた的確な予言であった。ついでトロツキーは日本とソ連との戦争の可能性に触れ、中国に対するよりもはるかに大規模な準備を必要とするソ連との戦争に、日本の寡頭支配層はおいそれとは突入できないことを指摘する。それどころか中国との戦争という泥沼に膝までつかって、ますます困難な状況に陥ることを正しく予見している。以下の部分は、その先見の明において実に比類ないものである。

　　日本はその結果を予測しえないままに中国で壮大な冒険に踏み込んだ。それは、部分的な軍事的・外交的成功をおさめるかもしれないし、おさめるだろうが、それはしょせん一時的なものである。他方、その困難は恒常的なものであって、時とともにますます大きくなっていくだろう。日本は朝鮮という自らのアイルランドを抱えている。そして中国では自らのインドをつくりだそうとしている。中国の民族運動に対してなめた態度をとるこ

とができるのは、愚かな封建的タイプの将軍たちだけである。目覚めつつある４億5000万人の偉大な国民を、飛行隊の力で隷従のくびきにつなげておくことはできない。満州の肥沃な土壌で日本は腰までではないとしても膝まで沈んでいる。そして、日本の国内においても経済発展は社会の封建的構造と非和解的に矛盾するようになっており、内部危機はまったく不可避であるとみなさなければならない。[55]

　この不可避な「内部危機」は、警察国家の鉄の重しによってかろうじて爆発を防がれていたが、敗戦とともに表面化し、戦後の大規模な労働運動と革命運動の高揚へとつながるのであり、それは今度はアメリカ帝国主義の弾圧によってかろうじて革命的危機になるのを防ぐことができたのである。
　またこのインタビューでは、ソ連が日本との戦争に突入した場合に起こりうる可能性についても触れている。

　　ソヴィエト連邦の参戦は中国人民にとって新たな展望を切り開き、中国人民の中に民族感情の巨大な高まりをつくりだすだろう。状況の論理と人民大衆の心理を理解する者は誰であれ、このことにいかなる疑いも抱かないだろう。中国では人的資源にはこと欠かない。数百万の中国人民がライフル銃の扱い方を学んできた。欠けているのは、闘う意志ではなく、適切な軍事訓練、組織、システム、熟達した司令部である。この点で、赤軍は非常に効果的な援助を提供することができる。[56]

　この予見も終戦間際におおむね現実のものとなったと言える。ソ連の参戦は日本の敗北を決定的なものにし、中国における「民族感情の巨大な高まり」は日本軍の中国大陸からの駆逐だけでなく、第３次中国革命にもつながっていくのである。

日本の国連脱退と「破局に向かう日本」
　日本の関東軍が引き起こした満州事変は、世界的に非難の嵐を巻き起こし、有名なリットン調査団が派遣され、日本側の不当な侵略行為であるとの報告を出した。この調査報告を承認するかどうかが国際連盟で討議されたとき、日本は英語が堪能であった国粋主義政治家の松岡洋右を国連総会に送って、日本の立場を全面的に擁護する大演説をさせたが、まったく支持は得られず、反対は日本の１票だけで、圧倒的多数でリットン調査団の報告を承認

した。日本はそれを不服としてついに国連脱退にまで至り、日本軍国主義の
この傲慢不遜な振る舞いに対する世界的な関心を呼び覚ました。そうした時
期に、アメリカのブルジョア雑誌はトロツキーに日本軍国主義とその対外政
策に対する分析をするよう要請した。

　トロツキーはそれに応えて、「破局に向かう日本」という論文を執筆し、
それが 1933 年の『リバティ』誌 11 月号に「日本は自殺するか」という表題
で掲載された。これを真っ先に大きく報じた『東京朝日新聞』の在シアトル
記者である亀谷一男は、次のようなリード文を書いている。

　　　　米国の著名雑誌『リバーテー』誌上にトロツキーが「日本は自殺するか」
　　　という題下に現下の日本をこき下ろしているが、同誌はわが外務省情報部
　　　長を通じ松岡洋右氏に右論文に対する反駁文執筆を嘱して来、同氏はこれ
　　　を承諾したことは既報の通りである。左の一文は問題のトロツキーの寄稿
　　　の梗概である。[57]

　ここにあるように、『リバティ』誌は松岡洋右に反論文を書くよう要望し
たが、松岡は結局書かなかったようだ。いずれにせよ、この朝日記事をきっ
かけに、日本国内で同論文に対する大きな関心が起こり、トロツキーの論文
は日本の政府機関からリベラル派のメディア、右派や国家社会主義者の機関
誌などで繰り返し翻訳され、論じられるようになった[58]。その中の一つで
あるリベラル派の文化雑誌『セルパン』の編集者は、この論文の抄訳に付け
たコメントで次のように強気に述べている。

　　　　論旨はすこぶる滑稽でいかに外国の評論家が日本の現実について認識不足
　　　であるかを表わしているが、これが米国で米人に読ませる雑誌に載せられ
　　　たところから、米人の心理に少なくとも日本侮蔑観を起こさせる点は少な
　　　くないだろう。このセンセエショナルな国際討論に、松岡氏がいかに反論
　　　するかは、この論文の性質上、我々の真剣な注視を怠らせないだろう。[59]

　「滑稽」で「認識不足」だったのはこの論文を書いたトロツキーだったのか、
それともこのリード文の筆者だったのかは、その後の歴史がはっきりと示し
たことである。日本が批判されることへの日本人のこのナイーブで神経質な
反応は、今日においてもよく見られるものだ。さて、この「日本は自殺する
か」(「破局に向かう日本」)は、最も踏み込んで日本の歴史と日本社会の構造

「日本は自殺するか」の見出しでトロツキーの日本論を紹介する東京朝日新聞
（1933 年 12 月 14 日付）

について分析しており、詳しく論じるに値するものである。

「破局に向かう日本」における日本論

　まずもってトロツキーは、日本軍の「不敗神話」の虚偽性を徹底的に暴露
する。その筆致は実に鮮やかであり、そしてきわめて説得的である。日本軍
が表面上、成功することができたのは、日本よりもはるかに後進的な諸国家
（朝鮮や中国）か、あるいはすでに解体しつつあり、国内の革命運動によって
深刻に動揺していた旧帝政ロシアを相手にしているかぎりにおいてであった
（しかも後者の場合は、ロシア国内の革命的動乱によって可能となった薄氷の「勝
利」にすぎなかった）。したがって、日本の快進撃は、中国人民の巨大な反乱
が広がる中で、本格的な西欧列強と正面衝突した場合には、必ずや挫折する
ことになることを正しく予見している。当時の日本の支配層も知識人も、日
本軍の勝利に次ぐ勝利に酔いしれていたのだが、この論文はそうした支配的
傾向に正面から冷や水をぶっかけるものだった。

さらに、トロツキーは、日本人民が置かれた状況と日本軍にはびこる封建的論理が致命的な役割を果たすことを、これまた実に的確に指摘している。

　　日本の人民大衆の極度に低い生活水準は、軍事力に対しても罰なしにすませません。日本では結核をはじめ、栄養不良を原因とするあらゆる疾病がはびこっている。死亡率は他のどの先進国よりも高く、しかも年々上昇している。現代の戦争では、単に集団で死にゆく決意だけではなく、何よりも個人の忍耐力、運動技術、精神力が必要とされる。日本に中国とロシアに対する勝利をもたらした資質は、古い日本の美徳であった。新しい中央集権的組織が、封建的従順さを軍隊の規律へとつくり変えたのである。日本の軍隊には、個人のイニシアチブ、創意、自分の責任において決定を行なう能力などの資質が欠けているし、それを獲得する機会もない。封建的軍国主義体制は、個性の発展を促進することはできなかった。抑圧された貧しい農村からだけでなく、また、女性と子供を主力とする繊維産業を中心とする工業からも、現代技術の水準に見合う資質をもった兵士を生み出すことはできない。大規模な戦争はいやおうなく、この事実を明らかにするだろう。[60]

　日本軍の実態はまさにここで描かれている通りの存在であった。それは根本的に、「個人のイニシアチブ、創意、自分の責任において決定を行なう能力などの資質」を欠いていて、どんな無謀な作戦にも唯々諾々と従い、何千、何万人もの兵士たちが無駄死にしていった。戦況悪化後の玉砕戦術や特攻作戦はその最たるものだ。日本の軍部や狂信的愛国主義者たちは、このような没我的集団主義こそ米英の個人主義に対する日本の精神的優位性だと美化したのだが、実際には日本軍の決定的な弱点でしかなかった。日本から遠くかけ離れたヨーロッパの亡命地に逼塞するトロツキーが、極東の島国についてこれほど正確な判断が下せたことに驚きを禁じえない。
　しかし、同論文の中でトロツキーは明治維新とそれ以降の日本社会の発展過程について詳しく論じている箇所には、従来からトロツキーの日本論のうちに見られた弱点（日本のブルジョア国家に対する過小評価）が見出せる。
　まずトロツキーは、明治維新について、「これは一部の歴史家が言うような『ブルジョア革命』ではなく、ブルジョア革命を買収しようとする官僚の試みであった」[61]と述べている。たしかに、明治維新の主力は下級武士と地方有力藩と公家の連合勢力（革命ブロック）であったにもかかわらず、そ

れによって成立した政府は、外部の資本主義的帝国主義と世界市場の圧力を受けて、廃藩置県、地租改正、秩禄処分、廃刀令、常備軍の創設などを通じて、古い領主支配と封建的武士集団を解体・粉砕し、急速にブルジョア革命的性質を帯びるに至ったのである（旧薩摩藩を中心とする最大の旧勢力を軍事的に粉砕した西南戦争は、明治維新という政治革命を軍事的に補完するものだった）。言いかえれば、たとえ官僚によって「買収」されたにせよ、それはやはりブルジョア革命だった。この独特の軌跡は、まさに不均等・複合発展によって生み出されたものである。だからこそ、それによって成立したミカドの国は、日本社会の深刻な諸矛盾（トロツキーはそれらについてかなり正確に叙述している）にもかかわらず、アメリカという世界最強の帝国主義国家に敗北するまで、結局持ちこたえることができたのである。

　もし徳川幕府が開明的官僚のイニシアチブのもとで一定の自己改革を遂げ、そのもとで近代化が行なわれたとしたら（旧ロシアのように、あるいは旧プロイセンのように）、日本社会はいずれロシア革命のような（勝利せる）永続革命的軌跡をたどったかもしれない[62]。あるいは、日本が中国のようにもっと広大な空間を有していたら、西南戦争のような旧武士階級の反乱を鎮圧することができず、中国のような軍閥割拠のもとに置かれていたかもしれない。その場合には、列強諸国のより強い影響下に置かれて、今度は第2次中国革命のような（敗北した）永続革命的軌跡をたどったかもしれない。しかし、日本はそのどちらの軌跡もたどらなかった。倒幕勢力は、250年以上続いた徳川幕府を自力で打倒し（イギリスの協力を得たとはいえ）、全国を強固に統一する中央集権国家をつくり出し、そのもとで近代ブルジョア社会化を遂行した。そして、それが有していた極度に民族主義的で、神権的で、絶対主義的な要素は、対外的にはその極度な冒険主義と無鉄砲な拡張主義、馬鹿げた精神主義として最大の弱点となったのだが、対内的には、日本国民を強力に上から統合・支配する上で決定的な役割を果たしたのである。

　同じく、トロツキーは、「近代日本は、宗教改革も、啓蒙の時代も、ブルジョア革命も、民主主義の実地の訓練もまったく経験していない」としている[63]。しかし、これは、すでに述べた明治維新とその後に起きたブルジョア革命の諸要素は別にしても、その後の自由民権運動も大正デモクラシーをも不当に無視ないし軽視するものであろう。

　しかし、トロツキーは、日本における発展のテンポが、後発国の一つであったロシアの場合よりもはるかに急速であることに正しく注目している。

はるかに短期間で西洋諸国の歴史的過程を駆けぬけた後発国ロシアでさえ、イワン雷帝治下での封建的孤立状態を一掃してから、ピョートル大帝による西欧化を経て、アレクサンドル２世による最初の自由主義改革に至るのに、３世紀を要した。いわゆる明治時代は、ロシアにおける３つの大発展期の基本的特徴を、わずか数十年の期間のうちに凝縮した。[64]

　このあまりにも急速な発展テンポが、トロツキーが何度も予想した、軍事的破局の結果としての日本における社会革命の勃発という展望を裏切ったもう一つの要因であったのかもしれない。日本の世界的発展の道への参加はあまりにも遅すぎた。これは、日本が、資本主義発展の２つの主要な中心地であるヨーロッパとアメリカとから、世界最大の大陸（ユーラシア大陸）と世界最大の大洋（太平洋）によって切り離された島国であったことと深く関係している。そのため、世界がすでに帝国主義の時代に入った時に、日本列島では封建社会の爛熟が進んでいた。封建社会の矛盾は少しずつ成長しつつあったが、資本主義的要素の発展は、江戸幕府の鎖国政策もあって、はなはだしく遅れていた。こうした状況のもとで、アメリカの黒船によって開国させられ、世界市場に参入することになった日本は、明治維新という「公家とサムライによって代行されたブルジョア革命」によって、資本主義的近代国家へと足を踏み出したが、その参入はあまりにも不均衡なものだった。ブルジョア民主主義的な運動や思想の萌芽も国内にほとんどない状況下で、日本政府は上から「富国強兵」政策を強引に推し進め、侵略と民衆弾圧のためのモンスターのような中央集権的国家機構をつくり上げた。
　トロツキーの永続革命論の命題によれば、遅れて世界発展の道に参入した後進国では、ブルジョア民主主義的課題がブルジョアジーの手によっては実現されず、その実現の歴史的使命がプロレタリアートの手に移り、それがために、いったんはじまった民主主義革命はプロレタリアートの権力獲得まで連続せざるをえない。そして、その国の経済発展の水準が社会主義革命のために十分成熟していなくても、状況の論理から権力を取ったプロレタリアートは社会主義的政策を導入せざるをえなくなる。この論理は、おおむね日本にも当てはまったのだが、しかし、日本の場合、その「遅れ」はあまりにもはなはだしく、それゆえまた、その「参入」以降の発展テンポがあまりにも急速であった。そのため、明治維新後の官僚的国家は、国家予算の集中と外国の援助を通じて強力な中央集権国家へと急速に成長したにもかかわらず、下からの労働運動、社会主義運動は、それに対抗するだけの十分な成熟を勝

ち取ることができなかった。工業生産や政治弾圧のための道具や武器を輸入し普及するのは容易だが、一定の思想が輸入され普及するにははるかに多くの時間を必要とするし、ましてや運動を輸入することはできない。労働者階級と農民の下からの運動が半封建的な近代国家権力を打倒するのに必要な成熟を勝ち取る以前に、国家の側はあらゆる手段を使って強力に武装し、近代的技術を用いて警察国家化していた。日本で本格的な戦闘的労働運動が起こるのは、1917年のロシア革命と1918〜20年における都市ストライキの波以降である。そして、1922年に結成された共産党は、結成するやいなや徹底した弾圧をこうむり、労働者大衆の中に根づくひまを持てなかった。本書の第1章で述べた1920年代半ば以降のマルクス主義の飛躍的発展にもかかわらず、天皇制国家はそのような発展を最終的に抑え込むに十分なほど強力だったのである。

　上からの中央集権的警察国家の発展と、下からの革命的労働者階級の成長との、この明らかな不均等性が、日本社会の内的矛盾を革命という一点に結実させえなかった一つの大きな理由であったと思われる。革命が起こるためには、上部での古い国家秩序の解体の進行だけでも、下部での新しい革命勢力の成長だけでもだめで、レーニンがかつて『共産主義の左翼小児病』で述べたように、両者の十分な進行が、時間的および空間的にある一点で、あるいは一定期間（これはそれほど長くない）のうちに交わらなければならない。しかし日本ではその一点ないし期間は生じないままだった。ツァーリ国家が時とともにますます解体し弱体化していったのとは反対に、日本の戦前の天皇制国家は、内的矛盾をはらみつつも、外形的にはますます強力になっていった。それは、アメリカというはるかに強力な外敵にあたって砕け散るまで、内的に崩壊しなかった。また、日本における島国という環境は、活動家の亡命を困難にし、また亡命地からの指導をほとんど不可能にした。そして、息つくひまなくますます侵略を拡大していった日本は、下からの運動が十分に成熟する以前に軍事的破局へとまっすぐ突き進んでいったのである。

　太平洋戦争の全面的敗北と古い支配秩序の崩壊は、永続革命のチャンスを作り出すかに見えた。しかし、戦後改革を指導したアメリカ占領軍は、侵略の温床であるとともに革命の温床でもあった遅れた産業構造（農村の寄生地主支配、工業における労働者の超低賃金と無権利状態）と強権的な国家システムに徹底したブルジョア的改革をほどこす一方で、天皇制国家という重しを取り除かれて一気に開花した下からの運動を弾圧し、新たに再建されたブルジョア国家の枠内へと押し戻した。こうして、明治維新が、下からの民主主

義的ブルジョア革命の機先を制する「上からの官僚的ブルジョア革命」だったとすれば、アメリカ占領軍による戦後改革は、下からの社会主義革命を予防する「上からのブルジョア的補足革命」であった。こうして日本は、トロツキーの予想に反して、永続革命ないしその半分さえ経験することなく後発資本主義国から先進資本主義国の仲間入りをすることのできた稀有な事例となったのである。

　論文の最後に、トロツキーは日本の現状と今後の展望について要約的に総括しているが、それは全体としてきわめて正確である。

　　　日本は、大戦争の際に敵国になりうるどの国よりも経済的に脆弱である。日本の工業は、数百万人の軍隊に、何年にもわたって武器弾薬を供給しつづけることはできない。平時でさえ軍国主義の重荷を支えることができない日本の金融システムは、大戦争が始まったとたんに完全に崩壊するだろう。日本の兵士は、全体として、新しい技術と新しい戦略の要件を満たしていない。……この国を構成する社会的繊維はボロボロになっている。かすがいはガタガタになっている。軍事独裁という鉄のコルセットを着ていると、公式の日本はまだ強力であるように見える。しかし、戦争は容赦なくそのような神話を一掃してしまうだろう。[65]

　この予言がどれほど正しかったかは、われわれはみなよく知っている。同時代の日本人たちがどれほどこの論文を否定しようと、トロツキーが見事な分析で暴き出した状況の論理は、そのような夜郎自大な自惚れを容赦なく粉砕していくのである。

日本と中国における複合発展の相違
　ここで、日本における近代化の特殊性をよりよく理解するために、同じく東アジアに属して遅れて近代化を開始した中国と比較してみるのも無駄ではあるまい。

　すでに述べたように、日本は世界史的には遅れて近代化を開始したとはいえ、国内で資本主義的発展が起こる前に旧体制を打倒して近代中央集権国家をつくり出した。このことがその永続革命的軌跡を弱める決定的役割を果たした。国内で上からの資本主義化が強大な労働者階級をつくり出し、それが海外から移入されたマルクス主義によって武装するはるか以前に、強力な弾圧機構と十分な統治能力を持った近代官僚国家が形成され、それが社会主

思想の発展と労働運動を抑え込む役割を果たしたからである。

　それに対して中国では、日本で明治維新が起こるずっと以前から徐々に欧米帝国主義による浸食を受けつづけ、かつ、清王朝は江戸幕府よりもさらに数十年長生きした（ちなみに、清王朝のもとでのその悲惨な半植民地主義的状況は、当時の中国を視察した幕末の志士たちを奮い立たせ、自国の腐りきった幕府を何としてでも打倒して、強力な中央集権国家をつくり出そうとの意志を固めさせる役割を果たした）。外部帝国主義による本格的な脅威と旧体制の打倒とがほぼ同時に起こった日本と違い、清王朝は外部からの帝国主義的圧迫と侵略にさらされながら上からの近代化を開始せざるをえなかった。清王朝が倒れる以前に、中国の部分的資本主義化は膨大な労働者階級を生み出すとともに、近代民主主義思想や社会主義思想が中国に流入していった。そして 1911 年の辛亥革命（日本ではちょうど大逆事件が起こって社会主義運動が一時的に圧殺された時だ）は、清王朝を倒したとはいえ、イギリス帝国主義の支配を覆すことも、統一した中央集権的国家を広大な中国の大地につくり出すこともできなかった。外国帝国主義の支配から離脱した近代統一国家をつくり出すというブルジョア革命の主たる使命は実現されることなく、歴史的課題として残った。

　その後数年して、領土を接する隣の大国ロシアで社会主義革命が勃発し、国境付近にまで至る（あるいはしばしばそれを超える）激しい内戦が何年も続いた。海によって隔てられ、ただ新聞のニュースを通じて革命が伝わった日本と違い、ロシアの革命と内戦は中国にはるかに直接的で巨大な影響と衝撃を与えた。そして、シベリアや中国国境付近では多くの中国人労働者がボリシェヴィキの側に立って内戦に参加した。

　こうして中国は、近代ブルジョア革命の勃発が日本より数十年遅れ、またそれが日本よりはるかに中途半端であったために（歴史的条件）、そして国の広大さと、革命ロシアとの直接的な近接性ゆえに（地理的条件）、革命のブルジョア民主主義的使命の実現と、労働者階級による革命闘争とが、日本の場合よりもはるかに接近し、直接的に融合する条件が存在したのである。このことこそが、中国における永続革命的ダイナミズムを日本よりもはるかに強力なものにした。

　そして、1920 年代における革命の一時的な敗北にもかかわらず、その後の、日本による全面的な中国侵略（これはまた、日本では永続革命的軌跡が起こらず、日本の近代官僚国家が日本国民を十分に統合しえた結果でもある）は、中国の人民に新たな、そして最も重大な民主主義的課題（日本の軍事的支配の打倒）を

提供するとともに、それとの長期にわたる闘争を通じて中国の共産主義勢力
そのものを軍事的にも政治的にも打ち鍛えた。このことが結局、日本敗北後
の中国革命へと結実するのである。以上の意味で、日本における非永続革命
的発展過程と、中国における永続革命的発展過程とは、まさに相互補完関係
にあったと言える。

「極東の暗雲」

　「破局に向かう日本」以降で日中戦争が勃発する以前に、トロツキーが日本
について詳しく書いたのは、『エスクワイア』誌の 1934 年年 8 月号に掲載
された「極東の暗雲」という論文で、日本の支配層もこれを翻訳している[66]。
緊張を高めつつあった日ソ関係について論じたものだが、その基本的趣旨は
これまでと変わらない。日本はその狭隘な経済的基盤と軍部の自立性ゆえに
大陸への侵略を拡大しないわけにはいかず、それは必然的に泥沼の長期戦に
なるだろう。日ソが闘えば、最終的にソ連の勝利は間違いないが、日本もソ
連もその準備はできておらず、ソ連は日本との直接対決をできるだけ避ける
よう努力するだろう、というものである。しかし、その基本的なポイント以
外でも、いくつか興味深いことが書かれているので、それを紹介しておこう。
　まず第 1 に、トロツキーは極東では西欧におけるような陣地戦はありえな
いこと、そこでは機動戦が主要な闘争形態となり、そしてソ連軍がその点で
日本軍に優っていることを的確に指摘している。

> 　数百万人の集結、深く喰いこんだ鉄壁の前線、そして陣地戦は、極東の領
> 域では除外されている（広大かつほとんど無人の地域、極度に破壊された土
> 地、貧しい通信手段、主要陣地からの遠隔さ）。[67]

> 　アムールと沿海州での戦争が、一般に機動戦的性格を帯びる以上、その結
> 果は、独立して作戦しうる個別師団の能力、最下級士官のイニシャチブ、
> そして自らの意志で行動することを余儀なくされる各兵士の装備の豊かさ
> に決定的にかかってくる。これらすべての面で、私の意見によれば、ソヴィ
> エト軍は日本軍よりも優っている――少なくとも 1904 〜 05 年に日本軍が
> ツァーリ軍よりも優っていたのと同じ程度に優っている――ことが証明さ
> れるだろう。[68]

　第 2 に、トロツキーが極東における日ソの戦力の最大の格差を空軍力に見

出し、日本の主要な中心都市のすべてが空からの攻撃に無防備であることを指摘しており、あたかも 10 年後における米軍の大都市空襲を予言するかのようである。

> 一定の条件の下で、空軍力は、敵の攻撃作戦を根本的に麻痺させることによって戦争の問題を疑いなく解決しうる。……。極東では、まさにこれがあてはまる。沿海州でのソヴィエト空軍集結に不満を述べながら、ハヤシは日本支配者層の容易に理解しうる危機感――彼らの政治的センター、軍事工業地帯、そして最も重要な軍事基地が赤軍機編隊の爆撃にさらされうる――を漏らしている。沿海州を基地にすれば、長距離爆撃機によってこの島国帝国の致命的センターに大破壊をもたらすことができる。日本が同程度ないしそれ以上の空軍力を動員できるというほとんどありえない仮定をしたとしても、この列島の危機は少なくなりはすれ、消えはしない。空には鉄壁の防御線はない。ほとんどすべての日本の中心地は空からの攻撃にさらされているが、日本空軍はどこであれ同程度の報復を加えることができない。モスクワはおろか、クズネックでさえ（6〜7000 キロ離れている）、途中で着陸することなしに到達することはできない。[69]

　太平洋戦争末期、米軍はまさに日本列島周辺の太平洋上の島々を確保することで、日本全土を空襲する前線基地を手に入れ、これが結局、太平洋戦争の帰趨を決定づけた。トロツキーは日ソ戦争という想定のもとであるが、帝国日本の最大の弱点を正しく理解していたのである。

6．追放後のトロツキーの日本論Ⅱ――日中戦争以降

　トロツキーが再び日本について多く書くようになるのは、1937 年の日中戦争の勃発以降である。このとき、トロツキーはいくつかの声明、論文、手紙などを執筆し、日中戦争における革命派の基本的立場を明らかにした。その主要なポイントは、1937 年 7 月 30 日に書かれてブルジョア新聞向けに発表した「日本と中国」と、それを踏まえて組織内部向けに 9 月 23 日に書かれた手紙「日中戦争について」によって知ることができる[70]。

日中戦争の勃発に対する立場

　「日本と中国」は、まず第1に、日本の軍事的冒険は長期的な成功をおさめることはなく、日本の側の破局によって終わるしかないこと、第2に、この日中戦争において、すべての革命派と進歩派は、自らの綱領や政治的独立性をいささかも放棄することなく、全面的に中国の立場に立つべきこと、第3に、ソ連は状況の論理に押されて、中国への援助をせざるをえないこと、である。トロツキーはこの日本の侵略に抗する中国人民の戦争は「正義の戦争」であり、「世界のすべての進歩的世論は中国の側に立つ。日本軍国主義の崩壊は不可避である」と力強く締めくくっている[71]。

　ディエゴ・リベラに宛てた手紙「日中戦争について」は、「日本と中国」を踏まえて、この戦争において第4インターナショナルが取るべき立場について論じている。アメリカの極左派が日本の軍隊とも蒋介石の軍隊とも同時に闘うよう要求していることを左翼小児病と厳しく批判し、日本帝国主義と半植民地国である中国との戦争において、マルクス主義者は中立的態度をとるべきではなく、中国の現在の指導者がいかなるものであろうとも、日本帝国主義に反対して中国の民族解放戦争を全面的に支援するべきであるとしている。

　この手紙の形式をとった論文の中で、トロツキーは、労働者組織の政治的独立性を保持しつつ、この戦争に全面的に参加するべきであるとしている。だが、この手紙では「軍事的独立性」については考慮されていない。当時の中国の状況からして、「軍事的独立性」なしに「政治的独立性」はありえなかった。トロツキーは、革命的労働者が蒋介石の軍隊に参加しつつ、蒋介石を政治的に転覆する準備をするべきであると考えていたようだが、それは蒋介石の軍隊の組織構造からして無理な注文であった。毛沢東がやったように、独自の陣地に依拠し、独自の軍隊を組織することで、軍事的独立性をまずもって確保することが必要であった。毛沢東の指導する中国共産党はしばしばその政治的独立性を曖昧にしつつも、この軍事的独立性を維持したおかげで、1926〜27年のときと違って蒋介石軍に粉砕されることなく、逆に、日本軍に勝利したのちの内戦で蒋介石軍を敗北させることができたのである[72]。

　ところで、この手紙の中では、中国にいる陳独秀をはじめとする同志たちの安全確保に大きな注意が払われていることは注目に値する。

　東京と南京による最近の紛争が勃発したときにブルジョア新聞に発表した

声明の中で、私がとくに強調しておいたのは、帝国主義的抑圧者に対する戦争に革命的労働者が積極的に参加する必要性についてであった。なぜか？　まず第1にそれがマルクス主義的観点からみて正しいからであり、第2に中国の友人たちの安全の確保という観点からみて必要だったからである。国民党と同盟している……ゲ・ペ・ウは、明日にもわれわれの中国の友人たちを「敗北主義者」「日本の手先」と呼ぶだろう。陳独秀を指導者とする彼らの最良の部分が国内的にも国際的にも名誉を汚されて殺される可能性がある。第4インターナショナルが日本に対抗している中国の味方であるということを精力的に強調しなければならなかった。しかも私は「自分たちの綱領と政治的独立性を放棄することなく」という一節を加えておいた。[73]

　中国の左翼反対派の中では、この日中戦争をめぐって、抗日戦争を優先させ国民党軍と統一戦線を組むべきだとする陳独秀派の立場と、革命的祖国敗北主義をとるべきだとする極左派とが対立していた。この時点では、陳独秀はトロッキーの見解を知らず、トロッキーは陳独秀の見解を知らなかったが、両者の見解は根本的な点で一致していた。後にトロッキーは陳独秀の見解を知り、そのことを大いに喜んだ[74]。

張鼓峰事件

　すでに何度か指摘したように、ソ連首脳は（トロッキーもそうだが）、朝鮮半島および中国東北部に展開する日本軍とのあいだでの直接的な戦闘をできるだけ避けて、兵力と注意を西方国境に集中したいと考えていた。しかし、それでも何度かソ連と満州国との国境付近で紛争が起こることがあり、その中で最初に大規模な戦闘となったのが1938年の張鼓峰事件である。同年7月29日から8月11日にかけて、満州国とソ連との国境線上にあった張鼓峰という丘陵で起きたこの衝突は結局、両軍にそれぞれ500〜700人の死者を出して、短期間で終結した[75]。

　休戦成立の直後に、トロッキーは「ソ連邦と日本」（1938年8月12日）という小論を書いて、この衝突の原因と今後の可能性について分析している。ソ連も日本も両国境間で正面衝突を避けることに利益を有しながら、このような国境紛争が起こった理由について、トロッキーはソ連と日本のそれぞれの内部事情から説明している。まずソ連側の事情としてはこうだ。

スターリンは、外交政策においてどんな譲歩もするつもりでいるが、それは、なおさらいっそう容赦なく国内での自らの権力を維持するためである。しかしながら、この２年間におけるソヴィエト外交の譲歩と失敗は、国内の不満を掻き立てており、スターリンは、新たな譲歩への準備をカムフラージュするために、これ見よがしに力を誇示するポーズをとらざるをえない。これこそが、最近、満州と朝鮮の国境で流血の衝突が生じていることを説明するものであるだけでなく、この衝突が今のところ休戦に終わり、新しい戦争に転化していないことをも説明するものである。[76]

　次に、日本側の事情はこうである。

日本の政府は、将軍連中によって支配されている。日本の将軍連中は、中尉連中によって操られている。ここに情勢の直接的な危険性が存在する。中尉連中は、日本の情勢も、ソ連の情勢も理解していない。中国での教訓にもかかわらず——部分的には、中国の教訓ゆえに——、彼らはソ連を犠牲にして安易に成功をおさめようとしている。[77]

　トロツキーは、この論文でも、日本とソ連双方が内部に深刻な矛盾を抱えているので、本格的な戦争は、前者には社会革命を、後者にはスターリン独裁政権の崩壊を不可避的にもたらすだろうと予測しているが、どちらも現実化しなかった。第２次世界大戦の結果、日本帝国はたしかに崩壊したが社会革命にまでは至らず、スターリン体制は逆に著しく強化された。結果を知っている者からの「後知恵」として言えば、どちらにおいても、トロツキーはそれぞれの国を統治する軍事警察国家の相対的力を過小評価していたと言えるだろう。
　ところで、この張鼓峰事件のさなかの1938年8月6日に、トロツキーは、日本の大手新聞『東京日日』と『大阪毎日』を代表する南条氏[78]からのインタビューの申し入れを受け、「ソ連、日本、中国の関係に関するもの、および、最近の粛清が赤軍に与える影響はいかなるものか、将来、ソ連内部での変化が生じる可能性はあるか」について問われる予定だったようだ。しかし、日本の国内情勢はすでに1920年代とは比べものにならないほど抑圧的、全体主義的になっていた。その点を考慮ないし憂慮したトロツキーは、自分の回答が日本帝国主義に悪用されるのを大いに警戒して（そしてその警戒はもっともなものだ）、「中国と日本との闘争——南条氏への回答」（1938年8月

7 日）に示されているように、事実上、拒否ととれる返事を出している。

　とはいえ、その短い回答の中でも、トロツキーの原則的立場ははっきりしている。すなわち、自分が「日本と中国との闘争において ...... 全面かつ完全に中国の側に立って」いること、そして「スターリン体制に対する私の非和解的対立にもかかわらず、ソ連と日本とが衝突した場合には、私はソ連が進歩を代表し、日本が反動を代表するものであると考えてい」ることである(79)。だが、もしインタビューの要請者が、昔馴染みの布施勝治であったなら、どうなっていただろうか。興味深いところである。

最晩年の日本論

　1939 年から暗殺される 1940 年 8 月までのトロツキー最晩年の日本論は、基本的にこれまでの立場の継続である。たとえば、『ロンドン・デイリー・ヘラルド』紙のシビル・ヴィンセントのインタビューに答えた「革命だけが戦争を終わらせることができる」（1939 年 3 月 18 日）では日本についても論じられており、これまで通り次のような確信が表明されている。

　　日本は、現在もなお封建制の遺物から自己を解放してはおらず、巨大な革命的爆発の貯蔵庫となっている。それは、多くの点で 1905 年前夜のロシア帝政を想起させる。……私は絶対に日本の勝利を信じることができない。この戦争の結果としてまったく確かなことは、ミカドの中世的体制とスターリンのボナパルティスト体制の崩壊であろうと、私は思う。(80)

　また、1939 年の独ソ不可侵条約をめぐって、トロツキーは、この条約締結に対する言い訳としてソ連指導層が展開した「ドイツとの日本との枢軸を打ち破った」という明らかに無理のある議論に対して、次のように鋭く反論している。

　　最後にクレムリンの擁護者たちは、独ソ条約が「枢軸」を打ち破り、日本を孤立させた事実について言及する。だが実際には、枢軸の構成における日本の位置をソ連邦が引き受けたのである。ヨーロッパにおけるヒトラーの軍事行動から遠く隔たったミカドの援助は、まったく幻想的性格のものにすぎないだろう。ところがスターリンの援助は深い現実的な価値をもっている。ヒトラーが、ミカドとの友好よりもスターリンとの友好関係を選んだということ──ここには何ら驚くべきことはない。(81)

この独ソ不可侵条約はまさにナチス・ドイツの手を東方から解放し、第2次世界大戦の直接の引き金になったものだが、ソ連はまさに枢軸における日本の位置を代行することによって、ナチスの矛先を西方（フランスとイギリス）に向けさせ、さらに日本軍国主義の矛先を南方に向けさせたのである。スターリン政権は、自国の周囲を文字通り火だるまにすることによって、自国の安全を維持しようとしたのだが、実際にはそれは、いっそう激しく燃え盛るようになった炎によってやがて自国も焼かれる運命を招くことになっただけだった。だが、それはすでにトロツキーの死後のことである。

　ソ連はさらにこの政策の延長として、日本とも相互不可侵条約を結ぼうとしていた。トロツキーはそれについて、実際に条約が結ばれる1年以上前に『リバティ』誌に掲載した論文「双子星――ヒトラーとスターリン」（1939年12月執筆、1940年1月掲載）の中で次のように的確に予想している。

　　日本の寡頭支配層がモスクワ以上に戦争遂行能力に欠けているということは真実である。だが、西方との対抗を強制されているモスクワには、アジアにおける膨脹政策の動機は全然ない。他方、日本としては、ソ連邦からの重大かつ壊滅的な抵抗を予期せざるをえない。このような諸条件下において、東京はその海軍の綱領を採用する以外にない――すなわち西方に向かう攻勢ではなくて、その南方たるフィリピン、オランダ領東インド、ボルネオ、仏領インドシナ、英領ビルマへ向かう道である。

　　　このような基礎の上に立つモスクワと東京との合意は、対としてモスクワ－ベルリン間の条約を補完することになるだろう。[82]

　また、1940年2月に行なわれたインタビューの中で、1年半前に起きた張鼓峰事件についても触れられており、そこでの赤軍の勝利を過大評価するべきではないと釘を刺している[83]。実際、後の研究で明らかにされたように、この局地戦におけるソ連側の損害も相当なものだった。この事件以降も日本軍はソ連軍との間でノモンハン戦争を引き起こしており、ここでも日本軍はソ連軍に敗北しているが、この戦争におけるソ連側の損失もやはりきわめて巨大なものだった。このようないくたびもの力試しを通じて、両国は相互に衝突しあうことの愚かさを知り、最終的に日ソ不可侵条約を結ぶのである。

「田中メモ」をめぐって

　最晩年、いわゆる「田中メモ」（あるいは「田中上奏文」）をめぐって、トロツキーはいくつかの文献を書いている。「田中メモ」とは、1927年当時の日本の総理大臣であった田中義一が天皇に上奏して承認されたとされているものであり、この「田中メモ」自体は今では偽書であるということが日本側では「定説」になっているが、トロツキーはこのメモは本物であると確信し、その趣旨のことを何度か書いている。すでに先に紹介した1933年の論文「破局に向かう日本」の中でも、こう述べられている。

　　　田中将軍のメモ（1927年）は彼らの完成された綱領であり、その中では民族的野望が、最も目もくらむような誇大妄想にまで高められている。驚くべき文書だ！　公式には否定されているが、そのことはこの文書の説得力をいささかも弱めるものではない。このようなテキストをでっち上げることは不可能である。いずれにせよ、この2年間の日本の外交政策は、この文書の信憑性を反駁の余地なく証明している。[84]

　1940年になってトロツキーはこの問題に立ち返っている。彼は、アメリカ社会主義労働者党の党員でかつてトロツキーの護衛をつとめたこともあるアンドリュー・クリスに宛てた1940年5月1日付の手紙で、「文書は偽物ではありません。それは、日本側のいっさいの否定にもかかわらず、完全に本物であ」ると断言し、そのことを立証する論考をブルジョア・メディア向けに書くので、資料集めに協力してほしいと書いている[85]。この論文の寄稿は、この手紙の3ヵ月後に起きた暗殺のせいで実現されず、「田中メモ」と題された長い草稿が残されただけであった。この草稿では、「田中メモ」をソ連政府がスパイを通じて日本の「海軍省の文書庫の極秘部分」から秘密裏に入手したいきさつについて詳しく書かれている[86]。

　このトロツキーの草稿によると、ソ連政府がゲペウを通じて入手したのは、田中メモが天皇に上奏されたとされる1927年より2年も前の1925年のことである。したがってそれはまだ私案段階のものであったと思われる。トロツキーは、内容ばかりでなく、こうした入手経路からも、このメモの信憑性を確信したようである。このメモの真偽をめぐる問題は、ここでは扱うことができない[87]。しかし、それはいずれにせよ、当時の日本軍部ないし日本の好戦的支配層の基本的発想とまったく矛盾していなかったし、また実際に、

その後の日本の行動と非常によく合致していたのである。したがって、この文書そのものの真偽は本質的な問題ではないだろう。

　以上、トロツキーの日本論について、日露戦争の時期からトロツキー暗殺直前の「田中メモ」まで紹介してきた。トロツキーにとって日本は、世界情勢におけるアメリカや中国のような重要な位置を占めていなかったとはいえ、それでもその時々において重要な考察対象になっていたことがわかる。そしてその基本線は、日本軍国主義に対する揺るぎない敵意と、中国の労働者人民に対する同じく揺るぎない信頼だった。日本の天皇制警察国家の相対的な強さに対する過小評価が見られたとはいえ、日本がけっして中国にもソ連にも最終的には勝利できないこと、そしてアジア地域における日本の無謀な戦争の結末が日本の軍事的・官僚的専制体制の崩壊であることを正確に予測していたことが明らかになったと思う。

2001 年執筆

2020 〜 22 年加筆修正

【注】
(1) トロツキー「見え始めた日本側の破局」『トロツキー著作 1937-38』下、柘植書房、1974 年、30 頁。訳文は必ずしも既訳通りではない。以下同じ。
(2) この極東勤労者大会の基調報告においてジノヴィエフは、極東における日本帝国主義の犯罪的役割について詳しく述べ、極東問題の解決のカギを握っているのは日本であり、日本革命なしに極東の解放はないだろうとの観点を開陳した――「日本のブルジョアジーは、極東の何百万にものぼる人々を支配し抑圧している。そしてその手中に、世界のその地域全体の運命を握っている。極東問題を本当に解決できる唯一のものは、日本ブルジョアジーの敗退と、日本における革命の最終的勝利である。その国におけるそのような勝利があってはじめて、極東革命が『コップの中の嵐』であることを止めるであろう。だから若い日本のプロレタリアートの責任は、大きいのである」（コミンテルン編『極東勤労者大会――日本共産党成立の原点』合同出版、1970 年、63 頁）。しかし実際には、極東解放のカギを握っていたのは中国であった。そこでの革命は「コップの中の嵐」どころか、ロシア革命に匹敵する世界的衝撃を与えた。
(3) Троцкий, наша "военная"кампания, Искра, No. 62, 15 March 1904.
(4) トロツキー『文学と革命』下、岩波文庫、1993 年、17 頁。

(5) トロツキー「『日本』問題」『トロツキー研究』第 35 号、2001 年。

(6) 菊地昌典『ロシア革命と日本人』筑摩書房、1973 年、60 頁以下参照。

(7) トロツキー「臨時政府とソヴィエト――社会民主党合同全市協議会での演説」（1917 年 5 月 7 日）、『トロツキー研究』第 71 号、2018 年、39 頁。

(8) ローザのこの定式については、以下の拙稿を参照。森田成也『『社会主義か野蛮か』の起源とその現代性』『「共産党宣言」からパンデミックへ――「歴史の終わり」の弁証法』柘植書房新社、2021 年。

(9) トロツキー『革命はいかに武装されたか――赤軍建設の記録』第 1 巻＆第 2 巻、現代思潮社、1970 年、1973 年。この文献から、日本のシベリア上陸以前、以降の諸状況についてその時々のトロツキーの発言を知ることができる。

(10) トロツキー「息つぎ」『トロツキー研究』第 35 号、38 頁。

(11) 同前。

(12) トロツキー「日本における労働者階級の展望（「革命の守りに就いて」より）」『トロツキー研究』第 35 号、42 頁。

(13) 同前、45 頁。

(14) 同前。

(15) 同前、46 頁。

(16) トロツキー「極東情勢（「前線はないが危険はある」より）」『トロツキー研究』第 35 号、50 頁。

(17) トロツキー「ジェノヴァとウラジオストクにおける日本」『トロツキー研究』第 35 号、53 頁。

(18) トロツキー「日本との交渉について（クラスニャ・プレスニャ地区党・労働組合・青年同盟・その他の組織の合同会議演説より）」『トロツキー研究』第 35 号、54 〜 55 頁。

(19) この相対的「先進性」はもちろんのこと、日本国民を支配し左翼の運動を弾圧する高度な技術とその徹底性としても発揮された。旧帝政ロシアの秘密警察オフラナのルーズさと比べての日本の特高警察の容赦なさを比較せよ。ツァーリは政治犯を茫漠としたシベリアに流刑することで満足したが、日本の特高警察は政治犯が転向するまで拷問し、多くの活動家を死に至らしめたのである。

(20) Л.Троцкий, *Пять лет Коминтерна*, Moc, 1924, c. 78.〔トロツキー『コミンテルン最初の五ヶ年』上、現代思潮社、1962 年、135 頁〕

(21) Там же, c. 122.〔同前、204 頁〕

(22) Там же, c. 159.〔同前、257 頁〕ちなみに、トロツキーのこの報告の要旨は、戦前、同時期に山川均によって日本語に翻訳されており、引用した部分もその中には含まれている。レオン・トロツキー「一九二一年の世界」『社会主義研究』12 月号、1921 年。

(23) Там же, c. 209.〔同前、327 〜 328 頁〕

(24) トロツキー『ヨーロッパとアメリカ』柘植書房、1992 年、158 〜 159 頁。

(25) 布施勝治『ソウェート東方政策』蘇塵社、1926 年、463 頁。

(26) この演説は、4 月 22 日付『プラウダ』と『イズベスチヤ』にそれぞれ掲載

されている。この演説は未邦訳だが、同年7月に行なわれた同趣旨の演説は、1926年出版の『ヨーロッパとアメリカ』というパンフレットに収録されている。この演説でも日本には何度か言及されている。たとえば以下の箇所――「日本は、中国を分割し、いくつかの省を軍事力で征服したがっている。なぜならば、日本には鉄も石炭も石油もなく、中国にはそれらすべてがそろっているからである。日本は鉄や石炭や石油なしには、生存することも戦争することもできない。したがって、このことは合衆国との闘いで日本に3つの巨大なマイナスとなる。それゆえ、日本は強奪によって中国の富を確保しようと努力する。では合衆国はどうか。合衆国は『中国の門戸を開放せよ!』と言う。大洋に関してアメリカは何と言うか? 『海洋の自由!』だ。これは立派に聞こえる。だが、それは実際には何を意味するのか。イギリス海軍は脇に退け、私のために道を開けよということである。『中国の門戸開放』は、日本人は脇に寄って、私を通せという意味である。問題は本質的に経済的略奪、強盗にある」(前掲トロツキー『ヨーロッパとアメリカ』、55頁)。

(27) トロツキー「ソ連邦と日本――『大阪毎日』特派員・布施勝治氏との対話」『トロツキー研究』第35号、59頁。

(28) 同前、60頁。

(29) 同前、60〜61頁。

(30) ちなみに、このインタビュー当時における布施自身の説明は、このトロツキーの原則的立場をかなり歪めて(つまりかなり日本寄りに)紹介しており、あたかもトロツキーが「アジア人のためのアジア」というスローガンを肯定したかのように述べている(布施勝治「露国の新印象(五)日露利害共通論を説く 労農政治家の排米傾向」『大阪朝日新聞』1924年6月12日付)。

(31) トロツキー「ソヴィエト・ロシアと日本――内藤民治の質問への回答」『トロツキー研究』第35号、62〜63頁。

(32) 同前、63頁。

(33) 同前、64〜65頁。

(34) 同前、66頁。

(35) 同前。

(36) トロツキー「ロシア革命の経済的基礎」、嘉治隆一『近代ロシア社会史研究』同人社、1925年。

(37) Л. Троцкий, *Запад и Восток*, Москва, 1924, c. 44.

(38) Там же, cc. 58-59.

(39) Там же, c. 59.

(40) Л. Троцкий, Вопросы нашей политики в отношении китая и японии, *Архив Троцкого: Коммунистическая оппозиция в СССР: 1923-1927*, Том. 1, Терра, 1990, c. 175. 強調はママ。この文書は未邦訳。

(41) Там же, cc. 175-176. 強調はママ。

(42) Там же, cc. 179.

(43) この時期における日本への妥協的姿勢については、トロツキーの最晩年の日本論である「田中メモ」(1940年5月)の記述からも明らかである(この「田

中メモ」については本章の最後で再論する）。ソ連のスパイが日本の海軍省から入手した田中メモの取り扱いについて政治局会議で議論されたときのことが回想されているが、その中でトロツキーは次のように述べている——「日本の戦略は何十年もの展望を持つものであった。ところがクレムリンは、数年、いや数ヵ月の時間を稼ぐことに心を砕いていたのだ。われわれはあらゆる面で、日本をそっとしておこうとしていた。われわれは非常に大きな譲歩をしてきていた。最も賢明かつ慎重で穏健な外交官ヨッフェが日本で活躍していた。文書をモスクワで公表するとすれば、それはわれわれが抗争を起こそうとしているのだと、日本にむかって公言するのと同じであった。そうなればすぐさま、均衡は日本陸海軍部内の最も好戦的な部分に有利に傾くだろう。したがって、この文書を公表して日本を刺激するのは絶対に不合理であった」（トロツキー「田中メモ」『トロツキー著作集 1939-40』下、柘植書房、1971 年、160 ～ 161 頁）。

(44) 中国革命をめぐるトロツキーと合同反対派の立場の変遷については、以下の拙稿を参照。「第 2 次中国革命の 3 つの論点とトロツキー」『トロツキーと永続革命の政治学』柘植書房新社、2020 年。

(45) いくつかの例外としては、たとえば、1926 年 11 月における第 15 回党協議会演説で、スターリンの一面的な不均等発展論を批判して、次のように述べている——「疑いもなく、資本主義は今日でもさまざまな国できわめて不均等に発展している。しかし、19 世紀においては、この不均等性は 20 世紀よりも大きかった。その当時、イギリスは世界の支配者だったのに対し、たとえば日本は、古い世代が記憶しているように、自己の国境の内部に固く閉じられた封建的カースト国家だった。わが国で農奴制が廃止されたころ、日本は資本主義文明に参加しはじめた。しかしながら、中国はまだ、最も深いまどろみに包まれていた、等々」（トロツキー「第 15 回協議会における演説」『ニューズ・レター』第 37/38 合併号、トロツキー研究所、2004 年、21 頁）。

(46) トロツキー『レーニン死後の第三インターナショナル』現代思潮社、1961 年、211、217、221 頁。トロツキーのこの評価は明らかに一面的である。国民党はブルジョアジーと労働者との合同党だった。しかし、日本で追求されていた労農党はあくまでも労働者と農民に限定されていた。

(47) トロツキー「日本の新聞『大阪毎日』特派員の質問に対する回答」『トロツキー研究』第 35 号、69 頁。

(48) トロツキー「日本の満州侵略とソ連邦（「国際情勢の鍵はドイツにあり」より）」『トロツキー研究』第 35 号、74 頁。

(49) 同前、74 ～ 75 頁。

(50) 同前、76 ～ 77 頁。

(51) トロツキー「日本の満州侵略と日ソ戦争の可能性」『トロツキー研究』第 35 号、79 頁。

(52) 同前、80 頁。

(53) トロツキー「日本、中国、ソ連——アメリカのＵＰ通信とのインタビュー」『トロツキー研究』第 35 号、87 頁。

(54) 同前、88 頁。

(55) 同前、89 頁。

(56) 同前、91 頁。

(57) 「問題のトロッキー日本攻撃論文梗概：「日本は自殺する」――ヤンキーを
魅惑する巧みな宣伝」『東京朝日新聞』1933 年 12 月 14 日、4 頁。このリード
文で触れられている「既報」とは、1933 年 12 月 10 日に同紙に掲載された記事「片
や松岡洋右氏、片やトロッキー氏――米国誌上で論争」という記事のことで
ある。

(58) 私が調べたかぎりでは、朝日の記事以外に以下の 7 つの媒体で、この論文
の全体ないし一部が翻訳されている。①『国際パンフレット通信』第 652 冊、
1934 年 1 月、②『新天地』1934 年 1 月号、③世界公論社編『日本は自殺する？
――世界の嫉視・日本に集る』、1934 年 2 月、④『セルパン』1934 年 2 月号、
⑤『サラリーマン』1934 年 2 月号、⑥陸軍省軍事調査部篇『国際輿論を通し
て観る皇国日本の立場』、1934 年 3 月、⑦赤尾敏『一切を挙げて赤露の挑戦に
備へよ』、1935 年 9 月。また、『東京新聞』の前身である『国民新聞』もこの
論文を取り上げ、詳しい反論を行なっている。筆者不詳「露西亜の自殺」『国
民新聞』1933 年 12 月 21 日付（以下に全文引用。https://www.facebook.com/
seiya.morita.758/posts/414595740313497）。各文献のより詳しい書誌情報は本書
巻末の付録 1 を見よ。

(59) 『セルパン』1934 年 2 月号、75 頁。

(60) トロッキー「破局に向かう日本」『トロッキー研究』第 35 号、98 〜 99 頁。

(61) 同前、100 頁。

(62) この点に関して、明治維新をグラムシの言う「受動的革命」概念で説明し
た以下の論文について一言しておく必要がある。Jamie C. Allinson & Alexander
Anievas, The uneven and combined development of the Meiji Restoration: A passive
revolutionary road to capitalist modernity, *Capital & Class*, vol. 34, no. 4, 2010. 同論
文は、明治維新の特殊性（この特殊なブルジョア革命が都市の小ブルジョア
ジーでも農民の反乱によってでもなく、地方の下級武士の主導でなされたこ
と）を、徳川時代に、武士階級がその本来の経済的土台たる領地の直接的支
配からすでに分離されていて（戦国時代にはそうではなかった。国人は武士
であるとともに土地の直接的な支配者ないし耕作者であった）、藩という「国
家内国家」の中の役人としての地位を割り当てられたことで、封建的生産様
式から資本主義的生産様式に移行するにあたって大きな抵抗力を発揮しな
かったことと、地方武士階級が彼らにのみ認められた教育を通じて高い教養
を独占的に身に着けていた一方で、下級武士は経済的にはしばしば町人より
も貧しい生活をしており、不満を募らせていたことを指摘している。これら
の指摘は基本的に正しい。しかし、同論文は明治維新をグラムシの概念であ
る「受動的革命」として捉えていることは一面的である。受動的革命はあく
までも旧来の支配層の中の開明派によって上からなされる漸次的な近代主義
的変革の総体のことである。もし徳川幕府の中の小栗忠順のような開明派幕
僚が主導権を握り、薩長勢力を粉砕することに成功していたとしたら、その

後に訪れたのは間違いなく、近代的変容を遂げた徳川政権による受動的革命
であったろう。とはいえ、受動的革命の要素がゼロだったわけでもない。明
治維新は何よりも地方の大藩（長州藩と薩摩藩）の力によって成し遂げられ
たのであり、その意味で地方とはいえ上からの変革という要素が明確に存在
していた。

(63) 前掲トロツキー「破局に向かう日本」、101 頁。

(64) 同前、100 頁。

(65) 同前、103 頁。

(66) 「トロツキーの極東観」『外事警察報』152 号、1935 年。

(67) トロツキー「極東の暗雲」『トロツキー著作集 1934-35』上、柘植書房 , 1979 年、
134 頁。

(68) 同前、135 頁。

(69) 同前、136 頁。

(70) その他、この時期の多くの文献でこうした原則的立場が確認されている。
トロツキー「中国についての討論」「見え始めた日本側の破局」「中日戦争に
ついて」「平和主義と中国」「戦争に関する決議について」「中国革命」「新た
な世界戦争を前に」「シドニーの『サンデー・サン』紙とのインタビュー」「質
問への回答」。いずれも『トロツキー著作 1937-38』下（柘植書房、1974 年）
に収録。

(71) トロツキー「日本と中国」『トロツキー研究』第 35 号、107 頁。

(72) トロツキーはこの手紙の 2 日後にジャーナリストのインタビューに答えて
おり、その中で「中国共産党は、1924 〜 25 年のときと同じように、またして
も中国労働者階級の運動を政治的に蒋介石と国民党に譲り渡すために猛烈な
努力をしている」と述べているが（トロツキー「平和主義と中国」『トロツキー
著作集 1937-1938』下、39 頁）、これは一面的な判断だった。

(73) トロツキー「日中戦争について」『トロツキー著作集 1937-1938』下、36 頁。

(74) トロツキー「フランク・グラスへの手紙」『トロツキー研究』第 39 号、2002 年、
100 〜 101 頁。

(75) この事件は、日露戦争以来、日本軍が初めて本格的に西欧諸国の軍隊と戦
闘を交えたもので、日本軍は機械化されたソ連軍に苦戦し、その翌年のノモ
ンハン事件でも同じことを、さらに大規模に繰り返すことになる。

(76) トロツキー「ソ連邦と日本」『トロツキー研究』第 35 号、109 頁。

(77) 同前、109 〜 110 頁。

(78) 日本軍のマニラ占領中に軍の命令に基づいて現地で『マニラ新聞』や『神
州毎日』を発行し、後に同地で消息を絶った南条真一氏（1898 〜 1945）のこ
とと思われる。

(79)「中国と日本との闘争──南条氏への回答」『トロツキー研究』第35号、112頁。

(80) トロツキー「革命だけが戦争を終わらせることができる」『トロツキー著
作集 1938-39』上、柘植書房、1972 年、98 頁。

(81) トロツキー「独ソ不可侵条約」『トロツキー著作集 1939-40』上、19 〜 20 頁。

(82) トロツキー「双子星──ヒトラーとスターリン」『トロツキー著作集 1939-

40』上、柘植書房、1971 年、47 〜 48 頁。

(83) トロツキー「世界情勢と展望」『トロツキー著作集 1939-40』上、73 頁。このインタビューでも日本軍の本質的な脆弱さについて何度目かの正しい指摘がなされている――「過去数年間、私は、日本軍は分解しつつある体制の軍隊であり、革命直前のツァーの軍隊によく似た多くの特徴を備えているという事実について何度か言及してきた。日本の保守的政府と参謀本部は、ツァーリの陸海軍を買いかぶったのと同様に、ミカドの陸海軍を買いかぶっている。日本はただ遅れた半ば武装解除された中国に対する侵略においてだけ成功することができる。日本は重大な敵対者に対する長期戦に耐ええないだろう」(同前、74 頁)。

(84) 前掲トロツキー「破局に向かう日本」、95 頁。

(85) トロツキー「日本の侵略計画」『トロツキー研究』第 35 号、114 〜 115 頁。

(86) トロツキー「田中メモ」『トロツキー著作集 1939-40』下、柘植書房、1971 年、152 〜 158 頁。

(87) この問題について、日本での最近の本物説としては以下のものがある。藤井一行「トロツキーと田中上奏文」『トロツキー研究』第 51 号、2007 年。藤井一行「トロツキーと田中上奏文（続）」『トロツキー研究』第 53 号、2008 年。偽書説としては以下のものがある。服部龍二『日中歴史認識――「田中上奏文」をめぐる相克　1927-2010』東京大学出版会、2010 年。

第3章

トロッキーと会った
日本人たち
ニューヨーク時代から日本亡命計画まで

「トロッキーが赤色広場の演壇に立った時の勇姿は、今でも私の眼に映
ずる。何回かのうちで、1922年のメーデーの司会者としての彼の挨拶
が最もよかった。肩幅のある五尺八寸からの偉大躯から、やや力をこめ
て握った右手の拳に調子をとらせて、焦らず、迫らず、豊かな声量をオ
ペラのごとく送り出す。それが、靴工場、寺院、クレムリンの建築物に
反響して山彦を起こし、しかも論旨明瞭に十数万の聴衆を満足せしめる。
この場面を親しく見ない人はあるいは信ぜられないに相違ない」

——田口運蔵（1929年1月30日）[1]

　戦前の日本人は種々の文献やその他の間接的な情報源を通じてトロッキー
を知っただけではない。生きているトロッキーに実際に会ったり目撃したり
して、よりダイレクトにトロッキーに接した多くの日本人がいた。そうした
日本人は大別すると、1，新聞記者などのジャーナリスト、2，社会主義者
ないし共産党の活動家、3，ソ連と関係のあったビジネスマンやその他の関
係者、に分かれるだろう。本章では、そうした日本人の回想を紹介すること
を通じて、日本人が実際に目にしたトロッキーの生き生きとした姿を読者に
伝えたい。

1. 10月革命前——ニューヨークの片山潜

　まずは、1917年のロシア革命以前にトロッキーと会った日本人の話から
始めよう。革命以前にトロッキーと直接会って話したことのある日本人はお

そらく、ニューヨーク時代の片山潜だけであろう。

トロツキーと片山潜との出会い

　片山潜は、1884年に最初の渡米を行ない、皿洗いなどをして大学を卒業、1896年に帰国し、労働組合運動、社会主義運動に従事。1904年に2度目の渡米を行ない、1906年に帰国。同年再び渡米して、1907年に帰国。1914年に4度目の渡米を行ない、サンフランシスコに。同地の在米日本人労働者のあいだで活動し、1916年5月に日本語の社会主義紙『平民』を創刊。1916年12月にニューヨークに移る。このニューヨークに、トロツキーがヨーロッパから亡命してきたのは、1917年の1月初頭のことである。2人は、ともに自分たちが外国人であるこのアメリカの地で対面し、アメリカ社会党に対する批判、反戦闘争などを通じて緊密に結びあう。片山とロシアの革命家との関係は、昔から深い。なにしろ、日露戦争の時、第2インターナショナルの大会で反戦を誓って壇上でプレハーノフと握手を交わした人物こそ、この片山潜だからである。したがって、その名前は、ロシアの革命家なら知らないはずがなかった。トロツキーがニューヨークで片山に会った時、この伝説の人物に強く惹きつけられたことは疑いない。

　このニューヨーク時代の片山潜とトロツキーとの出会いについては、その後アメリカの片山のもとにやって来た多くの若い日本人社会主義者がさまざまな証言を残している。片山が彼らに繰り返し、ロシア革命の指導者トロツキーとの出会いと印象について語ったからだ。彼らは片山の指導のもと1919年秋に在米日本人社会主義団を結成し、その後、ソ連入りしたり日本に帰国したりして、社会主義者ないし共産主義者として活動を展開した。この在米日本人社会主義のあいだには、トロツキーが裏切り者扱いされてからもトロツキーに対して同情的であり続けた人が少なくない。おそらくこれは偶然ではなく、片山自身がトロツキーに対して敬愛の念を持ち続けていたことの反映だったと思われる。後で見るように、片山はトロツキーが少数派になって以降、トロツキーから距離を取るようになり、公的には攻撃する陣営に参加するのだが、内心ではトロツキーへの敬意を持ち続けたように思われるのである。

　まず最初に紹介するのは、そうした若い日本人社会主義者の一人であった渡辺春男である。彼は、トロツキーと片山の最初の出会いについて、1969年の回想記で次のように述べている。

とくに片山のやってきたすぐあとの 1917 年の 1 月には、ヨーロッパを追放されたトロッキーがニューヨークに亡命してきて猛烈な活動を開始したから、片山は直接会って、このロシア革命運動の大立者からつよい印象をうけたのだった。彼らの初対面は、ルトガースの仲介でイースト・サイドにあるユダヤ人教会の 2 階でおこなわれたとかいうことであった。おそらくロシアの革命家たちも、かつて自分たちの代表者と国際的連帯のかたい誓いをかわした日本の老革命家に会って、深い親しみの情を感じたことであろう。⁽²⁾

ここに登場する「ルトガース」（ルトヘルスないしリュトヘルス）はオランダの革命的社会主義者で、世界各地を回って（日本にも来ている）、社会主義者・共産主義者のネットワークの構築に尽力した人物である。彼は片山潜と以前から文通を交わす中で、その後、コミンテルンと日本人社会主義者とを結びつけるうえで重要な役割を果たした⁽³⁾。ここでは、この最初の会談の中身について何も書かれていないが、1969 年の回想記のもととなっている 1955 年の最初の回想記では、続けて以下のように詳しく書かれている。

　　このとき老人はトロッキーから、チンメルワルドやキンタールの会議の内容についてきかされた。がその当時はまだその会議のもつ意義を充分に理解することができなかった、とあとになって老人は私たちに語っていた。この時トロッキーは、これらの会議でレーニンから小児病的だとの理論の誤謬を指摘され、大激論をかわしたが、結局レーニンが正しかった話や、レーニンが実に偉大な指導者であることなども話したそうである。しかし老人は、国際社会主義運動の潮流については充分な知識をもっていなかったので、これらの話をきいても、レーニン主義の本質を完全に把握することができなかった、と率直に語っていた。⁽⁴⁾

この回想は興味深いが、明らかに後年の話が混じっている。最初の会談でトロッキーがツィンメルワルトの話をしたのは間違いないだろうが（ただしキンタールの話は明らかに不正確で、トロッキーはキンタールの会議に参加していない）、「これらの会議でレーニンから小児病的だとの理論の誤謬を指摘され、大激論をかわしたが、結局レーニンが正しかった」というのは、後の話や印象が混入しているように思われる。ツィンメルワルトではたしかにレーニンとトロッキーとのあいだで論争はあったが、トロッキーの当時の立場は

左翼小児病とは正反対であった。

　この 1955 年の回想では、片山潜が社会民主主義的な考え方から共産主義思想へと発展する上で、トロツキーたちのとの接触が果たした役割についても触れられている。

　　トロツキーたちとの接触が始まった当時の老人は、社会改良主義的な考え方から社会民主主義に発展していたようである。それがトロツキーたちとの接触によって、これまでの長い闘争を通じて蓄積され、準備されていた老人の思想は、飛躍的にマルクス・レーニン主義へと発展したのであった。もっともロシア革命の勃発、とくに十月革命の勝利は、老人の思想的前進に拍車をかけたということができるであろう。[5]

　「飛躍的にマルクス・レーニン主義へ発展した」というのは明らかに大げさだが（そもそも「マルクス・レーニン主義」などという観念自体、当時は存在しなかった）、この部分は 1969 年版では、残念ながら「トロツキーたちとの接触」という部分が除かれた形で修正されている[6]。

　ニューヨークでトロツキーと片山潜が初めて会った話については、戦前に出版された荒川実蔵による片山潜の伝記『セン・片山』（1930 年）でも詳しく紹介されている。荒川実蔵も、在米日本人社会主義団に加盟し、1923 年の秋にはソ連に留学して、当時ソ連で暮らしていた片山と親しく交わった。その荒川による伝記では、そもそも片山がカリフォルニアのサンフランシスコからルトガース（リュトヘルス）のいるニューヨークに移ったのは、トロツキーと会うためであったと説明されている。

　　1916 年の暮、ニューヨークのルトガースのもとへトロツキーがスペインから追われて、アメリカへ送られたという報道が入ってきたので、ルトガースはセン・片山に、トロツキーもニューヨークへ来るから、君も来ないかと云ってきたのである。

　　ところが、〔お金に〕困り切っていたセン・片山に、加州〔カリフォルニア〕からニューヨークまで行く旅費のあろうはずがない。セン・片山からルトガースに「旅費なし」と云ってやると、ルトガースは、すぐに旅費を送ってくれた。片山は勇躍して加州を後にニューヨークへ向かった。[7]

　実際には片山がサンフランシスコからニューヨークに移動した理由には諸

説あり、ニューヨークという左派社会主義者の多い地域で積極的に活動に参加するため、あるいは、片山らを日本に強制送還しようとしていた日本の官憲の企みを避けるためであったという説もある[8]。いずれか一つである必要はないので、そうした理由に加えて、トロッキーらロシアの革命家たち（当時のニューヨークにはブハーリンやコロンタイもいた）と交流して知見を広めたいということも動機の一つであった可能性は十分にある。

　さて、荒川は、この記述に続いて、ニューヨークに来るまでのトロッキーの生涯について簡単に振り返っているのだが、1930年という、すでにトロッキーが裏切り者として国外に放逐された時期にあっても、荒川の記述はきわめて称賛に満ちている。曰く「この第1次革命において重要な役割を演じ、不撓不屈の闘争を続けたトロッキー」「当時〔ヨーロッパに亡命後〕の彼は従来よりも更に徹底した国際主義者となっていた」「1914年8月に欧州戦争が勃発するや、彼はオーストリアで猛烈に帝国主義戦争反対の宣伝をやった」「チンメルワルト及びキンタールの両会議に出席して、素晴らしい活躍をした」、等々[9]。若干不正確な情報も交じっているが、いずれにせよ、トロッキーの生涯に対する荒川の高い評価はまさにトロッキー絶頂時代におけるものと変わっていない[10]。

　さて、ニューヨークにやって来た片山はルトガース（リュトヘルス）のもとに身を寄せ、多くの証言で言われているように、ユダヤ人教会の2階でトロッキーと対面するのだが、そのシーンを描く荒川の筆致はかなり劇的である。

　　ロシアに於ける革命的気運が日に日に熟しつつあった1917年の初めに、レーニンと共にまもなく全世界のブルジョアジーの心胆を寒からしめ、かつ万国のプロレタリアートの血潮を沸かしめたロシア革命の指導者トロッキーと、日本の革命家セン・片山とが、ルトガースの前で堅い握手を交わした光景は確かに歴史的なシーンであった。その時にはトロッキー自身さえこの年の秋にロシアにプロレタリアｘｘ（革命）が成就し、自分が最も優れた指導者の一人となり得るとは予想してはいなかっただろうし、セン・片山もまたトロッキーが赤軍の総指揮官となり、三軍を叱咤するプロレタリア的名将となろうとは想像していなかっただろう。[11]

　まさに絶賛と言うべき評価だが、これは荒川がトロッキーを政治的に支持していたからではなく[12]、トロッキーがスターリニストの手によってその

名誉を徹底的に貶められる以前の、トロツキーに対する日本の（いや「世界の」と言うべきか）共産主義者たちの一般的評価を示すものだ。ただ荒川はその評価を1930年時点でも維持し、それを堂々と開陳していたという点で、やや特異なだけである。

アメリカにおけるトロツキーの活動

　以上の回想だけを見ていると、文字通りの意味で最初にトロツキーと片山潜とが顔を合わせたのが、ユダヤ人教会の2階での会見だったという印象を受けるが、実際には、その少し前、トロツキーがアメリカに到着した翌日の夜に、ブルックリンのルードヴィヒ・ローレというアメリカ人社会主義者の自宅で開かれた会議の場で2人は顔を合わせている[13]。しかし、このときは20名近い人間が同じ場にいて、2人が直接会話を交わすことはなかった。片山はその場でトロツキーがブハーリンとともにヨーロッパの情勢とアメリカにおける社会主義運動の取るべき路線について熱い議論を交わすのを見ていただけだった[14]。この時の会議の模様について、会議の場を提供したルードヴィヒ・ローレは1918年に次のように回想している。

　　この会議では（そしてその後、すぐに他の多くの会議でもそうだったのだが）、当初は、目に見える成果が得られないように思われた。だがロシア人たちはその本領を発揮し、長々とした、しかし非常に興味深い理論的な議論を行ない、いつも会議をまとめるのだった。ロシア人以外の参加者である私たちは、当分のあいだ、党内のレフトウィング（左翼）を組織して効果的な行動をとろうと考えるのは絶望的だと感じていた。そういう時に、いつのまにかこの運動の精神的支柱となっていたトロツキーは、自らが現実的な人間であることをも証明した。彼は、まず、革命的少数派の態度を恐れずに正直に表明する機関誌を作ることを提案した。ブハーリンを含む別のグループは、当初、独立した組織を結成し、その目的と目標を表現した定期刊行物を発行することを提案していたが、他のグループの反対に遭い、票決で敗北した。小委員会が選出され、次の会議に明確な提案をするよう指示された。1週間後、トロツキーもメンバーであるこの委員会は、隔月の定期刊行物を発行することを提案した。『階級闘争』は、この会議の成果である。[15]

　この対立において、片山はトロツキーの意見に賛成票を投じた[16]。ここ

で出てくる雑誌『階級闘争』については後でも触れる。この会議の後、トロッキー、ブハーリン、コロンタイ、片山潜、ルトガース（リュトヘルス）、そしてアメリカ人であるローレ、ルイス・フレイナたちはアメリカにおけるレフトウィング運動を精力的に展開していく。片山潜は 1919 年に発表した英語の論文の中で、この運動の指導者がまぎれもなくトロッキーであったことを明言している。

> 私たちは、同志トロッキーの指導の下にレフトウィングを組織するつもりであり、ヨーロッパに行くマダム・コロンタイは、ヨーロッパとアメリカのレフトウィング運動との提携をとることになっていた。[17]

わずか 10 週間しかいなかったアメリカにおけるトロッキーの活動は実に精力的なものだった。ロシア人亡命者のロシア語日刊紙『ノーヴィ・ミール』に毎日のように論文を公表し、各地で講演してまわり、どこでも熱狂的な聴衆を獲得した。このわずか 10 週間でトロッキーはニューヨーク左翼の雰囲気を一変させ、未来のアメリカ共産主義運動の礎石を築くのである[18]。しかし、こうした精力的な運動がようやく少し実りはじめたころに、ロシア 2月革命が勃発する。

ロシア革命の勃発と『階級闘争』

ロシアの 2 月革命の勃発後、トロッキーは家族を連れて急いでロシアに向かい、片山潜は引き続きアメリカに残った。トロッキー一家がニューヨークを蒸気船で離れるとき、サウルブルックリンの桟橋には 300 人以上の社会主義者のニューヨーカーが集まって、トロッキーら将来のロシア革命の指導者たちを熱狂的に送り出した[19]。

こうして、2 人は離れ離れになった。トロッキーがロシアに向かう途中でイギリスの官憲に逮捕され、カナダに抑留されると[20]、ニューヨークの社会主義者たちは、大規模なトロッキー釈放要求大会を開き、片山もそこで演説をしている。7 月には、かねてよりトロッキーらと協力して準備していた左翼社会主義者の英字雑誌『階級闘争 (Class Struggle)』を創刊。片山はこの『階級闘争』にトロッキーやレーニンの論文をいくつも掲載するとともに、日本人向けの『平民』にもトロッキーの文献をしばしば紹介している[21]。とりわけ、トロッキー永続革命論の基本著書である 1906 年の『総括と展望』の一部を日本語ではじめて紹介したのは、ごく短いものだったとはいえ、この

『平民』であった[22]。

　トロツキーは残念ながら『わが生涯』の中で片山潜について何も書いていないが、片山は、その自伝の中でトロツキーのことにも簡単に触れている。片山老人の自伝は長期にわたって何度か書かれているが、ニューヨーク時代についての記述は1932年の最晩年に書かれており、すでにスターリン時代ということもあって、その記述はきわめて淡白である。にもかかわらず、歴史から抹消することなく、トロツキーのこともきちんと書いていることは、片山の人間的誠実さを示しているとも言えよう。

　　　次に問題になったのは、左翼団体の機関雑誌である。これも週刊か月刊かあるいはその大きさ等が問題になり、同時に雑誌の題名について討議された。数回にわたる討論の結果、月刊を発行し、その名称を『階級闘争』とすることに決定した。たしか、最後の決定はブルックリンの同志シュワルツの家に2回集まってなされた。シュワルツの家は大きく、しかも3階であるゆえに、人目を避けての相談に便利だというので、そこに集まったのである。我々の左翼運動計画に対する討議相談は、機関雑誌を出すことに局限された。最後数回の会合において、トロツキーが最も熱心に討論に参加した。ブーディンも活発にその主張をなした。ブハーリンもまた気炎を吐いた。しかして最後にシュワルツの宅に会合した時には、第1号にはどんな論文を載せるか、誰が宣言を起草するかが問題になった結果、トロツキーがこれを書くことに決定した。[23]

　このマルクス主義雑誌については、トロツキーも『わが生涯』の中で言及している。

　　　生粋のアメリカ人労働者の間では、社会党の影響力やつながりは、われわれの革命的翼を含めて、たいして大きなものではなかった。社会党の英字新聞『ザ・コール』は、無内容な平和主義的中立主義の精神で編集されていた。そこでわれわれは、戦闘的マルクス主義の週刊誌を創刊することにとりかかることにした。そのための準備作業は順調に進められた。[24]

　「月刊誌」と「週刊誌」との差はあるが、両者が同じものを指していることは間違いない。ただし、実際に出た『階級闘争』は先にローレの証言にあったように隔月刊だった。しかし、この新雑誌発行の事業は中断することにな

る。ロシア革命が勃発したからだ。片山は先の文章に続けて次のように書いている。

　　前期の計画は、ただちに実行できなかった。トロツキーが宣言の起草を終り、我々が雑誌発行の準備に当っていた際、ロシアに2月革命が勃発した結果、ツァーがたおされ共和国ができた。
　　我々同志は2月革命を皆喜んだが、その結果ロシアの同志達は、革命を継続し完成するために、米国にとどめることはできなかった。左翼雑誌の経営どころではない。百倍も千倍も緊急な事件が露国にできたのだ。米国駐在の露国官僚は、いつでも帰りたいものには旅費を支給して帰らせると発表した。第1にこの絶好の機会をとらえて、先発帰国した者はトロツキーとチュドノフスキーであった。3月27日、我々同志はチュドノフスキーとトロツキー一家を、ブルックリンの波止場に送った。[25]

　片山はこの文章の後に、チュドノフスキーの人柄について暖かい言葉で思い返している。もし、この自伝のこの部分が、1927年以前に書かれていたならば、トロツキーの人柄についても、また彼にまつわる多くの興味深い証言をも得ることができたろう。世界的有名人になる以前のトロツキーについて日本人が見たその生き生きとした姿を知ることができたら、どんなによかっただろうか。

ロシア革命勃発後の片山潜

　しかしながら、この点に関してまったく絶望的というわけでもない。ニューヨーク時代のトロツキーについて、片山は、おそらく1918年と思われるが（田口の回想は時間的にかなり前後しており、明らかに異なった時期のものが同じ文脈に登場する）、当時ニューヨークにやって来て片山の指導下で活動を開始していた田口運蔵（後にソ連入りして活躍する）に非常に好意的に語っているからだ[26]。その田口の回想を引用しよう。

　　私は老人〔片山〕の説明を聞きながら切り抜きを読んだ。……
　　「この記事にもあるが、マキシマリストというのは何でしょう？」
　　「それかね、ロシア社会民主党の一派ではあるが、そこではボリシェヴィキィ派と混同してね。……あのトロツキーの名が国際ニュウスに出るようになった。あの男のことだ。奮闘していることだろう……」。

老人は眼鏡に涙を浮かべて、真っ白なセトの入れ歯をまる出しにして顔を崩した。同じニューヨークで最近まで亡命していたトロツキーの追想は、老人をペテログラード革命の空に運んでしまったのだ。[27]

　しみじみとしたいい話である。この回想には、トロツキー個人に対する片山老人の思いの深さがよく示されている。片山老人のトロツキー追想はまだ続く。

　老人はいよいよ元気づいたのであったろう。さっきの憂鬱のアトモスフェアはどっかに消えてしまった。物語はトロツキーのことに発展している。
　「私はトロツキーの闘争性のはげしいのが何よりも好きだ。4月ロシアへ帰国するためにニューヨークのロシア領事館に旅券の査証を求めたとき、ブラウンスタインという本名を知っている領事館では、トロツキーの査証を拒んだ。烈火のように憤激したトロツキーは、『汝はもはや吾等の要求を反対する資格はないのだ。ロシア帝国はすでに存在を失ったのだ。けがれた旧帝国の官吏の査証など必要がない……。』と多くの露国人の環視のもとに旅券を領事の顔にしたたか投げつけたそうだ……」。[28]

　これも興味深い証言だが、トロツキーがニューヨークのロシア領事の顔に旅券を投げつけたという話は、かなり疑わしい。少なくとも、トロツキーは自伝では、領事館の官吏と「つまらない言い争い」をしたことを認めているが、そのような大立ち回りをしたとは書いていない[29]。では実際はどうだったのか？　この時トロツキーと実際に対面した領事館員ピエール・ルーツキーが後に手記を残しており、それによると実際はその中間だったようだ。ケネス・アッカーマンの著作から引用しておこう。

　　トロツキーの前に座ったルーツキーは、まず、ロシアが何十年も使ってきた標準的な豪華な便箋に印刷された新しいロシアのパスポートを彼に差し出した。しかし、トロツキーはそれを拒否した。彼は自分の紙にツーリズムのシンボルを入れたくなかった。これこそ旧ロシア（Old Russia）なのだ。その代わりに、真っ白な便箋に新しいパスポートを印刷して、入国の権利を証明するだけでいいと主張した。[30]

どうやら旅券は投げつけなかったようだ。しかしいずれにせよ、片山老人が、トロツキーのことについて非常に愛情と敬意を込めて語っていたということだけは、まぎれもない事実であろう。片山自身の回想録に話を戻そう。老人は、トロツキーらが去った後の『階級闘争』のその後について筆を進めている。

> 我々が熱心に計画した左翼の機関雑誌『階級闘争』は半年余も過ごしたるもなお出でず、我々はますます機関誌の必要を感じ、ついに発行すべく編集委員会を開いた。トロツキーの宣言は余り冗長に渡り、しかも米人には不必要なるブライアン〔アメリカの元国務長官で平和主義キャンペーンを展開〕抗撃ありて読者に適さず、これを取捨して発することとした。『階級闘争』は小さいが立派な雑誌であって、左翼演説会ではよく売れたものだ。……ロシア革命の首領達、レーニン、トロツキーその他の論文や、種々興味深い公文書や論文を掲載した立派な雑誌であった。[31]

『階級闘争』の宣言をトロツキーが執筆したことは、この証言からも明らかである。戦後復刻された『階級闘争』を調べてみると、たしかに創刊号の

隔月刊の『THE CLASS STRUGGLE』
巻頭言はトロツキー起草

巻頭に無署名の論文「The Task Before Us」が掲載されている[32]。トロツキーが起草した「宣言」というのは、おそらくこれのことだろう。トロツキーは自伝では自分が起草したこの論文について何も書いていないので、片山の自伝のことを知らない欧米の研究者は、この文章がトロツキーの筆によるものだとは知らないものと思われる。実際、ルイス・シンクレアによる記念碑的な『トロツキー文献目録』にも掲載されていない。

その後1921年末に、片山潜は念願のソ連入りをして、懐かしいトロツキーとの再会を果たすのだが、それについては後で触れよう。

2．革命と内戦の英雄トロツキー──中平亮と布施勝治

　トロツキーの名前が世界的に知られるようになるのはもちろん、1917年のロシア10月革命以後であり、日本もその例外ではない。日本の新聞や雑誌にトロツキーの名前が出るようになるのも、主として10月革命以降である。この時期、トロツキーはまぎれもなくレーニンと並ぶ革命と内戦の英雄であった。そこで、この時期においてトロツキーと直接会った、ないし直接目撃した2人の日本人記者、すなわち『朝日新聞』の中平亮と『毎日新聞』の布施勝治の証言を見てみよう[33]。

トロツキーを最初に取材した日本人記者──布施勝治
　『レーニンと会った日本人』という実に面白い本が、サイマル出版会から1987年に出ている（原著は1980年）。筆者は当時の『イズベスチヤ』副編集長のアルハンゲリスキー氏である。彼は、1920年6月3日にレーニンに会ってインタビューをした2人の日本人、布施勝治と中平亮の足跡を調べ、わざわざ日本にまで来て中平と会ってさえいる。しかし、実は、レーニンと会った日本人は、あたりまえの話だが、トロツキーと会った日本人でもある。そして、トロツキーと会った日本人の数は、トロツキーの方が長生きした分、当然のことながらずっと多いはずだ。しかし、この温和そうな副編集長は、当時としては無理もないことだが、トロツキーについては何も触れていない。
　この副編集長が取り上げた2人の日本人記者のうち布施勝治は、1920年に中平亮とともに初めてレーニンを取材する前に、実は1917年の革命勝利直後に外務人民委員としてのトロツキーを取材している。布施勝治は、おそらくトロツキーに最初にインタビューした日本人記者であろう。
　布施は、長年にわたってロシアに滞在して、帝政ロシア時代から大戦中のロシア、そして1917年における革命のロシアをつぶさに観察し取材した、おそらく日本で最も密接に現代ロシア史の激動を見聞した人物である。10月革命以前にロシアから打電した一連の記事にはすでに、「トロツキー」の名前を見出すことができる[34]。さらに彼は1918年に、おそらく日本人としては最初の本格的なロシア革命史である『露国革命記』を出版している[35]。彼は、すでに1917年の革命直後にトロツキーに取材を試みており、またその後も、1920年の春の内戦期、1924年の党内闘争期、1929年の追放期と、合計4回も節目節目にトロツキーとのまとまったインタビューに成功してい

る。これは日本人として唯一というだけでなく、世界的に見てもかなり稀有な部類に入るのではないだろうか。

　布施が初めてトロツキーと会った時の話は、戦後の著作『ロシア群像』に詳しく出ている。

　　トロツキーと本文の記者が始めて親しく会ったのは、1917 年 10 月革命の直後、ソウェート政府成立して、トロツキーが初代の赤色外相となった時のことである。"隻手の日本通"として知られ、また旧知の間柄でもあったボリワーノフ新次官を介して、ベフチエフスキー橋（帝政時代の外務省）に、得意満々のトロツキーを訪ねたのである。時はまさに革命紛乱の真最中であった。乗取ったばかりの外相の椅子に腰をおろしたトロツキーは、記者の訪問を受けるや、開口一番、曰く"余は外務省の店を閉めるために、外相となったのである。資本主義の列国とは、決戦あるのみだ。豪も外交の必要はない！"と当るべからざる赤い気炎であった。[36]

　なかなか興味深いやり取りだが、この話は少し疑わしい。トロツキーの自伝はすでに戦前に訳されているが、その中に出てくる話と言い回し（「店を閉める」「外交の必要はない」）まで含めてよく似ている[37]。しかし、「資本主義の列国とは、決戦あるのみだ」などという単純なことを当時のトロツキーが発言したというのはあまり考えられない。猪突猛進型の過激派という強烈なトロツキー像ゆえに、戦後のこのような回想になったのではないか[38]。

　戦後の回想ではなく、ペトログラード特派員であった当時の記述としては、1918 年 1 月 18 日付『大阪毎日新聞』に「過激派政府の外交」という記事を寄せており（記事の執筆は 1917 年 12 月 20 日）、その中で、布施はトロツキーについて次のように書いている。

　　過激派政府の柱石は云うまでもなく首相レニン氏なるも、閣員中、最もよく活動し最もよく手腕を振るいつつあるを外務代政委員〔外務人民委員〕トロツキー氏となすべし。氏は今や露都労兵会議長〔ペトログラード・ソヴィエト議長〕、過激派政府内閣員および外務代政委員を兼務し、八面六臂、口も八丁、手も八丁、多言多行、ボリシェヴィキの真髄をいかんなく発揮しつつあり。ことに彼は刻下最も重大にしてかつ過激派政府の死活問題たる休戦および講和交渉の指導者として敵国および余国に対してその独特の「民主的外交」を行い、すこぶる得意の色あり。[39]

こちらの叙述の方が実際のトロツキー像に近いように思える。まさにこの時のトロツキーは「八面六臂」の活躍をし、とりわけ「刻下最も重大にしてかつ過激派政府の死活問題たる休戦および講和交渉の指導者として」面目躍如たる働きぶりを発揮していたのである。

　布施によるトロツキーとの第2のインタビューは、例の『イズベスチヤ』副編集長が取り上げた1920年の時期になるのだが、その話の前に、『レーニンと会った日本人』のもう一人の主人公である中平亮を取り上げよう。

朝日新聞記者、中平亮

　『大阪朝日』の新聞記者であった中平亮は、1919年5月、朝日新聞の社命により内戦の最中のロシアに向かい、波乱万丈の過程を経て（この過程は、後述する『赤色露国の一年』という著作に詳細に書かれており、1本の映画を見るがごときのドラマチックなものである）、モスクワにようやくたどり着き、ついにレーニンやトロツキーを初めとする主要な政府要人たちの取材を成功させることができた。彼は、1年を経て1920年8月に帰国し、その翌年の1921年に、大阪朝日新聞社より『赤色露国の一年』を出版する。この著作は、ロシア滞在中に『大阪朝日』のために書いた記事を集大成したものである。この著作の中で、中平は、トロツキーと最初に会った時のことを次のように記している。

　　私が初めてトロツキーを見たのは、本年〔1920年〕5月モスクワで開かれたポーランドに対する態度決定の大会[40]の席上であった。レーニンに代わってその雄大な体躯を演壇に運んだ時、群集はレーニンを迎えた時以上に熱狂した。さほど大きくもないが澄み切った、しかも力のこもった音声が整然たる論旨を編んでゆく時、大劇場に溢れていた1万に近い聴衆は水を打ったように静まり返った。恐らく、弁舌にかけては労農露国においてはトロツキーの右に出づるものはあるまい。トロツキーの特徴はその鉄のごとき意志である。労農政府の勝利はボリシェヴィズムの勝利にあらずして組織の力である。そしてこの組織を守るために強烈な意志がある。労農政府の万難と戦うて今なお倒れざるは、すなわちこれ。レーニンを名匠の腕に成った繊細微妙の建築にたとえれば、トロツキーはその雄大なスフィンクスとでも言うことができるだろう。これがトロツキーに対する私の最初の印象であった。[41]

　このように中平は、革命的演説者トロツキーの弁舌のすばらしさについて
書き、トロツキーを「雄大なスフィンクス」に擬している。ここでもはっき
りしているように、ロシア人にとってだけでなく、日本人のような外国人に
とっても、トロツキーはレーニンと並ぶ革命と内戦の勝利の立役者であった
のだ。

　ところで、中平は同書において、連合国、とりわけ英仏によって強力な支
援を受けていた白衛軍がどうしてことごとく、貧しく徒手空拳の赤軍に敗れ
たのかを数頁にわたって詳しく考察している。この考察はきわめて興味深い。
中平は、その原因の１番目として、トロツキーが赤軍組織に与えた強力な意
志、２番目として、赤軍側の義勇兵の、死をものともしない勇気と戦闘性、
３番目として、白軍の後方でパルチザン（「土民軍」）が決起したこと、４番
目に、白軍がその支配地域において地主を復活させ、せっかく土地を勝ち取っ
た農民から土地を奪い返したこと、そして、欧米から武器弾薬を調達するた
めに容赦なく穀物の徴発を行なったことを挙げている。

　　　デニキン将軍の創立した南露政府は、昔の資産階級を基礎として成り
　　立っていた。それがため、デ軍占領地帯には地主が復活して、せっかく農
　　民の得て喜んでいた土地を奪い、あまつさえ、苛酷なる刑罰の鞭を振るっ
　　て、自分たちの追われたことに対して復讐した。軍隊は村落を略奪し、む
　　やみやたらに農民を殺し、婦女子を犯した。土地を失い略奪をこうむった
　　農民は林にとび入って土民軍に化した。南露政府の失政は単にそればかり
　　ではない。英仏から受け取った武器弾薬に対し、南露の宝庫を空しくして、
　　莫大な麦粉を輸出した。それがため、ドン・クーバン、コーカサス地方の
　　コサックの怒りさえ買った。デニキン軍が旗鼓堂々とモスクワに向かった
　　時、その背後には住民の不満は至る所に満ち満ちて各所に暴動が勃発し、
　　輸送状態はきわめて険悪になり、背後は自然に崩れてきたのである。[42]

　実に慧眼な分析と言える。さらに、中平は、５番目の原因として、ボリシェ
ヴィキの側がプロレタリアートの解放、人類の自由平等という普遍的理念を
持っていたのに対し、白軍の側が強大なロシアの再建というおよそ魅力に乏
しいものしか対置できなかったことを挙げている。

　　　コルチャク提督は、彼の軍隊が大部分、農民、労働者およびその倅より

なっていたことを忘れていた。彼ら自身の利益を全然没収せしめて、しかも大露国の復興に共鳴せしめうるはずがない。コルチャクは、大露国復興のなった後、露国の農民は地主と同等の権利を与えられるとは言わなかった。露国の教育は全国民に解放せられるとも言わなかった。露国の産業はすべての労働者の手に移るとも言わなかった。大露国復興の後、いかなるものを受取るかをシベリアの住民はいっこうに知らなかった。したがってその暁には再び帝政が復活せられ、露国は再び暗黒の時代に立ち返ると思ったのも無理はない。[43]

　中平自身は、ボリシェヴィキにまったく共感も感じていないブルジョア新聞記者であり、中平はボリシェヴィキがロシアを滅亡に追いやりつつあるとさえ確信していた。それだけに、その中平が分析する白軍敗北の原因論は、そのままボリシェヴィキ革命に対する説得力ある正当化論になっている。
　また中平は、当時におけるレーニンとトロツキーの関係について、次のような興味深いことを書いている。

　　トロツキーが最高軍事コミサールとなって、めきめきと赤衛軍の成績を上げ、完全に兵権を掌握した時、レーニンとトロツキーとの間には何かの確執があるかのごとく伝えられたが、それは何らの根拠もない億説に過ぎなかった。レーニンは思想家、立法家としては遥かに群を抜いている。労農露国の元首としての動かぬ貫目は実にここにあるが、実行家としてはトロツキーにおよばない。レーニンはトロツキーなくしては立ち行かない。トロツキーもまたレーニンなくしては立ち行かぬ。そこで２人は睨み合っているどころか、短所に手を携えて親交はなはだ密だとの話である。会議に出席しても、レーニンとトロツキーは必ず相並んで座る。そしていかにも親しげに話し合っている。[44]

　偏見に囚われない外部の観察者であった中平が見たレーニンとトロツキーとの関係は、このようなものだったのである。ちなみに、この著作のどこにもスターリンは出てこない。
　以上紹介した箇所以外にも、この著作は非常に興味深いたくさんの事実・印象・考察を伝えている。この著作が書かれたのは 1920 年であるが、この中平のルポルタージュは歴史資料として一級の価値を持っているのではなかろうか。

布施勝治の２回目の取材

　次に、すでに登場した布施勝治による２回目の取材について詳しく見てみ
よう。布施は、この２回目の取材の話を、彼の数冊の著作やさまざまな記事
の中で何度も繰り返している。その１つ、『ロシア群像』に掲載されたものは、
菊池昌典氏が人類の知的遺産シリーズの『トロツキー』の中で詳しく紹介し
ている[45]。ここでは、布施勝治の 1921 年の著作『労農露国より帰りて』か
ら引用しよう。もともとこれは『大阪毎日新聞』に連載されたものである。
　先に、中平が初めてトロツキーを見たという 1920 年 5 月 5 日の会議のこ
とを紹介したが、この会議には実は布施も参加しており、この時のトロツキー
について同書で次のように述べている。

　　　……やがてレーニンおよびトロツキー両氏会場に現われるや、満場より
　　百雷のごとき喝采を浴びせたるが、両氏共にきわめて健康に見受けられ、
　　悠揚迫らざるがごとき態度を持したり。レーニン氏まず第一に演壇に現れ、
　　氏特有の強烈なる口調をもって述べて曰く、……〔以下演説の内容が続く〕。
　　　レーニン氏の演説終わるや、次いでトロツキー氏壇上に現われて一場の
　　大演説をなし、〔検閲により３行削除〕と述ぶるや、聴衆は熱狂して堂を揺
　　るがすごとき大喝采を浴びせたり。[46]

　この著作は伏字がやたら多く、会議の状況もすこぶるわかりにくいが、会
議当時の布施自身による打電記事では、検閲により削除された部分がちゃん
と削除されずに記載されている。

　　　レーニン氏の演説終るや次でトロツキー氏壇上に現れて一場の大演説をな
　　し、「ポーランド人は連合国の援助を頼みて労農露国に対抗し攻撃の鋭鋒
　　を向けつつあり。われわれはこれに対してあくまで抗戦しポーランドをし
　　て世界の強国は単に連合国のみにあらず、さらに労働者と農民とより成る
　　労農露西亜あることを知らしむるの決心なり」と述ぶるや聴衆は熱狂して
　　堂を揺がすが如き大喝采を浴びせたり。[47]

　布施はさらに、この著作で「軍事」という章を設けて、トロツキーの軍事
政策について詳細に紹介し、トロツキーあってこその赤軍の勝利だと評価し
ている。また、「労農政府の中心人物」という章では、トロツキーをトップ

に取り上げている（続いて、ジェルジンスキー、ルナチャルスキー、チチェーリン、レーニンが取り上げられている。ただしレーニンについては、同書の最初のほうで特別の章を立てて詳しく論じられている）。ここでの布施のトロツキー評はあまり高くない。大いなる誤解も手伝って（布施は、ポーランド戦争をトロツキーのイニシアチブによるものだと信じ、レーニンは慎重論を唱えたとみなしている）、トロツキーは、レーニンについですぐれた指導者だが、「早算段」をしすぎる危なっかしい人物として描かれている。

　さて布施は、中平とともに1920年6月3日にレーニンとの共同会見に臨んでいるが、その時のことについて次のように書いている。

　　余は今回、再度の入露にあたりて、3箇年の絶え間なき緊張したる心労およびかつて受けたる負傷のためレーニン氏の心身にはなはだしき変化を来たせるにあらずやと密かに予想していたが、今親しく対座して眼前に見るレーニン氏の風貌は、従前と何ら変わるところなく、丸くして頑強らしき禿頭と、茶褐色なる細き輝ける眼と、堅く結ばれたる口と、短く刈り込まれたる髭とあご鬚を見たる時、余はかつてトロツキー氏がレーニン氏を描写したる文章を思い起こせり。すなわちトロツキー氏はレーニン氏を評して「レーニンは、口の先でだますことのできぬ利口にして頑強なる百姓に似たり」と言えるが、同時に余は、かつて一共産党員が「レーニンの外貌は非常によく日本人に似たり」と余に語りし事を思い出せり。[48]

　ここで布施はトロツキーのレーニン評をわざわざ紹介してレーニンの印象について語っている。『レーニンと会った日本人』の筆者は、この布施のレーニン会見記についても短めに紹介しているが、当然ながら、このトロツキー評の一節を飛ばしている。1924年の布施によるトロツキーのインタビュー（後述）に、1920年6月のレーニンの話というのが出てくるが、それこそ、このときのレーニンとの会見のことである。これは布施がレーニンに直接会った初めての機会であった。

　一方、布施はこの2回目の取材の際、レーニンだけでなくトロツキーにも直接会っている。再び『ロシア群像』から引用しよう。

　　私の2度目のトロツキー訪問は、1920年の春、彼が赤色陸海軍相として、内は反革命軍を相手に、血みどろの戦闘を続けながら、外はポーランドに対して、ひそかに開戦の準備を急いでいた時のことである。彼をその事務

室に訪ねると、その背後の壁に、一枚のポスターがかけてある。ポスターの標語を読むと、"コンミュニストよ、馬に乗れ！"とある。そこで私は"貴下は騎兵をもって赤軍の中堅とする考えか"とまず質問の一矢を放った。ところが意外にも、トロツキーは頭を横に振りながら、"いな、今日はもう、飛行機と戦車の時代である。余の理想を率直にいうならば、「コンミュニストよ、飛行機に乗れ、戦車に乗れ！」と言いたいのである。しかし何しろ大戦と革命で、根底から崩壊してしまった国内の工業では、飛行機と戦車を製造することはできない。やむなく騎兵に重点を置いて「馬に乗れ！」との標語をかかげているのである"と、まことに興味深い答弁を与えた。さすがはトロツキーである。あの当時、もうすでに"飛行機と戦車の時代"を喝破したのである。赤色軍の機械化方針は、トロツキーによって提唱され、そして同方針の実行に当ったのが、スターリンである。今度の対独戦争で、赤軍が意外にも頑強な力をとしえた所以の1つは、"同軍の機械化"にあるとしなければならぬ。[49]

　この部分の証言は非常に信憑性があるように思われる。トロツキーの当時の考えと矛盾していないし、内容も具体的で詳細である。布施勝治が、トロツキーとの3度目のインタビューに成功するのは、1924年4月のことだが、この時期のトロツキーについては、後で紹介する。

3．ネップ初期のトロツキー──日本人社会主義者たち

　以上紹介してきたのは、革命と内戦期のトロツキーである。ロシアは1921年にネップに転換するが、このネップ初期（1921〜1923年前半）においてトロツキーはまだ赫々たる革命の英雄であり、ソヴィエト国家の指導者として、レーニンと相並ぶ存在であった。この時期のトロツキーを目撃した日本人は少なからずいるが、そのほとんどが、ロシア革命の影響で日本に多く生まれたマルクス主義者ないし社会主義者たちである。新聞記者から社会主義者へとその顔触れが変わったことのうちに、この間の日本の根本的な社会変化が見て取れるだろう。

再び田口運蔵Ｉ──コミンテルン第3回大会前後
当時ロシア入りした社会主義者は基本的にみな、1922年1〜2月にモス

クワとペトログラードで開催された極東民族大会（極東勤労者大会）に出席するために1921年11月以降にロシアに入国した。そうした中で、田口運蔵は、片山潜の推薦のもと在米日本人社会主義団を代表して、コミンテルン第3回大会に出席するために早めにロシア入りしていた。他の社会主義者がおおむねトロツキーの演説を聞いた回想を残しているにすぎないが、田口運蔵はレーニンやトロツキーと実際に面会し、直接に話をかわすという経験をしている。それだけに、田口の回想は非常に重要である。

　1921年6月に開催されたこの大会には、田口自身が参加しているだけでなく、演説もしている。彼の回想録『赤い広場を横切る』から詳しく紹介しておこう。まずは、大会の開会冒頭でジノヴィエフが、斃れていった同志たちへの黙祷を呼びかけるシーンからだ。

　　　意外にも議長ジノビエフの声は、女のような金切り声だ。闘犬のような面魂をもったジノビエフが、もやもやした薄い髪の毛を掻きむしって腰をかがめると、軍楽隊の哀悼歌が、静まり返った会場に、青白い葬列のような余韻を曳いた。4000人の群集は頭を垂れて、黙祷した。哀悼の歌は一人一人の胸に不運な犠牲者の悲しみを通わせる。殊にロシア革命のためには、幾千、幾万の生霊〔人命のこと〕が失われている。――幾多の悲痛な思い出が、この哀悼歌のために刺激されるのであろう、ロシアの多くの革命家は泣いていた。トロツキーは赤い手鉤のような鼻を、やたらにハンカチで握った。[50]

　さて、その後、各国代表が大会の開会に際しての連帯ないし歓迎のあいさつを次々とした後、ジノヴィエフが、白軍が次々と国外に放逐される中、日本軍だけがシベリアに残っていることに触れ、次のように言って、突然、田口に日本代表としての挨拶を求めた――「しかし、この際ｘｘ（日本）代表に接して、直接にｘｘ（日本）プロレタリアートの意思を聴くことは、われわれの最も希望するところである。――同志ウンザウ・タグチを紹介します！」[51]。この突然の紹介に驚いた田口は次のように回想している。

　　　私は「はッ！」と驚いた。一言の前触れもなしに、まったく出し抜けに自分の名が呼ばれた。私は突然足元に深渓を見たように狼狽した。4000人の白い顔と、拍手の波を撹乱して木の葉のように翻る手が、瞬間、私の目の前で表現派の書のように錯乱した。くソッ！私は闇雲に演壇に突進して

いた。[52]

　田口は汗びっしょりになりながらも、その即興の演説を何とかやり遂げた。田口のこの演説はちゃんと第3回大会の報告集にも掲載されている。田口の演説の後にトロツキーが基調報告に立った。再び田口による証言を見てみよう。

　　　一方、演壇では、トロツキーの朗々と響き渡る演説が、大砲のように4000の聴衆を圧倒していた。
　　　私はヨッフェから顔を背けて、スチーム・パイプのように汗ばんだ顔を拭いた。私の矮小な演説の後に、この大雄弁！　トロツキーの演説は、ばく進する機関車だ。——禿鷲のような眼光、鉄板のような胸、ちぢんだ頭髪、ハンカチで引き絞るように拭う赤い手鉤のような鼻柱！
　　　トロツキーの演説が終わっても、会場にはしばらく、波のような余韻が残っていた。[53]

　このトロツキーの演説は、『コミンテルン最初の5ヶ年』にも収録されている「世界経済恐慌と共産主義インターナショナルの新しい任務について」である。

再び田口運蔵Ⅱ——トロツキー会見記

　田口のこの回想録『赤い広場を横切る』には、ルトガース（リュトヘルス）の仲介でレーニンと面会したエピソードについて詳しく書かれているのだが[54]、トロツキーとの面会については書かれていない。しかし、田口が1928年に『文芸戦線』に書いた別の論稿では、トロツキーとの会見の模様についても書かれている[55]。まずは、トロツキーの秘書が田口に会いに来るシーンからである。

　　　私はモスコウに着くとそれぞれ片山老人からもらった紹介状をある人を通して送ってやった。2、3日するとトロツキーの秘書役の一人が私を訪れ、「……トロツキーは目下非常に多忙で自身来ることができないから、私が代理で同志に敬意を払うために来た……」と非常に懇勤な態度であった。秘書役の話では、赤衛軍のポーランド入冦の失敗の跡かたづけと、それに第3回のコミンターン大会に発表すべき幾多の議案のため非常に多忙ら

しい。秘書はトロツキーの都合のいい時（きわめて近々）に迎いに来るからと告げて帰った。[56]

　これを見ると、最初に接触があったのはコミンテルン第3回大会の直前であることがわかる。トロツキーは同大会の議案の多くを準備していたのである。また、トロツキーが、旧友である片山の紹介状をもってやって来た見知らぬ日本人のことを非常に丁重に扱っていたこともわかる。さて、約束をたがえることなく、1週間後に実際に会見の場が設定される。

　　1週間ほど経て、陸軍の自動車で私を迎いに来た。トロツキーの室は大きい清潔なそして薄暗い室だった。左の隅の方に大きいテーブルを置いて、窓のカーテンを下ろして、テーブルの上の電燈の明かりで読書したり、書き物したりなどしていたらしい。テーブルの端の右と左とに電話機が対立しているのが、いかにも多忙の人のように感ぜしめた外は、全く哲学者の考想を練るにふさわしい薄暗い静かげな室であった。ブルジョア世界から恐れられている赤衛軍の総帥の書斎とは誰人も思えないであろう。[57]

　トロツキーの執務室が広くてほとんど何の調度品もない質素きわまりないものであったという証言は、後述するように他にも複数ある。彼の生活用の部屋もそうだったようで、この時から数年前の外務人民委員時代のトロツキーの部屋について、ジョン・リードの伴侶であるルイーズ・ブライアントは次のように証言している。

　　トロツキーとその可愛らしい小柄な細君——彼女はほとんどフランス語しか話さない——は、最上階の一室で暮らしていた。その部屋は、貧しい芸術家のアトリエのように仕切りのない作りだった。部屋の片隅には2組の簡易ベッドと安物の小さな衣装ダンスが置かれており、反対側の隅には机と2、3脚の安っぽい木製の椅子が置かれていた。絵画一つ飾られておらず、部屋を快適にするような調度品は何もなかった。[58]

　話を田口の回想に戻そう。いよいよトロツキーの登場である。

　　赤衛軍の軍服でいかめしく身がまいながらトロツキーは片山老人の紹介状のことから語ってよく万難を排してモスコウへ来たことに対して感謝の

意を述べていた。

　「だんだんこれから暇もできるだろう。それに第3回大会が開かれると
会場でいつでも語ることができる。ロシアへきて最初に何を感じたか？」

　こんなやわらかな話であった。私は別段に私用があるのでなく、片山老
人の紹介状があったので特に会ってくれたのだから、私も同志片山老人か
ら宜しくとの伝言を述べて帰ることにした。肩幅の広い背の五尺八寸〔174
cm〕以上もある偉丈夫が大きいが割にやわらかな手で力強く握手して「……
どんなことでも不自由なことはお手伝いする……」と言ってくれた。これ
がトロツキーに会った最初であった。[59]

　最初の会見はこのように実にあっさりとしたものだった。田口はその後、
「いろいろな会場で彼の演説を聞き、親しくも語ることができた」と書いて
いるが、レーニンのような親しみを感じることができず、「天才的なひらめ
きが強すぎる」のか、「どことなくぴったり来ない」と語っている。とはい
え田口はここからさらにトロツキー個人についての考察をしている。それも
なかなか興味深いので、それも少しだけ紹介しておこう。

　トロツキーはすべてがとにかく天才的である。彼は政治経済軍事はもと
より芝居を論じ、文学論をものにし、科学を語るところ、それぞれ一つの
トロツキーらしい特徴をもって創造的の論議をこしらえ上げている。彼の
雄弁に至っては、ソヴィエット・ロシアに雄弁家多いと言っても彼に並び
うるものはない。10万の大衆を眼前に集めて、論旨を徹底せしめうる者は
トロツキーをおいて世界にはないであろう。彼のあせらず、せまらず一言
は一言とオペラのように響き渡る弁舌は、かつて聞かないものが想像する
ことすらできないに相違ない。1922年のメーデーには彼は赤色街の演壇に
直立して50万人余のデモンストレションの一つ一つに答辞を述べたので
あるが、朝の10時頃から午後の3時半まで、直立不動で声すらからさな
いでやり通した。その当時、列国から集まっていたコンミンターンの代表
等はびっくりして色々にこのことを話題にのぼらせたことがある。[60]

　田口はさらにトロツキーの生涯を振り返って、レーニンとの度重なる対立
や、トロツキーの永続革命論についても論じているのだが、その「永久革命
論」理解は残念ながらスターリニズムの枠を一歩も出ていない。しかし、驚
くべきなのは、このエッセイの締めくくりである。このエッセイが書かれた

のは1928年だから、すでにトロツキーはアルマ・アタ流刑の身であるにもかかわらず、ヨーロッパ革命の盛り上がりとともに再びトロツキー派が革命の陣営に復帰するだろうとの予測でもって締めくくっているのである。

　　革命の元勲であったトロツキー一派、凡人でない人々は世界革命のために再び自らの非を悟り働く時が来るだろう。昔であったならば2つの争派は剣を取って闘ったであろう。西南の乱〔西南戦争〕の如く。しかし今では舌三寸と筆との争いである。同じ社会革命完成のための争論であって、決して相許すべからざる敵ではないのだ。妥協は同志であり味方にのみ許されるるのだ。
　　ヨーロッパの反動の潮はやがて引きつつある。トロツキー一派の再び革命の陣営に活動し得る時は迫りつつある。かの如くに考える。（別府にて。1928.6.27）[61]

　しかし、田口のこの楽観論は実現しなかった。最後は結局、剣を、いや銃を取った闘いになった。といっても一方が他方をもっぱら銃殺しただけなのだが。しかし、幸いなことに田口運蔵はその悲劇を目にすることはなかった。彼はソ連で粛清が激しくなる前の1933年に結核で亡くなっている。

再び渡辺春男
　この時期にロシア入りしてトロツキーの生の演説を聞いた日本人として次に紹介するのは、先にも登場した渡辺春男である。彼は、アメリカからロシア入り後に日本に帰国し、共産党の創設に尽力した人物だ。
　渡辺春男が初めてロシアに入国したのは1921年の11月のことである。すでに述べたように、1922年1月に開かれた極東民族大会に出席するためであった。後でも紹介するように、渡辺は、ロシア入りしてちょうど1ヶ月後の12月14日にモスクワ入りした片山潜を、トロツキーらコミンテルンの要人といっしょに出迎えている。同じ12月、トロツキーの演説をはじめて聴いた時のことを、渡辺は次のように回想している。

　　またある日、ボリショィ・オペラ劇場で、トロツキーの演説を聴いたことがある。これもやはりネップの問題であったようにおもう。トロツキーの堂々とした態度、ゆたかな声量とたくみな抑揚、手をふり全身をつかってのさまざまのジェスチュア、その緩急自在の演説ぶりはまるで名優の演

技をみているごとく、またすばらしい音楽をきいているようなものであった。大劇場にびっしりつまった満員の聴衆は、彼の熱弁に魅せられて恍惚としている。水をうったように静まりかえった大聴衆のすがたというものは、何か巨大なみえない決意がせまってくるようでちょっとものすごいものだが、それがトロツキーの一句がおわると瞬間にやぶれて、たちまち怒涛のような大歓声と万雷のような拍手がわきあがる。ロシア語のまったくわからない私でさえ、トロツキーの雄弁とそれに反応する大衆のみごとな光景に魅了されて、2、3時間もつづいた大演説を最後まで聴くというありさまだった。[62]

　このときの演説はいったい何であろうか？　1921年12月末に第9回全ロシア・ソヴィエト大会の場で、トロツキーは「前線はないが危険はある」と後に題された長大な報告を行なっており、その中でネップについても論じている。この大会には片山潜も出席しており、渡辺は片山の演説についても印象深げに回想している。したがって、渡辺もこの大会に出席していたことは間違いない。以上の点から、おそらくは、この第9回ソヴィエト大会での演説が、ここで渡辺が回想している演説であると思われる[63]。

野坂参三

　次に、共産党の長年来の指導者であった野坂参三の証言を紹介しよう。彼が晩年に書いた自伝である『風雪のあゆみ』は、彼がまだ共産党の最高幹部だったときに書かれたものであるにもかかわらず、トロツキーの演説についてきわめて好意的で印象的な証言を残している。野坂の歴史的公平さが示されていると言えよう。

　野坂参三が革命のロシアに入ったのは1921年11月末のことで、片山潜がロシア入りする半月前のことである。彼はもちろんおおむね片山潜と行動を共にしていた。野坂は結局1ヵ月ほどしかロシアに滞在しなかったが、その間に、ロゾフスキーやベラ・クンなど多くの要人と面会し、それぞれから強い印象を得た。さらに片山に連れられてスターリンとも面会したのだが、興味深いことに、野坂は、自分が面会した相手が誰であるかをその時には知らなかったと率直に告白している[64]。それだけスターリンはまだ無名だった。

　野坂はレーニンと面会することを希求していたが、その時、病床にあったレーニンとは会えなかったようで、そのことが悔やまれると述べている[65]。しかし、その代わり、彼はトロツキーの演説を聞く機会を持つことができた。

その模様は非常に生き生きとしていて、今から読んでもその時受けた野坂の感動が伝わってくる。いささか長くなるが、引用しよう。

　　しかし、わたしは、当時、ひろく海外にその名を知られていたトロツキーの演説を聞いた。ある日、わたしが、ホテルにいると、すでに知り合いとなっていた中年の婦人通訳が、今夜、ボリショイ劇場で、内戦と帝国主義国の武力干渉とのたたかいでおさめた勝利を記念する大集会があるから、話を聞きに行かないかと誘ってくれた。わたしは、喜んで応じた。……
　　場内は、六階の天井桟敷はむろんのこと、通路まで、男女の労働者と赤軍兵士で埋めつくされていて、熱気が充満していた。舞台の上には真紅の布がかけられた長い机を前に、党や政府の幹部と思われる十数人が坐っていた。議長団のようだった。そのなかには、写真で知っていた教育人民委員のルナチャルスキーの顔もあった。
　　やがて、なにやら報告していた演説者が拍手とともに去ると、一瞬、静かになったと思う間もなく、激しい拍手に迎えられて壇上に立ったのが、軍服姿のトロツキーであった。
　　トロツキーは、舞台の上手にある小さい演台の上から、ゆっくりとした口調で話しはじめた。当時のことだから、マイクは当然ないが、彼の豊かな声量は、場内の隅々まで響いた。わたしの隣の通訳は、彼の演説を、こまかく通訳してくれた。内容は、外国侵略軍と反革命軍を粉砕した軍事報告だった。やがて、トロツキーの演説はだんだんに熱を帯び、聴衆のあいだにも、しだいに興奮がたかまってきた。もうこのときは、トロツキーは演台からおりて、舞台の前面に立って、演説を続けた。そして、舞台につるされた戦場の地図を鞭で指し、あるいは広い舞台をゆっくり歩きながら聴衆に語りかけ、ふたたび演台にもどっては、演説を続ける。聴衆は、いまや彼の一言一句に、割れるような拍手をおくった。初めのうち、逐語的に通訳してくれていた婦人通訳は、このトロツキーの巧みな演説と聴衆の熱狂ぶりにしだいにまきこまれて、だんだん通訳が少なくなり、演説に聞き入るほうが多くなってしまった。そういうわたしも、彼の演説や聴衆の熱狂ぶりにまきこまれて、彼女に通訳の催促をするのも忘れてしまった。
　　トロツキーの演説をもって、この夜の集会は終わった。わたしは、通訳とともに、凍てついた街路を、歩いて、遠くないホテルに帰っていった。[66]

いったんここで切ろう。野坂はこの文章に続けて、トロツキーを誉めすぎ

たことを多少相殺するためなのか、トロツキーがレーニンと対立していたとか、労働組合運動をめぐって「党規律をやぶった分派活動をしていた」という事実に反するスターリニスト的エクスキューズを書いている[67]。もちろん、労働組合論争の時には党規約に分派禁止規定はそもそも存在していなかったのだから、「党規律をやぶった分派活動」などありえない。とはいえ、野坂はそう書いた後に続けて、再びトロツキーの演説の印象深さについて次のように書き記している。

　　わたしは、トロツキーの演説に引きこまれたこともさることながら、革命と、それに続く諸外国の武力干渉や国内戦の、長い、そして苦しく困難なたたかい、そのたたかいの勝利の体験を、トロツキーの一言一句から思いおこし、全身でその喜びを表現するロシア民衆の姿を目のあたりに見て、深く感動した。このように、何千人の人が一団となって強く意思表示をするのを見たのは、生まれて初めてのことであった。それは、わたし自身参加したイギリスの労働者のたたかいの高揚のなかでも、また、ドイツでも、体験できなかった力のほとばしりであった。[68]

　トロツキーが当時いかに革命ロシアの断固たる意志と団結を体現する存在であったかが、この記述からダイレクトに伝わってくる。野坂は50年経ってもその鮮烈な感動を忘れなかったのである。
　ところで、この時にトロツキーが行なった大演説は何であろうか？　12月末ごろに行なった軍事問題に関する大演説としては、やはり先に紹介した第9回ソヴィエト大会における報告「前線はないが危険はある」しかないので、おそらくこれであろう。この演説で実際にトロツキーは内戦の地図を示して説明しており、翌日の『イズベスチヤ』にも地図入りで紹介されている。

荒畑寒村

　ここまで紹介してきた日本人社会主義者はみな1921年11月頃に国外からロシア入りした人々だが、かなり遅れて日本からロシア入りして、トロツキーの姿を直接目撃した人物として荒畑寒村がいる。そこで最後に荒畑のトロツキー目撃談を紹介しよう。第1次日本共産党の創設メンバーの1人で、後に労農派の重鎮となる荒畑寒村は、1923年4月にソヴィエト・ロシアに入り、ロシア共産党第12回大会やメーデーに参加し、トロツキーの演説を直接聴いている。1923年にはすでにレーニンが政治の舞台から退いていた時期で、

また、まだ反対派の闘争が起こっていなかったので、「労農露国」の主役はまぎれもなくトロツキーであった。このときのことを、荒畑は1924年に出版した『赤露行』で実に生き生きと描いている。その叙述は戦後に出た『寒村自伝』にほぼそのまま、現代漢字になって収録されているので、読みやすいそちらの方から引用しよう[69]。

まず、初めてロシアの領土であるチタに入ったときのことである。入国審査の勤務にあたっている同志の家に入ると、その一家は荒畑を暖かくもてなしてくれた。

　　　狭い室には、数個の粗末なベッドが並び、一隅の卓上には、マルクス、トロツキーの肖像が飾っている。ただ、それと相並んで日本の芸妓の写真が立てかけてあったのは、どういう訳かわからない。ここの同志の弟という13、4歳とも見える少年兵士は、その赤星章の軍帽を私にかぶせたり、大きな銃をとり上げて「ブルジョア」といいながら狙う真似をして見せたり、絶えず噛んでいる向日葵の種子を、ポケットからつかみ出してくれたりする。
　　　彼はまた、マルクスの肖像を指さして何かいった。知っているかと聞いたのだろうと思って、「カール・マルクス」といってやると、「ハラショウ」と叫んで私の肩をたたいた。人を馬鹿にした小僧だ。私がトロツキーの肖像を指さして、「トロツキー」というと、彼は「ダア、ダア」といいながら、直立不動の姿勢をとって正しく挙手の礼をし、そして私を顧みて笑った。2人はすっかり仲よしになり、この少年を相手に私はしばし旅のうさも忘れた。[70]

　この証言にあるように、この少年の家にはマルクスとトロツキーの肖像が並んでかけてあったのである。当時のソヴィエト・ロシアでは、ほとんどどの地方大会や会議でもレーニンとトロツキーの肖像写真が飾られ、共産党員や革命家個人の家には、レーニンとトロツキー、あるいはこの家のようにマルクスとトロツキーの肖像写真が飾られていた。その後、ソ連で映画が製作されたときには、トロツキーはすでに反革命扱いされた後だったので、レーニンの肖像写真だけが飾られていたかのようになっているが、実際にはトロツキーの写真が普通に掲げられていたのである。話を戻そう。荒畑はチタからシベリア鉄道でモスクワに向かう。4月24日にモスクワに到着した荒畑は、翌日、さっそく片山潜に連れられて、すでに始まっていたロシア共産党

第12回大会の会場に向かう。そこで荒畑は、スターリンの「無味平板」な演説とともに、ジノヴィエフの「皺がれたファルセット」の「熱と力」のこもった演説も聞く[71]。その翌日、荒畑はいよいよトロツキーの演説を聞く。

> トロツキーは写真だとひどくおっかないような顔に見えるが、実物はなかなか優しい。その強度の近眼鏡の奥に、爛々として光っている眼さえも、むしろ柔和な感じを与える。ただ、髪も髯もほとんど灰色と化しているのは、数年来の超人的な悪戦苦闘の結果であろう。彼もまた曠世の雄弁家であるが、しかしトロツキーの声はジノヴィエフと異なり、あたかも金鈴をふるがごとく玉盤を打つように澄んでいる。そして弁舌の高潮に達した時は、舌端さながら火を吐くがごとく、聴く者をして恍惚たらしめずんばやまない。[72]

荒畑も大会の最終日に、英語で日本の党を代表して演説を行なっている。この第12回党大会の背後ですでに進んでいたレーニンによる最後の闘争を、当時の荒畑はもちろん知らなかった。自伝では、その「最後の闘争」についても参考までに書かれている。

大会終了後１週間してメーデーがやってきた。荒畑は「居ても立ってもいられない」気持ちで他の同志といっしょにメーデー会場に向かう。時おりぱらぱらと雨が降るあいにくの天気だった。

> 正午キッカリに、メイデーの式が開始された。赤軍の各部隊に所属する数十の軍楽隊は、一ヶ所に集合して、荘重なインタナショナルを演奏する。その都度、会衆は一斉に起立して軍人は挙手、平人は脱帽するのだが、式が終わるまで何回これがくり返されたかわからない。この間に、数台の飛行機は戦闘陣形をつくって飛来し、低空を旋回して敬意を表する。やがて軍服に身を固めた軍事人民委員トロツキーが、幕僚を従えて各部隊の閲兵をおこなった。
> 閲兵が終わると、分列式が開始された。トロツキーはプラットフォームの下に立ち、各部隊は隊伍整然としてその前を行進する。……
> 分列式の後、トロツキーはプラットフォームの上に、颯爽たる雄姿をあらわした。彼はまず、悠然として広場を見渡して、そして、「タワーリッシ！」と口火を切った。彼のメイデー挙式演説は、「ベールイ……マーヤ……〔5月1日〕」という風に、一語また一語、まるでチギって投げつけるような

口調である。私たちの位置から眺めると、赤軍の部隊が整列している辺り
は、兵士の人間など定かにはわからないほど広漠としている。その広場に
向かって、もとよりマイクロフォンなどなく演説しているのに、トロツキー
の金鈴のような音声はビーン、ビーンと反響する。しかも、演説がすすむ
に従って彼の熱火の弁はいよいよ力を加え、少しも疲れを見せないのだか
らただ驚くの外はない。私は恍惚として酔った如く、映画撮影機のカタカ
タという音のほか、満場寂として咳きの声もだせぬ。……
　時しもあれ、雨しばらく晴れて、5月の日光は黄金の矢の如くふりそそぎ、
壇上に熱弁をふるうトロツキーの全身は、さながら炎の剣をかざす軍神の
ようであった。
　次に、ソヴィエト国家に対する赤軍の宣誓式がおこなわれた。トロツキー
の読み上げる宣誓文にならい、将士は意気凛然として唱和するのである。
それが終わると、コミンテルンを代表してドイツ共産党の一同志が壇上に
現われ、祝賀の挨拶を述べようとしたが、将士は異口同音、
　「トロツキー、トロツキー」を連呼して口を開かせない。やむなくトロ
ツキーが再び登壇して、
　「クラスナヤ・アルミー、ウラー〔赤軍万歳！〕」を絶叫した。各部隊も
熱狂してこれに和し、ウラーの歓声は百雷のとどろくが如くであった。[73]

　荒畑が聴いたトロツキーの演説の3つ目は、イギリスの外相カーゾンによ
る「最後通牒」問題を討議するモスクワ・ソヴィエト臨時総会での演説であ
る。この演説において、チチェーリン、ブハーリンが強硬論を唱え、戦争も
辞さないという態度をとったのに対し、トロツキーは慎重論を唱えた。その
模様を荒畑は以下のように述べている。

　最後にトロツキーが立った。ソヴィエト政府の軍事人民委員、一朝有事
の際はたちどころに百万の赤軍を動員しうる彼が、果してどのような態度
を示し、どのような主張をなすかと、私たちは息を飲んで耳を傾けた。
　「同志よ、昨日、一製糸工場の労働者が私を訪ねて、その衷情を披瀝し
てこう語った。われわれは多年の困厄をしのいで、いまや実に休息を欲す
る。ロシアは工業、農業、ともにはなはだしく遅れ、国民は疲労してまた
新たな戦争を起こすの余力を存しないと。彼は50年間労働して来た。知
らずカーゾン卿、果して幾年の労働をしたろうか。赤軍は第1に市民であ
る。彼らは平時にあっては、有益な生産を営む労働者である。われわれは

拳を握り歯をかみ鳴らすの、正当十分なる理由を有しているが、しかしまた、現在の国情をもかえりみなければならぬ。

　われわれは平和を欲し、独立を欲する。赤軍はもっともよく、戦争の真の意義を心得ている。戦争は1ヶ月のみならず、1年つづくやも図りがたい。そして、ロシアが有する、一切の精力を消費させるであろう。われわれは他国との経済的断交を欲せず、平和的協商を欲する者である」。

　トロツキーの言は、少なくとも私には、チチェリンの言の意外なるがごとくに意外であった。私は傍らの一同志に顧みていった。

　「今夜の演説は、チチェリンとトロツキーと、あたかも所をかえたような観があるではないか」

　「そうだ。しかし、チチェリンの態度の強硬なのは、背後にトロツキーが控えているからだ」

　この結果、ロシアは英国に多大な譲歩をとげて、平和に局を結んだ。トロツキーの意見はチチェリンの主張を制したが、そのトロツキーの意見を制したのは、一製糸工場の労働者の衷情であったといえなくもない。[74]

　この記述は非常に興味深いし、事実関係としても正確である。当時のトロツキーが、世間的に考えられているような、軍事的冒険主義とまったく無縁の立場であったことは、ここからも容易に見て取ることができる。自伝では、この後に、「チチェリンの強硬説もトロツキーの温和説も、すべては予定の筋書きであり演出であったかもしれない」という「穿った考え方」を披瀝している。あるいはそうかもしれないが、いずれにせよ、トロツキーは、平和的解決を目指す立場を主唱したのである。

4．党内闘争期のトロツキー（1）──片山潜と内藤民治

　次に、赫々たる英雄としての地位に陰がさし始め、1923年後半の党内論争以降、しだいにその地位を掘りくずされていった時期のトロツキーと会った日本人の証言を紹介しよう。

モスクワの片山潜Ｉ──親密期
　最初に紹介するのは、1921年12月に念願のモスクワ入りをした片山潜である。片山は、トロツキーらが2月革命後にニューヨークを離れた後も、ボ

リシェヴィズムの普及とアメリカ共産党の結成（1919 年）やその統一に尽力するのだが、極東勤労者大会出席のため 1921 年 12 月 14 日についにソヴィエト・ロシアに入国する。片山潜が列車でモスクワに到着した際の模様については複数の証言が存在する。まずは、すでに何度も登場している渡辺春男である。すでに述べたように、渡辺は 1 ヶ月前の 1921 年 11 月にモスクワ入りしていた。1969 年の回想録で彼は次のようにその場面を生き生きと伝えている。

> 私たちがモスクワについてから約 1 ヵ月ばかりたった 12 月中旬、正確には 12 月 14 日に、セン・カタヤマがモスクワに到着した。……
> その当日、私たちは老人を迎えるべく、うちそろってモスクワ駅に出かけた。駅頭には、赤衛軍の総帥で老人とは旧知のトロッキー、民族人民委員のスターリン、国家元首の地位にあるカリーニン、そのほかジノビエフ、ラデック、ルナチャルスキー等々、ソビエト政権とコミンテルンを代表する大官・要人たちが、文字通りキラ星のようにならんで、出迎えていた。……
> 駅の構内からホームにかけて、赤軍の精鋭が武装もいかめしく、威儀をただしてならんでおり、まことに革命ロシアの国賓をむかえるにふさわしい壮重な光景であった。列車が止ると、デッキから、赭顔・ゴマ塩頭の老人の元気な笑顔があらわれた。老人が微笑をたたえながらステップをおりると、出むかえの巨頭連がつぎつぎと前にすすんで、握手をかわした。ひとめぐり終ると、トロッキーがもう一度すすみでて、老人と親しげに何か話しあった。おそらくニューヨーク以来の久潤を序しつつ、おたがいの健康をよろこびあったのだろう。それがすむと、老人はかたわらにしつらえてあった小さな台の上にあがり、英語で簡単に謝意を表した。[75]

　このときの模様については、1928 年にソ連入りしてから片山の個人秘書のような役割を担っていた勝野金政（1930 年にスパイ容疑で不当逮捕され、強制収容所送りになり、その後釈放されて、日本に帰国）も、次のように生き生きとした筆致で回想している。

> 片山が初めてモスクワに来たとき、一番歓迎してくれたのはトロッキーだった。トロッキーと片山は既にアメリカで知り合っていたのである。トロッキーは赤軍総大将の軍服を着て「いやァ、片山！　よく来た！」と言

いながら演壇に立った片山の手を固く握った。『赤い恋』の著者、女性外交官コロンタイ女史が片山の英語演説をロシア語に直訳した。聴衆は総立ちとなって拍手喝采した。それ以後片山はモスクワ市民の間に非常に有名になった。[76]

　このように片山はソヴィエト・ロシアで大歓迎され、1922年11月のコミンテルン第4回大会で執行委員になり[77]、以後、国際共産主義運動において積極的な役割を果たす。そして、しばらくはトロツキーと片山との関係は実に良好だったようだ。荒川実蔵による伝記では、次のように述べられている。

　　彼が赤軍の大会に出席した際に、アメリカ時代からの同志トロツキーは彼を全軍に紹介した。そして彼は赤軍の名誉兵卒に列せられた。外国人中でこの名誉兵卒の地位を占めた者は、セン・片山が初めてだった。
　　更にまた1922年夏、多忙であったトロツキーの代理として、シベリアの赤軍鼓舞のために彼はシベリアに出張して、親しく同地方の赤軍を検閲し、激励したのである。[78]

　経済状態は悪く、食糧事情も住宅事情も悪かったが、それでもソヴィエト国家がスターリニスト化するまでの自由で解放的だったこの時期における、両者の親密さと信頼関係がよくうかがえるだろう。

モスクワの片山潜II——離反期

　しかしながら、片山は、1923年秋以降にトロツキー派と主流派との対立が勃発すると、しだいにトロツキーから距離を置くようになる。片山は、日本からソ連にきた共産党員がトロツキーと親しくしようとすると、トロツキーに近寄らないよう注意したという。このことは、複数の人間が証言している。たとえば、戦前の共産党の元最高幹部であった佐野学は次のように述べている。

　　もうその時〔1924年〕からスターリンとの不和がきざしていたトロツキイは、コミンテルン本部に姿を見せなかった。私は一度面会したかったが片山氏に止められた。スターリン派から睨まれてはいけないとの事だった。片山氏は死ぬまでロシアの厄介になる気でいたから万事に気を使わなけれ

ばならず、機をみるに敏だった。しかしスターリンについては散々陰口を
　きいていて、あの人にはほんとうの部下はいない人だよ、などと云った。
　片山氏の友人にはトロッキイ派の人が多いようだった⁽⁷⁹⁾。

　この証言からも明らかなように、片山は内心ではスターリンのことを嫌悪
していたのであり、内的シンパシーはおそらくトロツキーの側にあったと思
われる。このことを間接的に示唆するのが、先に登場した勝野金政による次
のような証言である。

　片山は外国生活が長いにもかかわらず本来日本的感覚の強い人であったか
　ら、何回かトロツキーに対して、スターリン批判をやめて和解するように
　勧めたそうだが、トロツキーは頑として主張を曲げることをしなかった⁽⁸⁰⁾。

　片山はトロツキーが政治的に排除されていくのを心配して、友人としてト
ロツキーに政治的妥協を勧めていたことがわかる。もちろんそれがトロツ
キーにとって受け入れがたいものであったことは言うまでもない。ちなみに、
同じ勝野は、すでにトロツキーがソ連を追放された後の光景について次のよ
うに回想している。

　片山の72歳誕生祝賀のとき、ブハーリン失脚後のコミンテルンの実力
　者クイシネンは、立って片山の功績をたたえたあと「彼はアメリカ時代
　……」といって急に声を落として、「トロツキーとも親しかった」と言お
　うとしてやめた。彼の近くに立っていた私も、4、5人の列席者も笑って
　その場をやり過ごした。その場にいなかったクレムリンの独裁者を怖れた
　ためであった。⁽⁸¹⁾

　勝野は戦前に発表した別の回想では、片山が内心ではトロツキーのことを
本当に裏切り者とは思ってはいなかったが、保身のためにトロツキー攻撃に
加担したと証言している⁽⁸²⁾。片山はトロツキーを攻撃したある論文の中で、
「如何なる種類にもせよ恐怖なるものは勇気の欠如、原則の欠如であり、如
何なるものでも恐怖——人を尻込みさせる——は機会主義の本性であり決定
的特性である」⁽⁸³⁾と書いているが、この言葉が当てはまるのは何よりも片
山自身だったようだ。
　片山がトロツキーの立場を批判する文章を日本語で初めて書くのは、合同

反対派の闘争がまだ進行中であった 1927 年 1 月 13 日の日付のある公開書簡においてであり、個人的友人でもあった『実業乃日本』編集長に求められてのものだった。その中で片山はトロツキーについて次のように述べている。

　　私はトロツキーの偉大なる人格、及びロシア革命における彼の過去の業績に敬意を表するものである。実際、私はトロツキー賛美者の一人であった。しかし私は彼の理論上の識見及び近年の政治的手腕を見誤っていた。彼が今日なお信じている永久革命論はすでに不健全のものと相場が決まっており、レーニンも幾度かそれを痛烈に批評したことがある。私は十月革命をだんだん深く研究した時、赤軍の建設者及び指揮者としてのトロツキーの偉大性、及び赤軍が帝国主義の諸敵と戦って成功したその勝利が、実は彼の背後にレーニンがいたという事実に帰すべきものがはなはだ多いことを発見した。[84]

　片山はここで自分がかつてトロツキーの信奉者であったことを認めており、その「罪」を償うために、トロツキーの偉大さがレーニンのおかげであったことを「発見した」と述べている。しかし、このようにトロツキーの業績をレーニンに帰すだけでは不十分だった。片山はクレムリンの新しい主人に対する忠誠心をも見せなければならなかった。それゆえ、この論文においてスターリンはさまざまな言葉を尽くして絶賛されている。曰く、「最も才幹のある、頭脳明晰な、恩嵩に富んだ人物」、「今日のロシアに於いて最大のレーニン主義者」[85]、反対派に対する闘争におけるスターリンの「偉大な才幹」、「彼の冷静な鋭利な、レーニン主義の弁証法」に反対派の誰も太刀打ちできなかった、云々と[86]。そして、トロツキーらの反対派が最終的に敗北すると、片山は立て続けに 3 つの批判論文を執筆し、それらをそれぞれ、労農派系、講座派系、そしてブルジョア雑誌という別々の雑誌に寄稿している[87]。

モスクワの片山潜 III――最終段階

　トロツキーは、1926 〜 27 年の党内闘争期には片山については何も触れていないが、党内闘争に完全に敗北してアルマ・アタに流刑されたのち、「現在誰がコミンテルンを指導しているか」（1928 年 9 月）という論文の中で、片山について以下のようにきわめて辛らつに論じている。

　　日本の状況も同じぐらいひどい。コミンテルンの中で一貫して日本共産党

を代表しているのは片山潜である。インターナショナルの指導部が堕落するやいなや、片山はボリシェヴィキの支柱の一つとなった。本当のところを言うと、片山はその性質からしてまったくダメだった。クララ・ツェトキンと違って、装飾的人物と呼ぶことさえできない。というのも彼はいかなる装飾性もまったく欠いたぱっとしない人物だからだ。彼の観念は、軽くマルクス主義の色を帯びた進歩主義である。全体として、片山はレーニンよりも無限に孫文の思想世界に近い人物である。しかしこのことは、彼がインターナショナルからボリシェヴィキ＝レーニン主義者を追放することに加担することを妨げなかったし、一般に、その投票〔コミンテルンでの反対派排除を支持する投票〕によってプロレタリア革命の運命を決することを妨げなかった。反対派に対する闘争におけるその奉仕の見返りとして、インターナショナルは日本における片山の虚構の権威を支持している。若い共産党は彼に心服し、その教えに従っている。なぜか？　それは、「イワシの頭も信心から」という日本のことわざにあるとおりである。[88]

　トロツキーが「イワシの頭も信心から」という日本のことわざを知っていたのは驚きだが（片山から教えてもらったのかもしれない）、いずれにせよ、ニューヨークでもモスクワでもさんざんトロツキーの世話になり、その恩義を受けながら、あっさりと裏切った片山に対するトロツキーの論評は容赦がない。こうしてトロツキーと片山の友情は悲劇的な形で終わりを迎えた。片山老人は、自分の自伝の最後に、「回顧抄略」というものを書いており、そこにもう一度トロツキーの名前が出てくる。

　　古き友人知己、竹馬の友の間には、今日に至るもその関係を保てるあり。また運動を共にせし同志らに関しては、今日なお存命しまたあるいはすでに故人となり、あるいは主義上死滅または裏切り、はなはだしきは破信もって予らの反対側にありて、敵陣に蠢動する所の変節漢もあり。……以上の感想は、日本人以外の同志知己に対してもまた云い得る。かの第２インターナショナルの同志に対しては特に言い得る。ほとんど34年間同一の陣営にありて、知友を忝うする同志トム・マン（1894年以来）の如き、同志クララ・ツェトキン（1904年以来）の如きあり。また敵陣にあるロンゲ、カウツキー及びヒルキット及びリー（アルジャーノン）の如きあり。トロツキー、ローレの如きもある。[89]

この文脈からすると、トロッキーとはかつて友人であったが今では「敵陣に蠢動する所の変節漢」になったということであろう。いっしょに列挙されている、ヒルキット、リー、ローレはすべてニューヨーク時代の仲間である。片山の懐かしいニューヨーク時代ははるか遠くに過ぎ去った。たとえ論争したり、対立したりしても、なお同じ社会主義の仲間でありえた時代は終わった。スターリニズムの支配は、シュミット的友敵論をもっとグロテスクにした人間関係しか残さなかった。スターリンの奴隷でなければ、反革命の裏切り者なのである。

この文章が書かれた日付は 1932 年 11 月であり、すでにブハーリンも没落し、スターリン一人の天下になっていた時であった。内心の思いは別にして、このようにしか書けない状況にあったのは間違いない。片山は翌年の 1933 年 11 月に死去し、盛大な葬儀が国を挙げて行なわれた。トロッキーは片山の死に際してとくに何も文章を残していない。

内藤民治によるインタビューⅠ──戦後の回想

トロッキーと戦前の日本人との関わりを論じた戦後の文献はわずかだが、その少数の例を見ても、布施勝治や共産党の初期幹部などのトロッキー評に言及されることはあっても、トロッキーとの関わりが最も深かった内藤民治についてはほとんど注目されていない。しかし、内藤は 1924 年 6 月にトロッキーへのインタビューに成功しているだけでなく（このインタビューは当時の『イズベスチヤ』に掲載されている）[90]、本章で詳しく述べるように、トロッキーとの個人的かかわりは尋常でないものがある。この人物抜きに、日本人とトロッキーとの関係について語ることはできないだろう。

戦後になって内藤民治が雑誌に寄せた自伝的回想録[91]によると、1906年に渡米してプリンストン大学で学び、卒業後の 1911 年にニューヨークの『ヘラルド・トリビューン』のロンドン特派員となっている。アメリカ滞在中に片山潜と知り合いになり、交友を暖めたそうである。その特派員生活の一環として、1913 年、戦争前の平和な帝政ロシアで半年間を過ごし、その後、ニューヨーク本社へ戻り、そして東京へと帰っていった。日本に戻ってから、1917 年に『中外』という分厚い雑誌を創刊（当時における大正デモクラシーの息吹と精神をよく表現していた）、その後、労農ロシアの承認運動を展開。1922 年にはヨッフェ・後藤会談を密かに推進し、日本政府の重鎮を始めとする首脳連中を説き伏せ、また、片山潜や田口運蔵などを通じて、ソヴィエト首脳（とくにトロッキー）とも調整を行ない、ついに 1923 年にヨッフェ・

後藤会談を実現させている。この会談をきっかけに、日ソ間の通商関係が始まるが、内藤はその通商関係の発展にも尽力する。このように、内藤は、日ソ関係の発展においてきわめて重要な役割を果たした人物であった。

内藤は、1923年の秋についに正式にロシアを訪問し、トロツキーをはじめ、チチェーリン、リトヴィノフ、スターリン、ブハーリン、カーメネフ、ジノヴィエフ、カリーニンなどと親交を結ぶ。これらのソ連要人の中で、内藤がとりわけ強い印象を受けたのが、トロツキーであった。内藤は戦後の回想録の中でトロツキーのことにとくに詳しく言及している。

> 錚々たる革命戦士をたくさん見た中で、私の最も深く心に印象づけられたのは、レオ・トロツキーです。
> 第1回の訪ソのある日、今日はトロツキーの歓迎大演説会があるとのこと——場所はボルシェー劇場、入場料をとっていましたが、入場者が劇場の内外に溢れていました。彼はどこか前線に長くいっていたらしいのです。セン・片山がわたしを案内して赤い絨毯の敷いてある長い階段をのぼって行くと、皇族席という絢爛たる一室で、外国からきている各国共産党の大物が並んでいます。トロツキーの演説は説き去り説き来り、4時間くらい、静かな抑揚で流れるようにつづきました。彼はその間、一杯の水も飲まないのです。もちろん内容はわからなかったが、わたしは深い感銘をうけました。場内のフンイキもそのように見うけられました。[92]

このときの演説が具体的に何であるのかは不明だが、「彼がどこか前線に長くいっていたらしい」というのは不正確である。この時期にはすでに前線はない。これは、トロツキーが1924年の1〜3月に保養でカフカース地方に行っていたことを内藤が勘違いしているのである。彼の戦前の回想では、以下のようにより正しい説明がされている。

> さらにおどろいたことは、1924年3月、彼がウクライナから、病を養ってモスコオ〔モスクワ〕にかえってきたとき、レーニンの『一歩退却』にたいして、猛烈なる迫撃演説を大歌劇場においてやったのであるが、病後間もない彼にもかかわらず、約4時間の1人演説をブッとおして、一口の水ものまず1つのジェスチャアももちいないで、悠々とやってのけたのであった。[93]

この回想では、正しく「病を養って」モスクワに帰ってきたという説明されているが、トロツキーがモスクワに帰ってきたのは3月ではなく4月下旬であり、またレーニンが亡くなった直後なので、「レーニンの『一歩退却』にたいして、猛烈なる迫撃演説」をやったというのは、まったくありえない話である。回想というのは、個人のあやふやな記憶にもとづいているので、常に真偽が入り混じる。

ともあれ、戦後の回想を続けよう。内藤はトロツキーの演説を聞いただけでなく、直接にしかも何度もトロツキーと会って話をしている。

それから2、3日後、同じように片山に同道して、クレムリン近くの赤軍総司令部にトロツキーを訪ねたのです。彼の部屋は200畳敷ほどで、窓は全部カーテンが降ろして暗く、奥の一隅に斜めにおいてある彼のテーブルの上に、何とランプがおいているではありませんか。トロツキーは片山とはアメリカの亡命時代からの親友で、彼は英語で話しました。わたしたち3人はその広い部屋をグルグル歩きながらいろいろな話をしたものです。彼とわたしが本当に心から打ち融けるようになったのは、レストラン・イルミタージュ（？）での会食からです。彼はタバコも酒も飲まず、思想問題を論じているうちに、わたしは、こんなことをいったのです。

"思想というものは、水の如く光の如く、空気の如きもので円融無礙、停滞することのないもの……"

これがいささか彼に感銘を与えたらしく、それから共産主義のセクショナリズム論争の花が咲いて、前のような論旨で、共産主義必ずしも最高の理想とは思わないと主張したわけです。この会食ですっかり仲よくなりました。彼はメンシウェーキ出身だったので、10月革命ではレーニンと共に人気の絶頂に立っていたのに、不遇を免れない運命が潜在していたようです。英語は流暢でないにしても、十分に会話は通じました。女性的な低いやわらかな声で、しみじみと語るといった話ぶりであった。わたしが行くと、いつも先客に優先して会ってくれました。何回目かのときに、偶然スターリンがやってきました。その同じ部屋で2人の用談が終ってから、わたしどもはセン・片山を加えて4人で記念写真をとりました。写真屋を呼んで撮ってもらったのです。スターリンはまだ独裁者にはならず、2人は不仲ではなかったように見受けられたが、後に何かでわたしは、このときのスターリンのトロツキー訪問は、始めの終わりで、ただ1回だけだったと知りました。(94)

長いのでここでいった
ん中断しよう。ここに書
かれているように、後に
も先にもこれ一回という
スターリンのトロツキー
訪問のときに、偶然、内
藤民治が同席し、しかも、
いっしょに写真を撮って
いるのである。この写真
は、回想録に掲載されて

左から内藤民治、スターリン、トロツキー

いるので、ここに転載しておこう（上の写真）。
　トロツキーとスターリンが集団の一部としてではなく、仲よく２人並んで
カメラ目線で写っている写真は、おそらく、世界でこれただ一枚だろう。世
界のどんな研究所、アルヒーフにも、これほど２人が仲よく並んで写ってい
る写真はあるまい。その中に、日本人、内藤民治がいっしょに写っているの
だから、この写真はなおさら貴重である。ぜひとも、各国の『トロツキー写
真集』に入れるべきだろう。ただし、内藤の回想によると片山潜も入れて４
人で記念写真を撮ったことになっているが、写真に片山の姿は見えない。

　　それにしても、あれから間もなく２回目の訪ソの時にはもうトロツキーは
　　モスコーから追われて失脚していました。トロツキーの茶褐の髪、白皙の
　　顔、そしてとくに鋭い目。また彼の心の優しさをあらわす魅力ある声、わ
　　たしは今でも、彼の人間としての持ち味を忘れることができません。この
　　レーニンと並んでの10月革命の大立者が、わたしの希望によって、自分
　　の写真にサインをしたとき、何と、日本文字（漢字）で、"日本の国友レオ・
　　トロツキー"とハッキリ書くではありませんか。わたしだけでなく、その
　　場に居合わせた片山もおどろいていました。(95)

　トロツキーが日本語で「日本の国友レオ・トロツキー」と書いたという話
は、同じ内藤を通じて佐野学にも伝わり、佐野は同じ趣旨のことを戦後の著
作で紹介している。しかし、その時は、漢字ではなく、カタカナで書いたと
なっている(96)。漢字かカタカナかは別にして、トロツキーが日本文字を書
いたことは間違いない。

トロッキーと内藤との交流は、トロッキーがソ連共産党内部での闘争に敗れて、亡命者となった後も続く。ここからがなおいっそう興味深いので、内藤の回想録をさらに追っていこう。

　彼は亡命の初期にコンスタンチノープルから、わたしにあてて "Japan will commit suicide"（日本軍国主義自壊論）というパンフレットを送ってきました。この彼の祖国愛と親日感情のあふれた論文を読んで、さっそく彼に返事を書きました。その後かれはルクセンブルク〔正しくはフランス〕、ノルウェー、メキシコと亡命流転の生活がつづいたが、わたしとの間の書信の往復は、日本専制の目を掠めて、つづきました。後日わたしは彼を日本に迎える計画をたて、日本の良識階級を結集して、陸軍の無軌道な軍国主義を牽制するための、度外れの大きな計画を立て、学者、政治家、財界人の一流どころが賛成しました。このことは結局トロッキーの暗殺という不幸な事態の発生によって失敗しましたが、とにかく、トロッキーの印象はわたしの脳スクリーンに烙きついて今でも生きています。その深い縁故は筆舌に尽くしがたいものがあります。[97]

　ここで内藤が挙げている「Japan will commit suicide」というパンフレットは「破局に向かう日本」のことであり、本書の第2章でも取り上げたように、「日本は自殺するか」という題名で、多くの新聞・雑誌に翻訳が掲載された。ここで内藤が言及している「トロッキー亡命計画」については、この回想録の最後の部分でより詳しく紹介されているので、後で立ち返ることにしよう。

内藤民治によるインタビューII――戦前の回想
　以上の回想は非常に興味深いが、1924年6月におけるトロッキーへのインタビューには触れていない。実は、内藤は、戦前にもトロッキーの思い出について語っており、そこでは、この6月インタビューの模様についてかなり詳しく回想されている。そこで次にそれを見てみよう。

　私がトロッキーに会ったのは、たしか1924年の6月だと記憶する。私の訪露にたいしては、モスコオ政府では、いろいろと世話をしてくれて、たいていの巨頭連にすらすらと引きあわせてくれたが、どういうわけだったか、トロッキーの場合だけは、いく度催促しても要領を得なかった。業を煮やした私は、その事情をうちあけてトロッキーに直接手紙をだしてみた。

すると、よろこんで会うから、赤軍参謀本部の方へきてくれという通知を
うけたのである。[98]

トロツキーになかなか会わせてくれなかったのは無理もない。このときす
でにトロツキーは、主流派からにらまれ、孤立させられていたのであり、と
くに外国人との接触にソヴィエト当局は神経をとがらせていたに相違ない。
実際、後で紹介する近藤栄蔵の回想によると、内藤にはスパイの嫌疑が当局
からかけられていたようである。

　まず、私は指定の時間に、指定の場所へでかけた。さっそく、秘書官たち
　の出むかえをうけて、彼の執務室へとみちびかれた。そして、ドアをあけ
　るやいなや、そこには六尺ゆたかの大男が、イキナリ八つ手の葉のような
　手をだして、握手をもとめた。それが世界をさわがした革命家レオン・ト
　ロツキーその人であったのである。[99]

この部分は、先に紹介した戦後の回想録とかなり記述が異なる。戦後の回
想録では、片山潜に連れられて初めてトロツキーの執務室に行ったことに
なっている。この問題には後でもう一回触れる。

　歳はほぼ働きざかりの46歳、モジャモジャと波打った太い髪の毛は黄金
　色に光り、ハヤブサのような眼は、人の心臓までも射ぬかずにはおかない
　と云った風貌の持ち主。彼の執務室に通されて奇異に感じたことは、50坪
　あまりもあろうと思われる広いところに、書棚の一つもないばかりか、一
　物の飾りつけとてなく、真っ昼間というのに、部屋はまったく真っ暗で、
　ようやく10燭ぐらいの電燈が卓上をてらしていたにすぎなかった。彼は
　そのルームの一隅に据えられたテーブルの前に立って、簡素な白の詰襟服
　を着たまま私に話しかけたのである。[100]

ここでも、だだっ広くてひどく簡素な執務室のことが印象深く語られてい
る。また「簡素な白の詰襟服」とあるが、先に紹介した、内藤やスターリン
といっしょに写った写真でも、トロツキーは白の詰襟を着ている。

　彼はアメリカにも、イギリスにも、かなり永いあいだ流浪していたはずだ
　が、英語の下手さ加減は、ちょうど私の上手さ加減に匹敵していたので、

ひけ目もなく無造作に話し合うことができた。そのうえ彼は相貌の魁偉なのにも似ず、声調はきわめてやさしく、うるおいがあった。もっとも年齢は７つほど兄貴分であったが、すべて何をいうにも親切におしえるような態度と口調で話してくれたので、ロシアで会った要人中で一番なつかしい印象を私に残してくれた。[101]

ここには少し不正確なところがある。トロツキーがアメリカに滞在したのは、1917 年１月から３月までの正味 10 週間だけであり、しかも主として亡命ロシア人のもとで活動していた。イギリスには若い頃、半年ほどいたことがあるだけで、それは 1924 年の時点からすれば 20 年以上も前の話である。アメリカ、イギリスに 10 年近くいたことのある内藤に英語力でかなうはずがない。

　　しかし、彼は言葉が、あいまいであったり、不明であったりすると、他のソヴェート政治家のように、決してききながしにはしておかなかった。彼とはその後にたびたび会ったが、第１回の会見のときには、私の話す一語々々について、その正確な定義をもとめられたのには閉口した。たまたま私のかたる事柄に関連してジャスティス（正義）という言葉がでてきたとき、彼はテーブルを叩き、声をはりあげて質問したのである。
　　「世界大戦では数百万の人命を犠牲にしたけれども、ブルジョアジーは正義のための戦いであったからだと云っている。世界には２つの正義がある。あなたはどっちのジャスティスのために奉仕しているのか？」
　　その瞬間、私もちょっと面くらったが、つぎのようにこたえた。
　　「国際民主主義の正義である。共産主義もしくは労働者独裁下の国家と、資本主義もしくは国民主義の国家との間に、有無相通ずる道をひらこうとするには、何としてもわれらの奉ずる正義によって国際関係の正常化をはからなければならない」。
　　その点に関してもいろいろとまた彼は質問したが、とにもかくにも納得したようであった。彼との会見は、約３時間あまりにわたり、その速記録も数十枚におよんだが、モスコオ外務省の検閲をへて、うけとったときにはわずかに十枚ばかりにちぢめられてしまっていた。惜しいような気がするのはその中で、ずい分おもしろく日本と支那との関係を批評したことや、彼自身の革命に至るまでの数奇をきわめた逃避行のくだりがみんな抹消されてあったことである。[102]

これによって、1924年6月18日付『イズベスチヤ』に発表されたものは、実際のインタビューの数分の1であり、削除された中に、日中関係やトロツキー自身の生涯に関する興味深い話題があったことがわかる。外務人民委員部によってそこまで削られたのは、やはり当時の、反対派との闘争という文脈と関係しているだろう。それにしても実にもったいない話ではないか。その時のインタビューの全文がもし残されていたのなら、この時点でのトロツキーの国際観など多くのことをより詳しく知る手掛かりになったことだろう。

　ところで、戦後の回想録では、最初にトロツキーの執務室に入ったのは片山に連れられてであるとしており、しかも、1924年6月のインタビューのことは何も書いていない。他方、戦前の回想では、秘書官に案内されてトロツキーの執務室に行き、そこで3時間に及ぶインタビューをしたことになっている。歴史的記録としては、1924年6月には間違いなく内藤民治によるインタビューが行なわれており、戦前の回想の日付は間違っていない。

　おそらく、戦前の回想で内藤はトロツキーと会った複数の機会を混同しているか、あるいは意図的にまとめているのだろう。戦前の抑圧状況からして、1935年の回想では、すでに亡くなっていたとはいえ共産主義の大物である片山について触れることができなかった可能性が大きいからだ。戦後の回想で、片山に連れられて最初にトロツキーの執務室に行ったという話をでっち上げる必要性は何もないし、またそのような具体的な記憶を間違えるはずもないので、最初に1924年6月よりも前のある時期（スターリンとそれほど対立していなかったようだから、1923年10月から始まる左翼反対派の闘争直前の時期かもしれない）に片山潜に連れられてトロツキーと執務室で初めて会い、その後、1924年6月に正式にトロツキーへのインタビューを申し込んだということではないだろうか。

　ところで、当時、この片山潜と内藤民治との親しい関係のせいで、思わぬとばっちりを受けた人物がいる。第1次共産党結成の参加者で、1924年6〜7月に開催されたコミンテルン第5回大会に片山といっしょに日本代表として参加した近藤栄蔵である。近藤は、ソ連当局からスパイの嫌疑をかけられたのだが、そのことに内藤が関わっていた。近藤は、ちょうど同じ時期にロシアに来ていた内藤から片山潜とともに夕食をごちそうしてもらう。それが、トロツキーとも会食した例のレストラン・エルミタージュである。

その頃、ある日本人がモスクワに来ていた。私も日本で知っていた男で、即ち内藤民治である。なんでもソ連と貿易を開始する使命を以て来たとか云って、片山に巧みに喰い込み、種々な便宜を計ってもらい、……片山に迷惑をかけた人間である。その内藤に、一度片山と僕が招かれて、エルミタージュという一流の料理屋で御馳走になったことがある。片山が行くのだから差し支えないと思って、私も同伴したわけだ。然るにゲー・ペー・ウーの言では、近藤があんなスパイ〔内藤のこと〕と交際するからには、コミンテルンから睨まれても仕方がないという訳だった。それなら片山どうなのだと聞くと、片山はそうした問題を超越した神聖な存在だから、目こぼれだというのだ。内藤はスパイという敬称に値する男ではない。単なるやまかん〔山師のこと〕に過ぎない。私はまったく馬鹿馬鹿しくなった。蛇のようなヴォイチンスキーの執拗な絡まり方が、実際恐ろしくもなってきた。党運動に対する私の幻滅はだんだん深まるばかりだった。[103]

　この近藤評では内藤は単なる山師扱いされている。同じ人物でも、違う人物から見るとここまで違うのかと驚かされる。ちなみに近藤は、ロシアから帰国したのち、党から離れ、第２次共産党結成にも加わらず、日本労農党に参加し、やがて1930年代初頭には当時の多くの社会主義者と同じく国家社会主義へと「転向」していく。この近藤については、後でも触れよう。

5．党内闘争期のトロツキー（2）――布施勝治と種田虎雄

　この時期にトロツキーと直接会った、ないし直接目撃した日本人としては、共産党の活動家を除けば、おそらく数人しかいない。何度も会っている内藤民治を別とすれば、代表的人物としては、すでに登場しているジャーナリストの布施勝治と、当時は鉄道官僚で後に近鉄の初代社長となる種田虎雄がいる。

再び布施勝治Ⅰ――1924年のインタビュー
　この時期においても、しっかりインタビューに成功しているのが、ジャーナリストの布施勝治である。布施は、1924年4月にトロツキーとの3度目のインタビューに成功している。このときの模様について、布施勝治は、1939年の著作『ソ連報告』でこう触れている。

私がソ連で最後にトロツキーに会ったのは、1924年春のこと。当時すで
に彼は陸海軍人民委員をやめて、利権委員長の小閑職にあったが、それで
も彼の一言一句、内外に対して相当大きな反響を呼び起こしていた。[104]

　ここの説明はいささか不正確である。このときトロツキーはまだ軍事人民
委員であった。軍事人民委員を辞任するのは、1925年1月になってからで
ある。このインタビューの詳しい内容そのものは、この『ソ連報告』には出
ていない。だが、戦後の『ロシア群像』には、その内容がほとんどそのまま
掲載されている。そこの記述における布施の要約は非常に正確である。また、
当時のトロツキーの状況についても、1939年の著作とは違い、事実に即し
た正確な説明がされている。

　　1924年の年頃、コーカサスの黒海沿岸のスフームから健康を回復したト
　ロツキーは、はち切れそうな元気でモスクワに帰って来た。それはあたか
　も本文の記者が、レーニン死去の報を手にして、東京を立ち、モスクワへ
　やって来たばかりのことであった。私は早速トロツキーを訪ねて、彼から
　3度目のインターヴューを得た。[105]

　布施はこの3度目のインタビューをただちに日本に打電し、4月25日付『大
阪毎日新聞』夕刊の一面トップに掲載された[106]。見出しは、「露国革命の
指導者トロツキー氏と語る――興味ある彼の日露観と日米戦争観」というも
ので、破格の扱いである。興味深いのは、このインタビューに付された布施
の前書きである。それを読めば、当時のトロツキーがどのように評価されて
いたかがわかるだろう。

　　7年にわたる休息なき激務にさすが頑強なりしトロツキー氏もまったく
　健康を害し、昨年冬、病を得て一時いっさいの仕事より遠ざかるのやむな
　きに至った。本年正月以来、彼は黒海岸なるスフーム温泉において病を養っ
　たが、2ヶ月の転地療養により漸次快方におもむき、数日前モスコーに
　帰った時は、まったく健康を回復していた。トロツキー氏の人物を評価す
　るには、各方面からこれを観察しなければならぬ。
　　第1、彼は共産主義者として国際的共産主義運動の柱石の1人であるこ
　と。

1924年4月25日付『大阪毎日新聞』の夕刊トップに掲載されたトロツキーのインタビュー

　　第2、彼は世界的為政家にして、単にサウェート露国における中心人物
であるのみならず、彼の一言一言は国際間に非常なる反響を与えること。
　　第3、彼は赤軍の編成者にして、世界における偉大なる軍事知識の権威
者である。赤軍はその独特なる組織において世界に唯一のものであること。
　　彼は実に演説法を知り、整然たる論理をもって聴衆の心を捕うるに妙を
得たる稀有の雄弁家であると同時に、政治および軍事のみならず、芸術、
その他をさえ批評したる多数の著書を有する著述家でもある。しかも、首
領としてのすべての長所を具備せる彼は、単にロシアのトロツキーにあら
ずして、世界的人物である。これすなわち、余（布施氏）が国際間の諸問題、
軍事問題およびその他をひっさげて、露国革命の天才的指導者（トロツキー）
と会見したるゆえんである。[107]

　「国際共産主義運動の柱石の1人」「ソヴィエト・ロシアの中心人物」「軍
事知識の世界的権威」「首領としてのすべての長所を具備」「ロシアのトロツ
キーにあらずして、世界的人物」「露国革命の天才的指導者」、云々。誉めす
ぎではないかと思えるほどの高い評価である。これが、『朝日』や『読売』
につぐ全国紙の一面トップに掲載されたトロツキーに対する評価なのであ
る。スターリン時代と違って、そのように評価しないと何らかの制裁がなさ
れるわけではないのだから、布施の率直な評価だろう。もちろん、このよう
な大人物にインタビューをした自分の功績を際立たせようとする意図もあっ
たのだろうが。インタビューの内容は、本書の第2章で詳しく紹介したので、
それを参照にしてほしい。

このインタビューの１ヵ月後、布施は、「露国の新印象」という連載記事を『大阪朝日新聞』に書いているが、その中で、レーニン死後には複数の有力指導者による合議制になるだろうと予想しつつ、次のように述べている。

　　その抱負の遠大と識見の該博なる点において世界的人物の列に加わるべきは蓋しジノヴィエフ氏とトロッキー氏とであろう。
　　　前者はレーニン直門の兄弟子であって、自らレーニズムの後継者を以て任じ、その太ッ腹にしていわゆる「レーニン式弾力性機略」有する点において労農政治家中他に並ぶものはない。後者はレーニン直系派より見て外様大名の観があるけれども、それだけに却て独得の経綸をふるい得る立場にある。ただ高木風おおきのたとえに漏れず、昨冬党内の紛議に際しジノヴィエフ及びスターリン氏と論戦して旗色振わず、一時失脚説さえ伝えられたけれども、氏はすでに前記ポリト・ビュローの一員でもあり、かつ氏の革命殊に赤色軍創業の偉勲に至っては何人もこれを認めぬ訳に行かぬ。
　　　果然コーカサスの療養地から一度足を踏み出すやチフリスにおける獅子吼は英国朝野の輿論を沸騰せしめ、モスクワ帰来そうそう折柄開会せる全露鉄道現業員大会に臨むや百雷一時にとどろくの大喝采をあびせられ、さながら凱旋将軍の概があった。
　　　ある人予に伝えて曰く、「ロンドンにおける英露交渉成立の暁チチェリン外相自らロンドンに出馬して駐英大使の重任に当り、トロッキー氏再び外相となるであろう」と。勿論これは一片の風説に過ぎないけれども、すでにかかる風説の話題に上ることそれだけでも健康恢復後におけるトロッキー氏の捲土重来の勢いがうかがわれるではないか。近ごろ平穏無事、とかく寂莫の感ある労農政局に一大波紋を起し、新しき生気を加えんとするもの、恐らくにトロッキーその人であろう。[108]

　ちなみに、この「露国の新印象」では、先のインタビュー記事にも再度言及されており、そこでは、トロッキーの意図とはかなりずれて、「アジア人のためのアジア」という日本のスローガンに対してトロッキーが肯定的な態度を取ったとされている[109]。

再び布施勝治Ⅱ──1925年の目撃
　布施は1925年にもソ連を訪問しているが、その時にはトロッキーにはインタビューをしておらず、すでにこの時新しい指導者として台頭してきたス

ターリンにインタビューしている。その席上、スターリンが冒頭で布施に対して「私もアジア人です」と言いながら握手を求めたという話は、布施があちこちで吹聴したこともあって、それなりに知られている。トロツキーはこの時すでに、軍事人民委員を辞めて利権委員会の委員長や電化と科学技術に関する部局の長という閑職にあった。しかし、布施は、『大阪毎日新聞』に11月に13回にわたって連載した「５年振りの新ロシア」の中で、偶然、トロツキーに出会ったときのことについて書いている。まず、この連載の冒頭で、ネップ下のロシアについて、直接の観察者による生き生きとした叙述があるので、それを紹介しておこう。

　　今次私がモスクワを訪うて、最も驚嘆したのは市中商業の繁栄である。モスクワの銀座通りたるクズネッキーや、ペトロフカの大通を散歩する毎に、私は５年前と今日のモスクワを思いくらべて、うたた、その急激な変化に驚かざるを得なかった。百貨店のミウル・メルリスなどの店頭を過ぐる時は、ただもう今昔の感に打たれて、しばし歩を止めたほどである。当時、窓や、戸口を板で打付られ、伽藍堂になって居た店々が、今やショウウインドーいっぱいに商品が並べてある。「労農国」にはいかにもふさわしからぬ金銀宝石類や、パリの流行を追うはでやかな衣裳などまでが、にぎやかに陳列してある。
　　おもえば今年は10月革命後すでに８年目である。世人はもうとっくのむかし、ロシアの資産階級は、悉くこっぱ微塵に破壊され、いわゆる「ふるい建物」は根底からくつがえされて、あとかたもなくなったものとのみ信じていた。然るに、驚くべし、方々に潜在していた個人資本は、新経済政策の実施とともに、雨後のたけのこの如く生れ出し、いつの間にか幾十万の個人商店が開かれ、その運転資金が、この１年間、６億ルーブルの巨額に達した。全国の商業は、都会において４割、農村において８割が、個人資本に侵略されてしまった。[110]

　布施は経済関係を中心に取材を行ない、とくに貿易関係の責任者であったクラーシンを詳しく取材している。しかし、連載の中で、トロツキーが1924年の「文献論争」で敗退し、1925年１月に軍事人民委員の職を解かれた話にも詳しく言及している。

　トロツキーの左遷問題は、共産党の党紀のいかに厳粛なものであるかを、

最も強く証明する最新の事実であろう。何しろ10月革命の元勲、赤色軍の創始者、コルチャック、デニキン及びウランゲル討伐の偉勲者たるトロツキーを、党紀に照して処分することは容易のわざでない。……ただレーニンの在世中、レーニンの偉大な人格は、常にトロツキーを包容し得た。時おり衝突しても意見の上だけで、2人の個人関係は極めて親密なものであった。トロツキーがいかにレーニンを尊敬し、レーニンまたいかにトロツキーを信頼していたかは、彼近著の「レーニンについて」における幾多の涙ぐましい記事で知ることが出来る。然るにレーニン一たび逝いて以来、旧来の幹部中、もはやトロツキーはレーニンの如く包容力の大なる知己を見出すことが出来ない。⁽¹¹¹⁾

　さて、布施勝治はネップ下のロシアでラジオ展（無線展）に出向いたとき、偶然、トロツキーがスミルノフを伴ってその視察にやって来た時のことに触れている。

　　陸海軍総長から一局長になり下ったトロツキーは、少しも不平顔をせず、例によって、渾身の精力を傾倒して、利権局の事務に当っている。ある日、私がラヂオ展に行っている時、トロツキー氏がやって来た。同時に労務総長のスミルノフ氏も来合せたが、大臣のスミルノフ氏は局長のトロツキー氏の先導役を勤め鞠躬如たるものがあった〔身をかがめて慎み、かしこまるさま〕。さすがはトロツキーだけあって、地位の低下は少しも彼の真価を変えない。彼は無論、並大臣以上の人物である。彼の利権局長であることは、恐らく一時のことであって遠からず何かの要職につく機会が来よう。⁽¹¹²⁾

　このラジオ展（無線展示会）視察については、ロシアの『商工業新聞』の1925年6月19日号でも報道されている。それによるとこうだ。

　　昨日、エリ・デ・トロツキーは郵便人民委員のイ・エヌ・スミルノフをともなって全ソ無線展示会を訪れた。
　　同志トロツキーは、レーニンの名を冠したニジニ・ノヴゴロドの無線研究所のパビリオンに大きな関心を見せた。そのパビリオンでは、1キロワットの無線電信機と無線電話機「小コミンテルン」を視察。また、大出力の実験的な短波送信機——それを使えば、ソヴィエトは初めてアメリカと無

線で結ばれることになる――を詳しく視察した。さらに、陰極の電球を展示したコーナーも視察。そこには、ボンチ・ブルエヴィッチ教授が設計した、世界最大級の100キロワットの陰極電球も展示されている。すべての説明を行なったのは、ニージニ・ノヴゴロドの研究所の所長であるボンチ・ブルエヴィッチ教授で、彼は前日、ニージニ・ノヴゴロドから乗り物に乗ってやってきたのである。……

エリ・デ・トロツキーは、展示会の訪問に大いに満足の意を示し、より詳しい説明を聞くためにもう一度訪れることを約束した。同志トロツキーは、自分の受けた印象について新聞に発表するつもりであると述べた。[113]

トロツキーはどんな華やかでない仕事にも手を抜かず、常に誠実かつ熱心に、そして創造的に取り組むことができた。そしてこのトロツキーの特徴を布施勝治も正しく指摘しているのは、注目すべきことである。

鉄道官僚、種田虎雄

ソ連共産党における党内闘争の第1ラウンドは、1923年の秋に始まり、1924年初頭まで続いたが、左翼反対派の敗北とレーニンの死によっていったん収束する。その後、1924年9月にトロツキーが「10月の教訓」[114]を自らの著作集の第3巻『1917年』の序文として発表したことで、第2の党内闘争（一般に「文献論争」という）が始まり、トロツキーが軍事人民委員を辞任する1925年1月に収束する。すでに述べたように、トロツキーはその後、利権委員会や電化委員会などの経済的実務に関わる委員会の責任者となり、いわゆる「幕間」の時期が始まる。この時期、政治から遠ざけられたトロツキーに対する世界の関心は大きく後退するのだが、後に近畿日本鉄道（近鉄）の初代社長となる種田虎雄は、まさに経済的・実業家的関心に基づいて、1925年にトロツキーにインタビューを行なった。

種田は当時はまだ日本政府の鉄道省の役人にすぎなかったが、大規模な鉄道の運営はすぐれて計画経済的であり、それが外部の市場経済と結合しているのだから、鉄道省の幹部であった種田が、ネップ下のソ連において利権問題を担当しているトロツキーの見解に関心を持ったのは、けっして突飛ではないだろう。こうして種田は、1925年12月に利権委員会の委員長としてのトロツキーにインタビューをすることになった[115]。

トロツキー氏から電話で、〔1925年12月〕11日に会おうと返事してきた。

あいにく当日は本会議のある日であったので、会見を正午と取り決めた。

　マーラデュモトロフカ街18番利権事務所、ここがトロツキー氏の事務所でまた会見の場所でもあった。トロツキー氏の室は立派というよりは簡素、整然といったような言葉で言い表した方が適当だろう。氏は写真で観たよりも肉付きもよく血色も美しかった。デスクから長躯を起こした氏は手を差伸べて堅く余の手を握り、劈頭「余は日本語の知識なきため、日本語にて会談しえざるを遺憾とするも、今後の国民には必ずや日本語を習得せしめよう」と愛嬌を述べた。[(116)]

　ここでも、執務室の簡素さと日本人に対するトロツキーの配慮が印象深く語られている。さて、種田の質問は、日本問題についてはまったくなく、もっぱらソ連の内政問題、とりわけ経済問題であった。第1の質問は、国営の商店と私営の商店との関係についてで、それに対してトロツキーは大要、すべてを国営にするのが理想だが、今日においては国営の商店にはお役所風のところがあり、私営と並置することで、それを研究しその長所を受け入れるようにすべきだ、と答えている。

　第2の質問は、農業と工業、農民と工業労働者の関係についてで、トロツキーはそれに対し、これは非常に密接な関係であり、戦時共産主義の時代には、都市は無償で農民から農産物を獲得していたが、現在では農民に対しトラックその他の必要な農具を供給し、電化計画によりその生産力を高めるようつとめている、農産物の価格をそれによって低く抑えつつ、貿易関係を通じてその価格は調整されている、現在では、農民も労働者も政治的には対等の地位にある、と答えている。

　第3の質問は、教育問題に力を注いでいるにもかかわらず、教員の賃金が低いのはどうしてか、というもので、それに対してトロツキーは、現在の財政事情からやむをえないものであるが、今後は充実させる予定である、また現在は、1つの学校よりも3つの学校を必要とし、少数の高給者よりも、給料の低い多数の者を必要としている、そのうえ教員は現在過剰気味である、と答えている。

　第4の質問は失業問題で、トロツキーは、現在では熟練労働者の失業はほとんどなくなったが、農村で仕事が乏しい結果、年々、農村から都市へと人口が流入しており、それによって失業者が50～60万におよんでいる、これはわれわれとしても非常に困っており、新しい企業を建設して吸収するよう心がけているが、他方、失業者の救済費として国家として年額5000万ルー

ブルが使われている、と答えた。

　最後の質問は、種田の専門と直接結びついている鉄道問題で、トロツキーは、鉄道の復旧のために 1922 年に機関車、車両その他の材料約 1 億ルーブル分を外国に注文し、また、年額 2 億 5000 万ルーブルを支出して改善に努めている、当時の予想ではこれで 1930 年まで大丈夫とみなされていたが、最近、旅客貨物が大幅に増加して、今後いっそう輸送の増加を図らなければならない、ドニエプル河の下流に 60 万キロワットの発電所を設けて、ドン地方およびバクー地方の交通をいっそう便利なものにする計画を立てており、また小規模なものであるが、最近、レニングラード付近に建設中の 10 万キロワットの発電所は、先月落成してすでに発電を開始している、と答えた。この発電所はおそらく、シャトゥーラ発電所のことだろう。以上がトロツキーの回答である。種田氏はそれに続けてこう書いている。

　　余は、さらに以上の諸問題につき徹底的な説明を求めんとしたのであるが、
　　時間の容赦なく、進むままに余は会議に出席せねばならなかったので、遺
　　憾ながら別れを告ぐることとした。ト氏は再び立って、機会あらば後藤子
　　爵に久潤を謝し、健康の回復せるを伝えられたしと語られた。[117]

　ここで言う「後藤子爵」は、1923 年にヨッフェと対談した後藤新平のことだ。当時の状況からやむをえないのだろうが、政治問題が質問から欠落している。しかしここで論じられた経済問題はいずれも、スターリン派との対立点を密かに構成していたものであった（たとえば、農業問題や失業問題や鉄道建設の遅れなどは、「工業化の立ち遅れ」論であるし、ドニエプル川発電所建設事業は、スターリンにとって「農民が蓄音機を買って散財するようなもの」だとみなされていた[118]。最後に種田は次のように締めくくっている。

　　氏〔トロツキー〕は今、サヴェートの国政を左右する中央執行委員会幹部
　　会員ではあるが、職としては利権委員長という比較的閑職に就いている。
　　しかしながら、頭脳の明晰にして才気溌剌たる点においては、おそらく現
　　幹部中の第一人者であろうと思われた。ただあまりに才走っていることと
　　包容力の乏しき点で、あるいはかかる嫉視批評を招くゆえんではあるまい
　　かと観察された。[119]

　このように種田はトロツキーの頭脳明晰さに感嘆しつつも、才気走ってい

ることで周囲からの嫉妬を受けているのではないかと推測している。

6．党内闘争期のトロツキー（3）——共産党の活動家たち

　党内闘争期のトロツキーについては、当時、任務のためあるいは教育のためにロシアに派遣されていた共産党のカードル（基幹活動家）たちの証言がやはり豊富で貴重である。この時期のトロツキーについて相対的に公平に証言しているのは、結局は後に転向した人物ばかりなのだが、だからといって、トロツキーに関する証言が大きく歪むわけではない。というよりも、転向したがゆえに、トロツキーについてあえて事実を歪める動機は存在しないので、その証言にはかなりの信憑性があるのである。

高谷覚蔵の回想
　まず、赤い学徒として 1923 年末に東方勤労共産主義大学に入学した高谷覚蔵の証言を紹介しよう。この頃すでに、党内闘争が活発に繰り広げられていたことを、高谷は 1937 年の著作で回想している。それによると、当時は、スターリン派の独裁はまだ不十分で、左翼反対派を完全に弾圧することはできず、比較的自由に討論が各地で行なわれていたとのことである。そしてこの激しい論争の余波は、当然、東方共産主義大学にも及んでいた。そんなおり、トロツキーがこの大学の 3 周年イベントに演説しにやってきた。

　　　夜だった。南の方で保養していたトロツキーが学校に来るというので、学生のあいだにはその話で持ち切りであった。実に学生の中でのトロツキーの人気は大変なものであった。……
　　　トロツキーはあの大きな巨体を学生の前に現わした、と耳をつんざくような万雷の拍手、20 分ほどが間はただ轟き返る講堂の空気だけしか五感に訴えるものはない。と珍しや、ベルリンから帰って来たばかりのクララ・ツェトキンが久方振りでの面会に感激の熱い口づけをしている。劇的なこうした場面に浮かされたような心持になった若人たちは、額にびっしょり汗をにじませ、その下には血管が皮膚の上にまで浮き上がっていた。[120]

　世界各地から集まった若い共産主義者たちのあいだで、トロツキーがすこぶる人気であったことがわかる。また、この時点でのクララ・ツェトキンの、

1924 年 4 月 23 日付『イズベスチヤ』に掲載された、東方共産主義大学 3 周年記念イベントに登壇したラデック、トロツキー、クララ・ツェトキンの似顔絵。ロシア語の見出しは「東方勤労共産主義大学 3 周年」

トロツキーに対するこの熱烈な態度も興味深い。ツェトキンはもちろん、その後コミンテルンやドイツにも波及した党内闘争において主流派にとどまるので、トロツキーとは敵対する関係になる。

　高谷は、演説の内容については何も書いていないが、この演説を特定するのは簡単である。トロツキーは 1924 年 4 月 21 日に東方勤労共産主義大学 3 周年記念式典に出席し、「東方における展望と課題」という演説をしている[121]。それ以外では同大学で演説していない。高谷が聞いた演説は、これに間違いない。実際、このイベントの模様は翌々日の『イズベスチヤ』で大きく紹介されており、このイベントにいっしょに参加していたラデックとともに、トロツキーとツェトキンが並んでいる様子が挿絵として再現されている。

　高谷はさらに、左翼反対派が失脚する直前にラデックがこの東方共産主義大学を訪れた時のことも回想している。このときすでに状況はきわめて険悪になっていて、ラデックは、スターリン派の学生による嫌がらせ──床を靴でバンバン叩いて音を鳴らす、口笛、威嚇の声、罵倒──を受け、一言も演説せず、憤慨して帰っていったそうである[122]。

　高谷は、社会主義やソ連に幻滅した主要な理由の 1 つとして、こうした反対派弾圧の陰鬱さを挙げているが、その高谷が、戦前の絶対主義的天皇制のもとでの同じく陰鬱な状況に適応し、その全体主義的支配を是認したのは、

何とも首尾一貫性のない話である。

　また、高谷は、別の著書（戦後）で、今度は1924年のメーデーのことを回想している。それもまたなかなか興味深いので紹介しておこう。

　　　両派の争いは、深刻になる一方で、事もあろうに大事な1924年のメーデーにさえそれが反映した。このメーデーは私にとっては入露して始めてのメーデーだったので是非見なければと勇んで赤色広場へ行ってみた。……ところが、このメーデーは昨年のメーデーとひどく変わった点があった。それはメーデーを閲兵する壇上に、ジノヴィエフ、カーメネフ、スターリンその他の指導者の姿は見えず、ただ1人トロツキーだけが姿を現わしていることだった。これはメーデーの威力をそぐ淋しい光景であった。もちろん、トロツキーはメーデーの司会者であったのだろうが、それにしてもジノヴィエフ、カーメネフらの要人も当然参列すべきはずであった。しかし内訌の飛沫はこんな祭典にまで飛び、主流派の指導者たちは大衆の前にトロツキーを孤独に見せた。そのせいか、この時のトロツキーの壇上の姿は何か孤影悄然たる淋しい姿にみえた。しかし、彼が演説をはじめると、彼の口から出るろうろうたる音声とジェスチャーは、さすがに広場の群集を興奮させた。私はトロツキーの演説を学校のホールで聞いたことがあるが、この広場で、しかもマイクロフォンのなかった時代に、その声が全広場のすみずみまで通り、広場の背後の建物まで十分届くぐらいに声量のあるのには驚いた。白衛軍との戦闘の際、味方の軍隊がどんな困難に遭遇している時でも、彼が戦場に現われると兵士がいっせいに勇気を振るい起こすということをよく聞かされていたが、なるほど彼の弁舌は比類のないものだった。[123]

　この時のメーデー演説は、シンクレアのトロツキー文献目録には出ていない。おそらく当時どのメディアにも発表されなかったのだろう。それゆえ、内容は今の時点ではわからないが、この種の演説はすべて速記がとられてアルヒーフに保管されるので、いずれ日の目を見る機会があるだろう。

　ちなみに、この1924年のメーデー演説は、同じく共産党幹部で後にやはり転向した佐野学もその場で聴いており、そのときの印象を戦後に回想している。

　　　1924年のメーデーで赤広場でトロッキイの演説をきいたことがある。演

説はよく分からなかったが、その風貌は勇気凛々、数万の人波を超えて、はるか向こうの建物に反響する大音響であった。[124]

それにしても、屋内ではなく、屋外で、そしてあの広い赤の広場の隅々までその演説を、マイクなしに響き渡らせることができたとは、心底驚かされる。

近藤栄蔵の回想

近藤栄蔵は先に少し内藤民治との関係で登場したが、この党内闘争期における近藤栄蔵の回想も興味深い。近藤は1930年代には共産主義から決別して、国家社会主義者になり、やがて極度に愛国的な日本主義者として健筆をふるうようになる。その近藤は、1920年代半ばのソ連に滞在中、トロツキーに直接会ったわけではないが、党内闘争期におけるトロツキーを取り巻く複雑な状況に接しており、ここで紹介しておきたい。以下に引用するのは、1938年に出版された『呪われたるロシア』という著作からの一文である。

　　トロツキーについては、僕の旧稿の一節に以下の如きある。
　　一昨年の夏だった。私は南露の或る小さな町に下車していた。用事をすませて、汽車を待つ2時間を私は散歩に費やした。
　　町筋を当てもなく歩いている間に、トロツキーという声が繰り返し私の耳に入るのに、ふと私は気づいた。
　　ロシアでトロツキーの名を聞くのを話題にするのは阿保らしいようだが、過去十年間世界中に言いはやされた名が、なお何時までも新たな興味と興奮の焦点となりうるのだから寧ろ不思議ではないか。
　　トロツキーがまた何をしたんだろう。
　　5,6日モスクワの新聞を目にする機会をもたなかった私は、一種の深い興味と不安とを心に感じた。私は街角のビヤホールに飛び込んだ。口の渇きをいやすのも目的だったが、頭の渇きも治したかったのだ。
　　「おい君、トロツキーがどうしたんだって？」
　　私は短兵急に給士に訊ねた。
　　「なにネ。次の列車でトロツキーがこの駅を通過するんですとさ。皆が見に行くって騒いでるんでさア。」
　　何だ馬鹿々々しいと私は思った。けれども、汽車で通過するのが町中の騒ぎとなるトロツキーの相も変らぬ人気には、私は舌を巻かざるを得な

かった。その頃彼はすでに党の多数派、即ちスターリン組から徹底的にやっつけられて、尾羽打ち枯らしていたのであるにも拘わらず、地方では斯うした人気をまだ集めていたのである。それは然し、彼の主張する理論の肯定を意味した訳ではなく、単に彼の過去の功績に対する大衆的敬意と個人的同情の発露だったのである。(125)

　ここでいう「一昨年の夏」とは具体的にいつだろうか？　1938年時点から見ての「一昨年」でないのは明らかである。「旧稿」が書かれた時点の「一昨年」なのだが、いつこの旧稿が書かれたのか不明である。しかし実は、この一節はいく分修正された形で、戦後の近藤の回想録にも収録されている。そこでは、「一昨年の夏」は「1924年の夏」になっている(126)。1924年夏と言えば、たしかに1923年秋以降の左翼反対派の闘争に敗れたとはいえ、トロツキーはまだ軍事人民委員であり、「尾羽打ち枯らしていた」わけではなかった。また、この時点で主としてトロツキー派（より正確には左翼反対派）を攻撃していたのは、「スターリン組」というよりも、スターリンを含む3人組（ジノヴィエフ、カーメネフ、スターリン）であり、その中の主たる人物はジノヴィエフだった。近藤は明らかに、その後の状況と1924年夏の状況とをごっちゃにしている。
　それはさておき、近藤は、反対派に対するソ連共産党主流派の攻撃のひどさが、自分が共産主義運動から離れる重要な要因だったと戦後の回想録の中で述べている。本当にそうなのかどうかはわからないが、それも一つの理由だったのかもしれない(127)。近藤は、1938年の著作で、先の文章に続いてなかなか的確なトロツキー評を書いているので、かなり長くなるが、以下に紹介しておきたい。

　　スターリン一派がトロツキーに浴びせる非難は実にきたない。彼は敵国に通牒する売国奴スパイだといわれる。然しこれは例のロシア式の目的のため手段を選ばぬ讒誣であって、トロツキーはそうした事の出来ない人間であることを僕は保証する。もしも彼にそうした事の可能な図太さがあったならば、彼は決してスターリン如き末輩にかくまで惨めにしてやられる筈はなかったであろう。僕が親しく知りえたロシア革命の巨頭連を一人々々想起して見るならば、そのうちで最も人間らしい、即ち人間としての長所と短所とを顕著に示した者の随一はトロツキーである。トロツキーはあまりにも人間らしかったが故に、人間を人間として取扱わない共産党

の内部に結局止まることが出来なかったのである。彼の絶大なる人気と偉大なる功労にもかかわらず、広い世界に身の置きどころのない亡命者として、数奇な運命の一生を南米の片隅に今や終わらんとしている彼に、僕は人間的同情を禁じ得ない。[128]

　本書の第４章で紹介するように、転向左翼の多くはモスクワ裁判で告発されたトロツキーによるテロ陰謀を信じる傾向にあったのだが、近藤は例外だった。この文章に続いてなおトロツキーの芸術性、英雄性、光彩陸離たる個性をたたえる文章が続いている。個性を抹殺するソ連の官僚体制のもとでは、トロツキーのような個性的人間が残る余地はなかったのだというのが近藤の見解であり、一理あると言える。転向者であるとはいえ、モスクワ裁判を経た上でもなお、ここまでトロツキーに深い同情を表明した同時代人のものは、なかなか他には見当たらない。

鍋山貞親の回想

　もう１人、この党内闘争期にソヴィエトに行き、主流派と反対派との闘争を間近に見たのが、当時の共産党の大幹部にしてその後佐野学とともに転向声明を出した鍋山貞親である。鍋山は、戦後のいくつかの回想で、1926年11月にトロツキーと直接話をした時のことに触れている。鍋山は、その舞台を、コミンテルン第６回拡大執行委員会であるとしているが[129]、これはおそらく第７回拡大執行委員会の間違いであろう。なぜなら第６回拡大執行委員会総会が開かれたのは1926年の２月であり、この時点ではまだ合同反対派との論争は起こっておらず、トロツキー、ジノヴィエフ、カーメネフらと、スターリン、ブハーリンらとの大論争が繰り広げられたのは、1926年11月開催の第７回拡大執行委員会総会においてだからである[130]。

　いずれにせよ、この総会の場で、鍋山は、主流派と反対派との激しい応酬を目にし、その休憩の時に、鍋山はトロツキーと直接話を交わすのである。

　　休憩のとき、廊下に出たら、ばったりトロツキーに出会った。初対面なのに、彼は、ニコニコしながら、中国の同志かねと呼びかけてくる。いや、日本人だといったら、いきなり私の腕をかかえ、喫煙室に行って、隅のソファに、私を座らせた。そして、ロシア語はわかるか、英語はどうだと、早口に、また人なつかしげに問いかけるのである。私は、ただ首を振って、英語をほんのすこし、ロシア語を二言三言と答えるよりほかなかった。彼

は、それじゃあしょうがないという面持ちをしながら、手帳をひろげ、その空白に、まずい日本字で「日本ノ友」と書いて見せるのである。

　どこで、だれに教えてもらったのか知らぬが、器用な人である。私は、ふかい好感をおぼえた。[131]

　ここでも、内藤の回想と同じく、トロツキーは日本文字で「日本ノ友」と書いてみせている。日本人を含むアジア人に対するトロツキーの配慮とサービス精神の旺盛さを物語ってあまりあるエピソードである。トロツキーと直接話した日本人は、この鍋山にかぎらず、みな異口同音に、トロツキーの人なつこさ、優しさ、親切さを証言しているが、それは、「怖い」「厳格」「威圧的」というイメージが先行しているトロツキーの別の面をよく示しているのではなかろうか。

　ちなみに鍋山はこの直後、片山に呼び出され、トロツキーとあまり親しくしないよう忠告されている[132]。すでに紹介したように、佐野学も同じ忠告を片山から受けていた。内藤民治のような一般人の場合は1924年時点でもトロツキーに合わせていたのに、党活動家の場合はそれとは逆の態度を片山老人がとったのは、片山なりの配慮だったのかもしれない。いずれにせよ、そのせいで、共産党活動家によるトロツキーの個人的接触はごくわずかにとどまり、日本人から見たトロツキー像は断片的なものにとどまってしまった。残念至極である。

　ところで、この鍋山の回想には一箇所、解せない点がある。それは、トロツキーが鍋山を喫煙室に連れて行ったというくだりである。内藤民治が証言しているように、トロツキーは、1924年の時点ですでにタバコを吸っていなかった。にもかかわらず、鍋山をどうして喫煙室に誘うのか？　さらに、この手記の後の方では、「トロツキーは、傲然として煙の輪をふき、彼等をへいげいする態度である」という記述まで出てくる[133]。主流派との闘争のストレスで、一時的にまた喫煙しはじめたということだろうか？　しかし、トロツキーのような意志の堅い人間が、一度やめた悪い習慣を復活させるということは考えられない。これは、鍋山の何かの勘違いではないかと推測される。

7．追放後のトロツキー──布施勝治と内藤民治

　トロツキーは1926〜27年における合同反対派の闘争に敗れ、1927年末に党を除名され、1928年初めにソ連の奥地のプリンキポに流刑になり、1929年にはトルコに追放される。トロツキーはそのまま「査証（ビザ）なき地球」を転々とすることになる。追放後のトロツキーと何らかの関係をもった日本人はほとんどいないが、それでも２人の日本人が特筆に値する。ここでもすでに何度か登場している布施勝治と内藤民治がそれである。

追放後最初のインタビューに成功した布施勝治

　亡命中のトロツキーにまでわざわざ会いに行って、トロツキーの亡命後最初のインタビューをものにするという偉業をなしとげた日本人がいる。それが、すでに何度も登場している布施勝治であり、彼の1929年４月のインタビューはまさにその成果である [134]。布施は、トロツキーの最初の亡命地であるトルコのプリンキポ島にまでトロツキーを訪ねている。この模様は、菊池昌典氏の『トロツキー』に詳しいが、本稿でも紹介させていただく。ただし毛色を少し変えるために、菊地氏が依拠している『ロシア群像』ではなく、戦前の1934年に雑誌に掲載された布施の手記から引用しよう。まずはトロツキーに実際に会えるまでの苦労話である。ただし、固有名詞に間違いがあるので、それを訂正している『ロシア群像』での表記を〔　　〕に入れておいた。

　　トロツキーはトルキスタンから、国外に逐われ、トルコに亡命していた。私は同年の訪露を機として、西欧各国および近東方面に旅行した。しかしてトルコに遊ぶや、トロツキーがスタンブールにいるというので、さっそく亡命のト氏を訪うて見ることにした。
　　トロツキーはスタンブールの私の泊まったホテルにもいたそうだが、私の着いた時には小さな家に引っ越したというので、その家に行ってみた。ところが、病気で今会えないという。彼はマラリア熱に罹っているので、その発作している時は会えない。そこで私はアンゴラ〔アンカラ〕へ行って、２週間ぐらい経って、スタンブールへ引き返し、もういい頃だと思って行ってみると、まったく言葉のわからぬ人が窓から首を出して、手でしきりにいないという。引っ越したのだが、どこへ行ったのだか、全然わか

らぬ。といって、トロッキーを訪ねるのに、トルコの官憲を煩わせるのも善し悪しだし、官憲でも隠しているらしい。そこで何とか自分の手で捜し当てたいと考えて、いろいろ当ってみると、何でも島の方へ行っているらしい。ムラモル海〔マラモル海〕には無数の島がある。どの島にいるのか誰にもわからぬ。仕方がないから、実地にぶつかってみようと思って、ホテルで道案内を 1 人雇った。トルコ語より知らない男だし、私はトルコ語がわからぬから、手真似、足真似ともかくムラモル海〔マラモル海〕に乗り出した。

　ところが、妙なもので、この多数の島の中で、私はプリンキポ島にトロッキーがいるような気がして仕方がない。そこでまず案内人に命じて、プリンキポ島に上陸して捜した。すると、果してトロッキーがそこにいた。もっともこの島は一番有名な島なので、自然私の頭にもそれが浮かんだのだろう。(135)

　以上の記述は、『ロシア群像』とほぼ同じだが、固有名詞の表記以外にも、1 つ大きな違いがある。『ロシア群像』では、プリンキポ島にたどりつくのに、「百方島探しを試み」、「2 日間探しあぐんだ末に」、ようやくプリンキポ島にトロッキーを見つけたことになっている(136)。

　次にトロッキーと実際に会ったときのくだりである。この部分は『ロシア群像』での記述とほぼ同じである。

　トロッキーが 2 階から下りて私の前に立った時、私はまず頭の上から足のさきまで、ぢっと見た。彼は茶褐色の詰襟服を着ていた。強度の眼鏡越しにあの大きな眼の光は爛々として人を射るの趣がある。頭髪は例のごとく梳らず、ぼうぼうと生やしたままだが、さすがに近年の労苦がこたえたか、著しく霜を加えたのが目につく。体躯はあいかわらずガッシリしていて病人らしくない。音声はきびきびして強く響く。その態度、身振りなど依然として往年のトロッキーそのままである。(137)

　この後、『ロシア群像』では実際のインタビューの内容が詳細に書かれており、インタビューの全文がそのまま再録されている（その内容はきわめて正確）。戦前の回想の方では、内容がごく簡単にかいつまんで紹介されているだけである。

　トロッキーは、このインタビューの最後に、「今までの外国新聞記者との

会見は、多く雑談を交えたに過ぎなかったが、貴下の質問は、幾多の重要問題にふれたので、本日の会見談は、結局、余のソウェート連邦脱出後における最初の政治的声明となったわけである」と述べた⁽¹³⁸⁾。実際、このインタビューは、トロツキーが追放後に出し始めた反対派機関誌『反対派ブレティン』の記念すべき第1号に掲載されている⁽¹³⁹⁾。ただし、質問ははぶかれ、インタビュアーの名前も出ていない。いずれにせよ、プリンキポまで追ってきてインタビューをものにし、亡命後のトロツキーの最初の肉声を日本に伝えた布施勝治に、われわれは感謝しないわけにはいかないだろう。

　ちなみに、布施は戦後出版された別の著作では、この時のトロツキーがスターリンについて厳しく酷評したことを回想している。トロツキーはスターリンについて「スターリンの為すこと、することの3分の2までが嘘をつくことであり、人を騙すことである」と述べた。続いて布施はちょっとおもしろいエピソードを書いている。

　　ちょうどその時、トロツキーのテーブルの上に、モスクワから着いたばかりのプラウダ紙があったが、その第一面に子供を抱いてニコニコ笑っているスターリンの大きな写真が載っていた。そして、「スターリンはこのように子供を大事にしている」と解説記事が付記してあったが、このプラウダを取り上げ、トロツキーは私に、
　　「この写真を見給え。スターリンがニコニコ笑っている。こういう写真が載った直後に、きっとスターリンは恐ろしい政治をやりだすから見ていたまえ」
　　と言ったが、はたしてその年の秋にスターリンはコルホーズ政策、すなわち農業集団化政策に反対したウクライナの農民百数十万人を、一挙に逮捕し、これを北氷洋海岸やシベリア方面へ流刑に処した。……スターリンの政策は、始終こうしたトロツキー式角度から見なければならぬと思う。⁽¹⁴⁰⁾

内藤民治のトロツキー日本亡命計画

　追放後のトロツキーと日本人との関係は、おおむね、直接的なものよりも、手紙を通じての間接的なものになった。ハーバード大学のトロツキー文庫には、そうした日本人の手紙がいくつか保管されている。これについて詳しくは、『葦牙』第14号の加藤哲郎氏の論文を参照していただきたい⁽¹⁴¹⁾。

　こうした間接的な関係の中で、モスクワ裁判をめぐってトロツキーを積極的に擁護した唯一の日本人である延島英一⁽¹⁴²⁾と並んで最も興味深い人物は、

すでに登場している内藤民治である。先に少し触れたように、内藤は、トロツキーの追放後も、「日本は自殺するか」というトロツキーの論文をきっかけに文通を開始し、トロツキーが暗殺されるまで続いたという。しかも、内藤は、それにとどまらず、トロツキーを日本に亡命させようという計画まで立て、実際に、日本の有力者に働きかけ、かなりの程度、お膳立てすることに成功したそうである。ヨッフェ・後藤会談と同じく、成功するかに見えたこの企てだったが、結局、スターリンの暗殺者に先を越されて、ついに日の目を見ることはなかった。

　この奇想天外なる企てについて、内藤自身の回想を見てみよう。

　　トロツキーがわたしに "JAPAN WILL COMITT SUICIDE"（日本軍国主義自壊論）というパンフレットを、亡命先のコンスタンチノープルから送ってよこしたのは、あれは満州事変のあと一両年たった頃だったでしょうか。この本がきっかけになって、彼と私との間に、手紙の往復が長くつづきました。……トロツキーはこの本で、日本の八紘一宇の思想を強く批判しています。インターナショナリズムの永久革命論の主唱者である彼の思想と対極の八紘一宇なのですから、当然鋭いメスも加わるわけです。しかしわたしは、アメリカの経済封鎖に対しては、彼の所論に強く反論したのです。そこで勢い海山幾千里を隔てて、理論闘争がつづけられた次第です。その間に世界情勢は残念ながら、トロツキーの予見したように発展していきました。なにぶん、航空機のない時代、相手は亡命革命家、こちらは信書の検閲のきびしい日本のこと、手紙が相手につく頃には、情勢が一変しているのです。間の抜けた論争をやったものと思います。[143]

　この文通に関しては、今のところそれを裏づける文書は見つかっていない。内藤が後で述べているように、この往復文通は 100 年後に公開されるという「塔」に埋蔵されたそうである。その塔が開くまでは、この文通の真偽も内容も明らかになるだろう。

　　わたしは、トロツキーに一つ日本へ来てみる気にはなれませんか、日本はそれほど軍国主義で熱狂している人ばかりではありませんよ、と誘ったのです。何ヶ月かたって行っていいというメキシコからの返事です。[144]

　これも真偽のほどもはっきり言って定かではない。トロツキーの秘書で

あったジャン・ヴァン・エジュノールの回想録『トロツキーとの7年間』にも、そのような話はいっさい出てこない[145]。それに、日本は絶対主義的天皇制が支配し、またいかなるトロツキスト組織も存在していなかったのだから、そのような危険なところに行くことにトロツキーが同意するはずもない。もしかしたら、トロツキーの何気ないリップサービスを同意のしるしと内藤が勝手に受け取ったのかもしれない。

> わたしは軍部や右翼が、八紘一宇の軍国主義に狂乱していることを十分承認していましたが、一面、反対勢力が各方面に底流していることもよくわかっていました。レオ・トロツキーの日本招待という計画の主たる狙いを、世界戦争防止運動ということに名目づけて、実は日本の軍国主義の冒険に対して良識の世論を喚び起こそうというアイデアをまとめたのです。わたしは日ソ相扶会の幹部をまず打診して回りました。トロツキーはわたしとの論争の手紙の中で、フランクリン・ルーズベルト大統領が私財を投じながら、秘かに、水素爆弾の研究をはじめていることを教えてくれました。これはマーハッタン計画の以前のことです。トロツキーはもし不幸にして第2次世界大戦がおこれば必ずや原水爆が登場するだろうという推論を強調していました。彼の反戦思想はわたしどもの戦争防止運動に大いに役立つだろうと、信じて疑いませんでした。[146]

　原爆の研究が始まる以前に水素爆弾の研究をルーズベルトがしていたとか、それを1930年代後半にトロツキーが知っていたとかという話は、眉につばをつけて読んだほうがいいだろう。しかし、トロツキーはすでに1920年代に原子力エネルギーに大きな注目を与えていた稀有な政治家であり、したがって、原子力を利用した爆弾の可能性については、この時点でトロツキーが予測していた可能性はありえないことではない。
　さて、内藤は、トロツキーの「合意」に勇気づけられ、本気で、受け入れ態勢、輸送方法、住む場所などについて、各方面を回って万事準備を整えていく。内藤は、トロツキーの住む地方として、ソヴィエトと気候風土の似た樺太も一候補に考えていたようである。さらには、内藤は軍部にも働きかけている。とりわけ海軍と話をつけ、メキシコからの石油輸入タンカーを利用して、トロツキーを日本に運ぶことまで話を進めていた。内藤がじきじきにタンカーに乗り込んでメキシコに行き、そこでトロツキーを連れて帰ってくるつもりだったようだ。

いよいよわたしは栗林汽船のタンカーに乗り込むチャンスを待っていたのです。問題はメキシコにいるトロツキーとの連絡です。

　　ところが向うの事情は早急に変わってきました。トロツキーの身辺の危険は、昭和15年（1940年）に入って日に日に悪化してきたのです。……5月には20名の赤色テロ隊が、メキシコ警察隊の警備するトロツキー邸を襲った。彼らは巧みに侵入して、トロツキー夫妻とお孫さんの部屋を外から軽機関銃で乱射した。幸い3人は助かったが、8月20日、とうとうラモン（あとでわかった本名はジャック・モルナール）という青年刺客によって暗殺されました。わたしはその前年からヤキモキしていたが、どうにも連絡がチグハグになって、わたしの乗船が遅れたのです。トロツキーの暗殺は私の生涯の痛恨事でした。もう少し早く何とかしておればと、幾度悔いの涙を流したかしれません。[147]

トロツキーが本当に「合意」したのかどうか疑わしいが、それにしても、メキシコから遠く離れたこの日本で、ここまでトロツキーの身の安全を心配し、トロツキーを何とか助けるために身を粉にして努力した日本人がいたことに感銘を受けないわけにはいかない。

　　とにかく、トロツキーの日本亡命工作には、わたしは数年間、打ちこみ、見事に失敗しました。わたしとトロツキーとの往復の手紙や、この亡命工作に関する秘密文献は、一括して長野県の蓼科にある「百年間秘密資料埋蔵の塔」の地下に追加の分として埋蔵しました。[148]

長野県の蓼科にあるというこの塔は、この1962年の時点で建立から30年経っていたとのことであるから、この塔に埋蔵された資料が公開されるのは、2032年ということになる。

8．トロツキー死後──布施勝治と茂森唯士

トロツキーとその家族はトルコからヨーロッパへ、そしてメキシコへと亡命先を転々とし、ついに1940年8月、トロツキーはスターリンの放った刺客によって暗殺される。1936〜38年にあれほど膨大な論文や著作を費や

して陰謀事件の真相やトロツキーとスターリンとの相克をめぐって白熱した議論を展開していた日本の知識人たちも、1939年以降はあまりトロツキーについて論じなくなり、トロツキーの死に際してもあまり多くを語っていない[149]。しかし、トロツキーを４回にわたってインタビューした布施勝治はやはり、トロツキーの死の報を聴いて黙ってはいられなかったようだ。

第４インターの将来を予言する布施勝治

トロツキストでもなければマルクス主義者でさえない単なるジャーナリストである布施勝治だが、ある意味、戦前の日本で最も熱心にトロツキーを論じた人物かもしれない。

彼がトロツキーの死に際して書いた追悼記事は、２つの点で興味深い。まず第１に、本書の第４章で詳しく紹介するが、布施勝治は、モスクワ裁判の基本的「事実」についてはでっち上げだとは考えず、不屈の革命家たるトロツキーがたとえどれほど悲惨な亡命生活を送ろうとも、断固としてスターリン政権と闘いぬいた結果だと考えていて、この論考でもそのことが繰り返されていることだ。

> かれのオスローの寓居には、ひそかにピャタコフが忍んでやって来る。スミルノフが訪ねて来る。ラデックを通して、トハチェフスキーの密書が届けられる。ルイコフやブハーリンなどからも密使がやって来る。トロツキーはこれらスターリン反対の巨頭連と気脈を通じ、ソ連国内各方面に根をはっているトロツキストを糾合し、まず合同本部、並行本部、つづいて右翼トロツキスト、最後にトハチェフスキーの武断陰謀等々の計画を進めたのである。[150]

見事なまでにソヴィエト司法側の言い分をそのまま繰り返している。しかし、これらの事実はトロツキーを非難するためのものでなく、偉大な革命家トロツキーの卓越した陰謀能力を示すものとして提示されているのである。しかし、第２に、こうした荒唐無稽な議論ののち、布施は、トロツキーが残した遺産である第４インターナショナルについて語るのだが、それは十分傾聴に値する。布施は、第４インターナショナルは第３インターナショナルと比べて資金がほとんどなく、「亡命者や処々に隠れている『革命家の団体』にすぎない」が、第４インターナショナルは「10月革命当初來のイデオロギーそのままで進もうとしている」として、「物質的において無力である代わり

に、思想の上において強い力を持っているのである」と言う[151]。布施によれば、スターリンがわざわざ刺客を送ってトロツキーを殺害したのは、イデオロギー的に優位にある第4インターナショナルを脅威に感じたからだと言う。しかし、そのイデオロギー的支柱であるトロツキー本人が死んだらどうなるのか。もちろんそれは「甚大の打撃」になると布施は言うが、しかし、「イデオロギーは、個々の人の死によって滅却するものではない」として、次のようにこの追悼文を締めくくっている。

　　トロツキー亡き後も、第4インターナショナルは依然その存在を続けるだろう。リーダーを失った第4インターナショナルと、イデオロギーを曲げた第3インターナショナルとの対立の将来はどうなるか。少なくともスターリンにして単にトロツキーを暗殺したことによって、世界革命の舞台が第3インターナショナルの独占に帰するものと思ったならば、それは必ず、期待外れに終わるであろう。[152]

　まるで、戦後の1950年代後半以降に実際に起きた第4インターナショナルの大いなる成長を予言するかのようではないか！

トロツキーの足跡を辿った茂森唯士

　トロツキーがこの世から去った以上、それ以降、日本人に限らず、もはや誰もトロツキーに会うことはできない。しかし、トロツキーの足跡をたずねてその関係者に会うことはできる。長い長い本章の最後に紹介するのは、トロツキーが暗殺された翌年、トルコでトロツキーがホテルを出てからプリンキポに移り住むまでに一時的に間借りしていたアパートの家主に日本人が会いに行った話である。

　トルコに追放されたトロツキーはまず、トルコのソヴィエト領事館に住む。しかし、ここはいわば檻の中にいるようなものであった。そこでトロツキー一家は3月5日にトカトリャン・ホテルに移り、「それから数日後に、シシリ地区のイゼット・パシャ通り29番地にある一軒の家具付きアパートに移った……」[153]。

　さて、この「家具付きアパート」をわざわざ訪れたのは、ソ連通として名高かった茂森唯士である。茂森は、本書の第1章で紹介したように、トロツキーの『文学と革命』を翻訳したこともあり、また、党内闘争時やモスクワ裁判期にはトロツキーやトロツキズムについて数多くの記事や回想を書いて

いる。その茂森は、1941年の2月にイスタンブール滞在中に、「偶然のことから、この不運な革命家の最初の国外亡命の家を訪づれ、当時何かとトロツキーの世話を焼いたその家の老主婦と数時間話す機会をえた」[154]。茂森は続けて、その時の模様について書いている。

> 中肉で長身のエレナ婆さんは今年65歳だそうであるが、藤色毛糸のセーターに黒いスカートをはいた姿は、まだ50歳としか見えなかった。それに年に似合わず——といってもこれは日本的概念かもしれないが——ひとかどのインテリで、ヨオロッパ情勢から、日支事変のことまで新聞知識によってではあるにしても、独特の比喩を用いて論ずるあたり中々のモダン婆さんである。共産党は大嫌いであるが、革命は好きであるなどとも語っていた。……
>
> 1928年の1月にこの2階と3階をトロツキーに貸すに至った動機はごく単純で、誰か知り人の仲介があったので、その借主がスターリンに追われた有名なロシアの亡命革命家であるとは知らずに2階全部を70リラ、3階の一部を40リラ、計110リラで貸したそうである。[155]

部屋を借りた時期を「1928年1月」としているが、これは「1929年3月」の間違いである。この「エレナ婆さん」がトロツキーから受けた印象について、茂森は次のように述べている。

> エレナ婆さんの印象にのこるトロツキーの風貌は、長くもぢゃもぢゃと伸ばした髪がもう大分霜をいただき、刈りこんだ口髭も顎髭にも白いのが見え、眼の大きくて鋭い、額の図抜けて広い、そして鼻の高く尖った見るからのユダヤ人型の男ではあるが、白系露人たちから悪鬼羅刹のように言われているのとはむしろ反対に、何となく人懐こさと人間味の豊かさに感じられる男であった。エレナ婆さんは、トルコ語の外にフランス語に通じていたが、トロツキーとたまに話すときの言葉はフランス語であった。なかなか洗練されたフランス語で、しかもその声の美しかったことが印象に残っているとのことであった。[156]

「人なつこさ」と「人間味」、そして「声の美しさ」はトロツキーに接した他の人々とも共通する印象である。「エレナ婆さん」は、最後に、日本からのこの珍客に次のように述べたという。

「トロツキーが殺されたとの報はその翌日の新聞で知りました。殺さねば
ならぬ必要があったのでしょうか。何も殺さなくてもよかったでしょうに」
と最後の言葉を結び、13年前にこの家に起居した人間トロツキーの姿を思
い描くように白いまつげの眼を閉じたのであった。[157]

　以上で、戦前においてトロツキーと会った日本人の長い物語は終わりであ
る。終戦後の数年間、日本の左翼はみなスターリニズムの絶対的影響を受け
ていただけでなく、戦前にそもそもトロツキスト運動が存在しなかったため
に、戦前と戦後におけるトロツキーに関する記憶と記録の連続性がおおむね
断たれてしまった。しかし、トロツキーと戦前の日本人とのあいだにはこれ
だけの交流と目撃の経験があったのであり、しかも私が紹介したのはその一
部にすぎない。まだ埋もれている貴重な記憶と記録は発掘され紹介されるの
を待っている。

【注】
(1)　田口運蔵「大衆的雄弁のトロツキー」『改造』3月号、1929年、119
　　〜120頁。以下に全文を紹介。https://www.facebook.com/seiya.morita.758/
　　posts/375789340860804
(2)　渡辺春男『思い出の革命家たち』芳賀書房、1969年、22頁。
(3)　ルトガース（リュトヘルス）については以下の文献が最も詳しい。山内昭
　　人『リュトヘルスとインタナショナル史研究——片山潜・ボリシェヴィキ・
　　アメリカレフトウィング』ミネルヴァ書房、1996年。
(4)　渡辺春男『片山潜と共に』和光社、1955年、31頁。この2つの回想記のあ
　　いだには、この部分だけでなく、内容的にもかなりの変更がある。最初の回
　　想記は日付やその他多くの事実関係にミスがあったので、後で大幅に修正さ
　　れ、その過程で内容にも一定の変更が加えられたのだろう。
(5)　前掲渡辺『片山潜と共に』、32頁。
(6)　前掲渡辺『思い出の革命家たち』、23頁。
(7)　荒川実蔵『セン・片山——世界に於ける彼が地位と体験』大衆公論社、1930年、
　　201頁。
(8)　前掲山内『リュトヘルスとインタナショナル史研究』、103〜106頁。田口
　　運蔵は在ニューヨーク中の片山自身の証言として次のように書いている。「サ
　　ンフランシスコにいた私はルトガースから旅費まで送ってニユウヨークへ早
　　く来てくれと云うので何か良いことでもあるのかと思い、当時のサンフラン
　　シスコの家をたたんでブルクリンのルトガースの家に来た」（田口運蔵「革命

家としてのトロツキー」『文芸戦線』8月号、1928年、117頁)。この説明だと特に目的があったわけでないことになる。

(9) 前掲荒川『セン・片山』、203〜204頁。

(10) 荒川はこの著作の2年前にも雑誌『改造』誌上で、党を除名されて流刑に処されたトロツキーの境遇に思いをはせ、その生涯についてより詳しく振り返っているが、そこでも革命家としてのトロツキーへの評価は極めて高い。荒川実蔵「流刑から流刑のトロツキー」『改造』3月号、1928年。

(11) 前掲荒川『セン・片山』、204〜205頁。

(12) 荒川は以前からスターリンとトロツキーとの対立においてスターリンが正しかったという立場であった。たとえば以下を参照。荒川実蔵「ロシヤに於ける労働者党内の論争」『社会科学』11月号、1927年、同「何故にトロツキー、ジノヴィエフは党から除籍されたか」『改造』1月号、1928年。

(13) 片山は自伝の中で、1916年末の夜に「祖国擁護」の問題を討議するために集まったブルックリンのある家で、初めてトロツキーを見たと書いている(片山潜『わが回想』下、徳間書店、1967年、300頁)。時期は1917年初頭の間違いであるが、最初の出会いが、この会議であったことを正しく回想している。

(14) この会議について詳しくは、以下を参照。Kenneth D. Ackerman, *Trotsky in New York 1917: A Radical on the Eve of Revolution*, Counterpoint, 2016, chap. 4. しかし、アッカーマンは、この時のトロツキーをメンシェヴィキだと勘違いしている。

(15) Ludwig Lore, "Leon Trotsky", *One Year of Revolution: Celebrating the First Anniversary of the Founding of the Russian Soviet Republic*: Brooklyn, NY: The Class Struggle, 1918, https://www.marxists.org/history/usa/parties/spusa/1918/1107-lore-trotsky.pdf

(16) ハイマン・カブリン『アジアの革命家片山潜』合同出版、1973年、260頁。だがカブリンは、片山の思想にトロツキーが与えた影響をできるだけ小さく描き出そうとしている。

(17) Sen Katayama, "Morris Hillquit and the Left Wing," *The Revolutionary Age*, vol. 2, no. 4, July 26, 1919, https://www.marxists.org/history/usa/pubs/revolutionaryage/v2n04-jul-26-1919.pdf

(18) Ackerman, *Trotsky in New York 1917*, pp. 175, 233.

(19) 「トロツキーが(桟橋に)到着したとき、彼は崇拝者たちに肩車されて巨大な荷箱の上に持ち上げられた。彼はにこやかな顔と幸せな笑顔で最後の別れを惜しんだ」(Ibid., p. 236)。

(20) このトロツキーの逮捕と最終的な釈放にイギリスの諜報機関であるM15とM16が深く関与していたことが、2001年の情報公開で明らかとなった。Richard Norton-Taylor, "MI5 detained Trotsky on way to revolution", *The Guardian*, 5 Jul 2001, https://www.theguardian.com/uk/2001/jul/05/humanities.highereducation

(21) 「老人はこの後もつづけ、『平民』を出し、レーニンやトロツキーの理論の紹介につとめた」(前掲渡辺『思い出の革命家たち』、31頁)。

(22) イー・ケイ〔近藤栄蔵〕訳「労働者執権の豫期」『平民』第16号、1918年6月。

英語版からの重訳である。訳者の近藤栄蔵は以下のような前書きをつけている──「『アワー、レボリューション』という名で露国のトロツキの新著が出た。200頁余の痛快極まる小冊子である。その殊に面白い1章〔「総括と展望」のこと〕をかいつまんで左にご紹介する。……この論文は1906年即ち露国の革命家連にとっては最も前途暗澹たる秋、牢獄の内で書かれたものだそうだ。して見ると、彼れトロツキの先見眼むしろすさまじいものではないか」（同前、1頁）。

(23) 前掲片山『わが回想』下、301頁。この回想に出て来るブーディン（ルイス・ブディン）はアメリカの弁護士で社会主義者、マルクス主義に関する啓蒙的著作も書いており、同書は『マルクス経済学体系』という題名で1921年に山川均によって日本で翻訳出版されている。

(24) トロツキー『わが生涯』上、岩波文庫、2000年、530頁。

(25) 前掲片山『わが回想』下、302頁。この記述ではロシア当局が亡命者の旅費を負担したことになっているが、実際には、各自が自分の旅費を負担し、一部はニューヨークの同志たちのカンパでまかなわれた。

(26) 田口は1918年初頭にニューヨークに落ち着くまで、世界各地を放浪していた。田口の生涯と片山との関係について詳しくは、以下の伝記を参照。荻野正博『弔詞なき終焉──インターナショナリスト田口運蔵』御茶の水書房、1983年。同書には、田口が日本での水平社結成大会について論じた論稿の中で、ユダヤ民族の解放問題におけるトロツキーの立場を肯定的に紹介していたことに触れられている（同前、181頁）。本文で以下に紹介するコミンテルン第3回大会およびその前後の事情についても同書は詳しい。

(27) 田口運蔵『赤い広場を横切る』大衆公論社、1930年、352〜353頁。

(28) 同前、354〜355頁。田口は別の文献でも、ニューヨーク時代のトロツキーについて片山老人が回想して語った話を詳しく紹介している。前掲田口「革命家としてのトロツキー」、117〜118頁。

(29) 前掲トロツキー『わが生涯』上、537頁。

(30) Ackerman, *Trotsky in New York*, p. 217. トロツキーは総領事とも言い合いをしている。これもアッカーマンの著作から紹介しよう──「オウスティノフ（総領事）はトロツキーの話をさえぎろうとして、古いロシアの慣用句で話を切り上げた。『卵にめんどりは教えられない』。するとトロツキーはこう言い返した。『領事、あなたは、卵がめんどりに教えを垂れる時がすでに来ていることをまだ理解していないようですね』」（Ibid., p. 216）。

(31) 前掲片山『わが回想』、302〜303、305頁。

(32) https://www.marxists.org/history/usa/pubs/class-struggle/v1n1may-jun1917.pdf

(33) この2人以外にも、この革命と内戦の時期に、ロシアを取材した日本人記者は他にもいたようだ。その1人、『朝日新聞』の特派員太田三孝は、10月蜂起中の第2回全国ソヴィエト大会で新しい労農政府が宣言された様子について、次のように報告している。「かくして8日の夕刻にはレーニンは己に公然労兵会において、年来の主義の実現を賀し、トロツキー、カメネフ、ルナチャルスキー等主だちたる者を集めて、内閣に代るべき国民委員会〔人民委

員会〕を組織した。土地私有権の廃止、休戦講和令等第二労兵大会（7 日夕開会）の決議を発表した」（太田三孝「レーニン党の革命」（下）、『大阪朝日新聞』1917 年 12 月 20 日）。また『時事新報』の特派員播磨栖吉も 1916 ～ 1918 年に戦争、革命、講和締結までの過程を随時、現地から打電している。

(34) たとえば以下。「〔1917 年 7 月〕15 日（日）外相テレシチェンコ氏及び遞相チェレテリ氏、小露西亜自治政府の当局と妥協条約を締結して帰来するや立憲民主党の三大臣之に反対して連袂辞任す。此日過激社会党の巨魁トロツキー、ルナチャールスキー等国民館に兵卒及び労働者を集めて攻勢反対の大煽動演説をなし、ここに騒乱勃発の萌芽を作る」（布施勝治「内憂外患一時にきたる」（上）、『大阪毎日新聞』1917 年 8 月 11 日）。

(35) 布施勝治『露国革命記』文雅堂、1918 年。

(36) 布施勝治『ロシア群像──ウィッテからスターリンまで』北光書房、1948 年、103 頁。

(37) トロツキー『わが生涯』下、岩波文庫、2001 年、110 頁。

(38) ちなみに、当時（1918 年）、ロシアから帰国して、レーニン、トロツキーに対する世間のイメージ（理想主義的な過激派）が間違っていると証言した人の記事が当時の新聞に掲載されている──「世間ではレーニン、トロツキーは純然たる理想家と考えて居るようであるが、実際これらの人々に接した人の観察に依れば、彼らはむしろ事務家であり手腕家であるということである」（「最近の露都 某帰客談」『大阪朝日新聞』1918 年 3 月 1 日付）。

(39) 布施勝治「過激派政府の外交──外務次官対日関係を説く」『大阪毎日新聞』1918 年 1 月 18 日。

(40) 1920 年 5 月 5 日にモスクワのボリショイ劇場で開かれた全露ソヴィエト中央執行委員会、モスクワ・ソヴィエト、労働組合、工場委員会幹部会の合同総会のことと思われる。このときトロツキーは「ポーランドとの戦争」という報告を行なっている（トロツキー『革命はいかに武装されたか』第 2 巻、現代思潮社、1973 年、303 頁以下に所収）。

(41) 中平亮『赤色露国の一年』大阪朝日新聞社、1921 年、229 ～ 230 頁。

(42) 同前、233 ～ 234 頁。

(43) 同前、235 頁。

(44) 同前、181 ～ 182 頁。

(45) 菊池昌典『トロツキー（人類の知的遺産 67 巻)』、講談社、1982 年、231 ～ 232、235 ～ 238 頁。

(46) 布施勝治『労農露国より帰りて』大阪毎日新聞社、1921 年、258 ～ 259 頁。なお、布施勝治によるロシア革命ルポについては、菊池昌典『ロシア革命と日本人』（筑摩書房、1973 年）、富田武『日本人記者の観た赤いロシア』（岩波書店、2017 年）に詳しい。

(47) 布施勝治「労農大会議を観る 両巨頭の演説」『大阪毎日新聞』1920 年 5 月 11 日。

(48) 前掲布施『労農露国より帰りて』、277 ～ 278 頁。

(49) 前掲布施『ロシア群像』、103 ～ 104 頁。

(50) 前掲田口『赤い広場を横切る』、60 ～ 61 頁。

(51) 同前、63頁。

(52) 同前、63〜64頁。

(53) 同前、65頁。

(54) 同前、82〜88頁。このレーニンとの面会の内容も非常に興味深いもので あり、レーニンの人柄がよく表れているのだが、紙数が無限に増えてしまう ので、ここでは紹介しないでおく。

(55) この会見記は以下の著作にも収録されている。田口運藏『赤旗の靡くところ』 文芸戦線社出版部、1929年。

(56) 前掲田口「革命家としてのトロツキー」、120頁。

(57) 同前。

(58) ルイーズ・ブライアント「レーニンとトロツキー」『ニューズ・レター』 第66/67号、トロツキー研究所、2019年、10頁。

(59) 前掲田口「革命家としてのトロツキー」、120〜121頁。

(60) 同前、121頁。

(61) 同前 124〜125頁。

(62) 前掲渡辺『思い出の革命家たち』、151頁。

(63) Leon Trotsky, There Are No Fronts, but There Is Danger, *How the Revolution Armed*, vol. 4, Pathfinder Press, 1981.

(64) 「彼〔スターリン〕は、ともに政治局員であったトロツキーやジノビエフ たちよりは、そのころは、まだ党外での知名度が低かった。それで、当時の わたしは、スターリンの党内での位置などについてはもちろんのこと、その 名も知らなかった」(野坂参三『風雪のあゆみ』第3巻、新日本出版社、1975年、 301頁)。

(65) 同前、307頁。

(66) 同前、308〜310頁。

(67) 同前、310頁。

(68) 同前

(69) 『赤露行』での記述については、以下を参照。森田成也「トロツキーと戦 前の労農派知識人」『科学的社会主義』8月号・10月号、2020年。https://www. academia.edu/80149974/

(70) 荒畑寒村『寒村自伝』論争社、1961年、330〜331頁。

(71) 同前、379頁。

(72) 同前、380頁。この第12回党大会におけるトロツキーの演説は、トロツキー 『社会主義と市場経済』(大村書店、1992年)に収録されている。

(73) 前掲荒畑『寒村自伝』、386〜388頁。このメーデー演説は、トロツキー『革 命はいかに武装されたか』第3巻第2分冊(モスクワ、1923年)に収録され ている。

(74) 前掲荒畑『寒村自伝』、394頁。この演説も、前掲トロツキー『革命はいか に武装されたか』第3巻第2分冊に収録されている。

(75) 前掲渡辺『思い出の革命家たち』、114〜116頁。

(76) 勝野金政『凍土地帯――スターリン粛清下での強制収容所体験記』、吾妻

書房、1977 年、95 頁

(77) この第 4 回大会に関して、ニューヨーク時代に片山潜と親しかった石垣榮太郎による証言が残されている。コミンテルンの第 4 回大会（石垣は「第 3 回大会」としているが、第 3 回大会は片山がまだ入露していないときに開催されているので、記憶違いと思われる）に参加していた片山が小さな紙片に書いた手紙を送ってきたというのだ。その手紙はこうあった――「いまトロッキーが演説している。もう 4 時間も続けて喋っている。ロシヤ語が解らないので退屈だ。英語に翻訳するまで方々に手紙を書いている」（石垣榮太郎「片山潜とその同志たち――アメリカ放浪四十年」（6）、『中央公論』12 月号、1967 年、240 頁）。

(78) 前掲荒川『セン・片山』、226 頁。

(79) 佐野学『スターリン主義と流血粛清』民主日本協会、1952 年、145 ～ 146 頁。

(80) 前掲勝野『凍土地帯』、95 頁。

(81) 同前、95 ～ 96 頁。勝野はここで「72 歳の誕生祝賀会」と書いているが、それだと 1931 年になってしまい、勝野はすでにスパイ容疑で収容所の人である。同じ勝野による戦前の回想では 70 歳の誕生祝賀会だとされている（勝野金政『ソヴェト・ロシヤ今日の生活』千倉書房、1935 年、75 ～ 76 頁）。切りのいい 70 歳が正しいだろう。またこの光景自体も、戦前の文章ではかなりニュアンスが異なった風に記述されている。

(82) 勝野金政「赤露脱出記（その 1）――片山潜と私」『日本評論』11 月号、1934 年、124 頁。片山は自分のトロッキー批判の演説について「すべて芝居だよ」と勝野に語ったとある。

(83) 片山潜「トロッキー反対派全敗す！」『マルクス主義』第 47 号、1928 年 3 月、99 頁。

(84) 片山潜「露国共産党政府に於ける新反対派の過去と将来」『実業之世界』7 月号、1927 年、110 頁。

(85) 同前、109 頁。

(86) 同前、110 頁。

(87) 片山潜「トロッキー派の陰謀」『文芸戦線』2 月号、1928 年。同「トロッキー反対派全敗す！」『マルクス主義』47 号、1928 年 3 月。同「トロッキーの没落」『経済往来』4 月号、1928 年。

(88) Trotsky, Who is leading the Comintern today?, *The Challenge of the Left Opposition: 1928-29*, Pathfinder Press, 1981, pp. 251-252.

(89) 前掲片山『わが回想』下、312 頁。

(90) トロッキー「ソヴィエト・ロシアと日本――内藤民治の質問への回答」『トロッキー研究』第 35 号、2001 年。この回答の具体的内容については本書の第 2 章を参照。

(91) 内藤民治「忘れられた人物――内藤民治回想録」上下、『論争』12 月号、1962 年、『論争』1 月号、1963 年。

(92) 前掲内藤「忘れられた人物」下、『論争』1 月号、159 ～ 160 頁。

(93) 内藤民治「トロツキイ」『月刊ロシア』9 月号、1935 年、117 ～ 118 頁。

(94) 前掲内藤「忘れられた人物」下、160頁。

(95) 同前。

(96)「当時日本から日露漁業に関係のある内藤民治氏がモスコーに来ていて片山潜氏をよく訪問していたが、ある日、内藤氏は、昨夜トロッキイに会ったが彼は片仮名で『ニホンノトモ、トロッキイ』と書いてみせたと云って感服していた」(前掲佐野『スターリン主義と流血粛清』、145頁)。トロツキーが日本文字を書いた話はさらに、後述する鍋山貞親の回想にも出てくる。そこではやはり「漢字」で書いたことになっている。

(97) 前掲内藤「忘れられた人物」下、160〜161頁。

(98) 前掲内藤「トロツキイ」、115頁。

(99) 同前、116頁。

(100) 同前。

(101) 同前、116〜117頁。

(102) 同前、117頁。

(103) 近藤栄蔵『コミンテルンの密使——日本共産党創生秘話』文化評論社、1949年、273〜274頁。

(104) 布施勝治『ソ連報告』大阪毎日新聞社、1939年、86頁。

(105) 前掲布施『ロシア群像』、109頁。

(106) ロシア語原文からの邦訳は以下を参照。トロツキー「ソ連邦と日本——『大阪毎日』特派員・布施勝治氏との対話」『トロツキー研究』第35号、2004年。

(107)『大阪毎日新聞』1924年4月25日。

(108) 布施勝治「露国の新印象(2) 捲土重来のトロッキー氏」『大阪朝日新聞』1924年5月27日。

(109) 同「露国の新印象(5) 日露利害共通論を説く 労農政治家の排米傾向」『大阪朝日新聞』1924年6月12日。

(110) 布施勝治「5年振りの新ロシア(1) 資産階級の復活 宝石店や歓楽郷の現出」『大阪毎日新聞』1925年11月1日。

(111) 同「5年振りの新ロシア(7) 失意のトロッキー 彼の子分も多くは左遷」『大阪毎日新聞』1925年11月8日。

(112) 同前。布施は、「5年振りの新ロシア(8) 惨敗に終わった『世界革命の強襲』」では、トロッキーの1924年出版の『レーニン』について次のように述べている——「トロッキーの堂々の議論と、そして彼の忌憚ない革命裏面の摘発暴露は、実に、ロシア共産党の現幹部にとって、最も厄介な難題である。しかし世界の識者は、大いにトロッキーに感謝せねばならぬ。彼は実にその大胆なる著述と、その革命秘史の裏面の解剖によって露国革命の研究者のために有力な資料の提供者となった」。続けて布施は、かつての自分の見解を変えて、1920年におけるポーランド戦争の推進者がトロッキーではなく、レーニンであったことに触れているのだが、その根拠となったのは、この『レーニン』での記述であった(トロッキー『レーニン』光文社古典新訳文庫、2007年、179〜180頁)。

(113) *Торгово-промышленная газета*, 1925.6.19

(114) 全訳は以下を参照。トロツキー「十月の教訓」『トロツキー研究』第 41 号、2003 年。

(115) このインタビューは、ルイス・シンクレアのトロツキー文献目録にはまったく出てこない。おそらく、当時はロシア国内ではまったく発表されなかったのだろう。

(116) 種田虎雄『新露西亜印象記』博文館、1926 年、164 ～ 165 頁。

(117) 同前、167 ～ 168 頁。

(118) これらの問題については以下を参照。森田成也「トロツキーと一国社会主義批判の政治経済学――幕間の時期を中心に」『思想』第 862 号、1996 年。

(119) 前掲種田『新露西亜印象記』、169 頁。

(120) 高谷覚蔵『コミンテルンは挑戦する』大東出版社、1937 年、12 ～ 13 頁。

(121) Л. Троцкий, Перспективы и задачи на Востоке, *Запад и Восток*, Mос., 1924. 全訳は以下。https://www.marxists.org/nihon/trotsky/1920-2/we-tenbou.htm

(122) 前掲高谷『コミンテルンは挑戦する』、15 ～ 16 頁。

(123) 高谷覚蔵『レーニン・スターリン・マレンコフ――体験から見たソ連の系譜』磯部書房、1953 年、35 頁。

(124) 前掲佐野『スターリン主義と流血粛清』、145 頁。

(125) 近藤栄蔵『呪はれたるロシア』非凡閣、1938 年、79 ～ 81 頁。

(126) 前掲近藤『コミンテルンの密使』、249 頁。

(127) とはいえ近藤自身は、転向するまでは、スターリン主流派とまったく同じくトロツキーの永続革命論を根本的に歪めたうえで攻撃する論稿を書いている。たとえば以下。近藤栄蔵「トロツキーの革命観」『文芸戦線』8 月号、1928 年。

(128) 前掲近藤『呪はれたるロシア』、81 ～ 82 頁。この部分も、やや修正した上で戦後の回想録にも収録されている。そこでは最後の「人間的同情」は「無限の同志的同情」というようにさらに強い表現になっている。前掲近藤『コミンテルンの密使』、250 ～ 251 頁。

(129) 鍋山貞親「非合法下の共産党中央委員会」『文芸春秋・特集』12 月号、1956 年、69 頁。

(130) この時のトロツキーの演説は以下の文献の付録に収録。トロツキー『社会主義へか資本主義へか――過渡期経済と世界市場』大村書店、1993 年。

(131) 前掲鍋山「非合法下の共産党中央委員会」、70 頁。

(132) 同前、70 ～ 71 頁。

(133) 同前、71 頁。

(134) トロツキー「日本の新聞『大阪毎日』特派員の質問に対する回答」『トロツキー研究』第 35 号、2001 年。

(135) 布施勝治「赤露三巨頭会見記」『現代』3 月号、1934 年、73 頁。

(136) 前掲布施『ロシア群像』、119 頁。

(137) 前掲布施「赤露三巨頭会見記」、74 頁。

(138) 前掲布施『ロシア群像』、125 頁。

(139) *Бюллетень Оппозиции*, No.1, 1929.7.

(140) 布施勝治『クレムリンの人々』要書房、1953 年、144 〜 145 頁。

(141) 加藤哲郎「歴史の真実と真理への接近——トロツキー文庫の日本人の手紙に寄せて」『葦牙』第 14 号、1991 年。本書で何度も登場している田口運蔵も亡命のトロツキーに『改造』への寄稿を求める手紙を出している（1929 年10 月 19 日付）。この要請はかなえられたようだ。トロツキー「時別寄稿　軍縮と欧州連盟」『改造』5 月号、1930 年。

(142) 延島英一については、『葦牙』第 14 号所収の志田昇「トロツキーを擁護した日本人——延島英一の人と思想」、および本書の第 4 章と第 5 章を参考にしていただきたい。

(143) 前掲内藤「忘れられた人物」下、166 頁。

(144) 同前。

(145) エジュノールの回想録の翻訳は 2019 年になって文庫になった。トロツキー『亡命者トロツキー』草思社文庫、2019 年。

(146) 前掲内藤「忘れられた人物」下、166 頁。

(147) 同前、168 頁。

(148) 同前。

(149) トロツキーの死について論じた当時の日本語文献としては、現時点で以下の 5 点が確認できる。①布施勝治「トロツキーの死と世界思想戦」『時局情報』10 月号、1940 年、②木下半治「トロツキーの悲劇」『日本評論』10 月号、1940 年、③北崎学「スターリンとトロツキー」『東洋』10 月号、1940 年　④延島英一「トロツキーの最後」『月刊ロシア』10 月号、1940 年、⑤延島英一「トロツキーの死と第四インター」『反共叢書』第 20 号、1940 年。延島が 2 本書いていることが注目される。木下半治はこのニュースに接した時の感想をこう語っている——「われわれ第三者としても、このトロツキーの暗殺の報を耳にしても、今さら驚かない。来るものがついに来たかといった感じである。それほどに、スターリンという男の性格は執念的であるのだ」（前掲木下「トロツキーの悲劇」、264 頁）。

(150) 前掲布施「トロツキーの死と世界思想戦」、80 〜 81 頁。

(151) 同前、82 頁。

(152) 同前、83 頁。

(153) ピエール・ブルーエ『トロツキー』第 3 巻、柘植書房新社、1997 年、21 頁。ブルーエの伝記は、このアパートの家主については何も書いていない。

(154) 茂森唯士「トロツキー亡命の家を訪ふ」『月刊ロシア』6 月号、1942 年、96 頁。

(155) 同前、97 頁。

(156) 同前、98 頁。

(157) 同前、100 頁。

第4章

日本人は
モスクワ裁判をどう見たか

　翻訳者でエスペランティストでもある高杉一郎は、モスクワ裁判たけなわの 1937 年、彼が勤務していた改造社である 1 冊の洋書に出会ったことを『スターリン体験』という回想録に書いている。それは、ジョン・デューイを裁判長にしてメキシコで開催されたモスクワ対抗裁判の英文記録で、『The Case of Leon Trotsky』と題された分厚い 1 冊である [(1)]。

　　ある日、私がドアひとつでへだてられている『改造』編集部に遊びにいって雑談していると、テーブルの上に『レオン・トロツキー事件』という 617 ページもある部厚い洋書があるのが目にとまった。ちょっとのぞいてみると、それはモスクワ裁判で欠席のまま死刑判決を下されたトロツキーと、いま彼の秘書をつとめているヤン・フランケルを証人に呼んでの真相調査委員会の審問記録である。……。私はその本を 10 日間と期限を切って借りだして家にもち帰ると、毎晩その本だけを熱心に読みふけった。……毎晩おそくまでかかってようやく読み終えたが、その重い衝撃に打ちのめされて、あくる朝は仕事に出かけていく元気もなくしたほどであった。……ランティが 1935 年の『異端者文庫』のなかで、『マルクス主義には縁もゆかりもないものとしてのスターリニズム』ということばをはじめて使ったとき、ランティは軽率ではないかと私は思ったが、ここへきて、けっしてそうではなかったと確信するようになった。[(2)]

　ここでの高杉一郎の経験は日本人知識人としては稀有なものである。後述する一部の例外を除いて、ほとんどの日本人知識人は、トロツキーの側からの全面的な反論に接することはなかったし、あるいはそれを真剣に検討する

こともなかった。

　モスクワ裁判およびそれと並行してソ連国内で荒れ狂った大粛清は世界の
すべての人々に衝撃を与え、ソヴィエト労働者国家の権威を著しく毀損し、
その力を大きく損なうとともに、世界各地の革命運動、とりわけ当時、激し
く進行中であったフランスの人民戦線運動とスペイン革命に深刻な悪影響を
及ぼした。また、国内で大粛清が行なわれただけでなく、スペイン革命の指
導的人物であった POUM（マルクス主義統一労働者党）のアンドレス・ニン
が暗殺されるなど、ソ連国内で進行していた粛清と同じ手段が海外でも用い
られた。

　この政治的衝撃はもちろんのこと日本にも及んだが、当時、日本はすでに
完全に軍国主義化しており、日本共産党の活動家は、獄中にいるか殺される
か、あるいは転向ないし半ば転向していたために、この事件の衝撃に反応し
たのは主として、非共産党系の左翼、リベラル知識人（日本のリベラル派は
最初から民族主義的で、ますますその度合いを強めていったが）、および右派知
識人や支配層の人間であった。本章は、これらの人々のモスクワ裁判論の一
端を追うことで、戦前日本の知識層の——モスクワ裁判を媒介にした——ト
ロツキー像を再構成しようと思う。

1. 世界を震撼させたモスクワ裁判

　本章で主として取り上げるのは、ジノヴィエフとカーメネフを中心的被
告とする第 1 次モスクワ裁判（いわゆる合同本部事件裁判）、ラデック、ピャ
タコフを中心的被告とする第 2 次モスクワ裁判（いわゆる並行本部事件裁判）、
ブハーリン、ルイコフを中心的被告とする第 3 次モスクワ裁判（いわゆる「右
翼＝トロツキスト」ブロック裁判）の 3 つであるが、トハチェフスキーら赤軍
幹部粛清事件についても若干触れる。まず、簡単ながら、これらの裁判の概
略について振り返っておこう。

3 つの裁判の概略

　ソ連の独裁者スターリンは、1934 年 12 月 1 日に起きたキーロフ暗殺事件
をきっかけにして、それ以前の専制恐怖政治をさらに徹底的に強化し、ソ連
国民を恐怖のどん底に落としいれた。ありとあらゆる種類の元反対派が再度、
ないし再々度、人民の敵として糾弾され、強制収容所に送られたり銃殺され

たりしただけでなく、過去いかなる反対派にも属していなかった人々も大量に逮捕・銃殺された。これら大粛清の一つの頂点をなすのが、3つのモスクワ裁判と赤軍粛清裁判である。

第1次モスクワ裁判は1936年8月19〜24日にかけて行なわれた。見せ物的に公開で行なわれたこの裁判で、ジノヴィエフ、カーメネフら元ボリシェヴィキの最高指導者に対して着せられた罪は、大要次のようなものであった[3]。

①スターリンの政策の失敗に乗じて政権を奪取する予定であったが、第1次5ヵ年計画の成功ゆえに、その計画は水泡に帰した。そこで、彼らはスターリンの暗殺を計画することにした。②この暗殺計画の指導者は国外追放中のトロツキーであり、その息子セドフを通じて国内の反対派と連絡を取り合った。③ジノヴィエフ派（ジノヴィエフ、カーメネフ、エフドキーモフなど）とトロツキー派（スミルノフ、ムラチコフスキーなど）による合同本部を設置した。④そしてテロリスト行動隊を組織して、スターリンのみならず、ヴォロシーロフやカガノヴィッチ、キーロフ、オルジェニキッゼなどの暗殺をも狙った。⑤トロツキーは、ナチスのゲシュタポとも協力してテロリストを国外から派遣した。⑥ついにキーロフの暗殺に成功した。⑦彼らの目的は、ただ個人的な政権欲だけであり、いかなる政策もなかった。

連邦検事ヴィシンスキーが以上のような罪を列挙したのに対し、スミルノフやゴリツマンがある程度抵抗した以外は、被告たちはそれらの容疑を否定するどころか、唯々諾々と認め、さらに自己とその仲間の犯罪を暴露しあい、銃殺刑を求めた。検事のヴィシンスキーは論告求刑を「これらの狂犬どもを一人残らず射殺することを要求するものである」という一句でしめくくった[4]。そして、その論告どおり、16名のボリシェヴィキは犬ころのように死刑判決の翌日深夜に銃殺されたのである。

1937年1月23日〜30日にかけて行なわれた第2次モスクワ裁判＝並行本部事件裁判となると、さらに奇々怪々な容疑が加わる。すなわち、今度はナチス・ドイツばかりではなく、日本軍部とも協力して、ソ連との戦争をけしかけ、戦争が起こったならばソ連の敗北を促進し、それを利用してスターリンを打倒する。そして権力を握った暁には、領土の一部と工場などをファシスト諸国に譲渡するだけでなく、ソ連に資本主義を復活させる、という計画をトロツキーが指示し、そしてそれを並行本部なるものが実行しようとしたというのである。第2次裁判の場合も、第1次裁判の時と同様に被告はべらべらと自己の「犯罪」とトロツキーの「陰謀」を暴露しあった[5]。

1938年3月2日〜13日にかけての第3次裁判では、ブハーリン、ヤーゴダ、ルイコフ、クレスチンスキーらが被告となり、さらにイギリスとポーランドのスパイという容疑と、ゴーリキーやクイヴィシェフらの暗殺の容疑などが加わり、ブハーリン以下18名が銃殺された[6]。プレトニョフやラコフスキーは20年から25年の懲役刑にとどまったが、その後、結局殺されている。

国際的反響

これらの裁判に対して、欧米各国のマスコミはどのように反応しただろうか。たとえば、第2次モスクワ裁判について、『ロンドン・タイムス』は次のように言う。「トロツキー派の反革命陰謀云々の真相は外部から窮知できないが、かつて革命に献身した人たちが、その事業を破壊するために急に転向したとは思われない」。『モーニング・ポスト』は「被告の自白が真実でないことは明瞭だ」とし、『ニューヨーク・タイムス』は「ラデック氏らの裁判内容は信じられないことの連鎖である」、『ニューヨーク・ヘラルド・トリビューン』は「ソ連邦の裁判は、元来教育宣伝を目的とし、被告が進んで宣伝に応じない場合には、公開裁判を中止して秘密警察の手であっさりと片付ける例だ」[7]など、いずれも否定的である。

第3次裁判に対してはどうだろうか。『ロンドン・タイムス』は「裁判は犯罪事実の認定ではなく、私敵打倒の方便と化している」、また『ニューヨーク・ヘラルド・トリビューン』は「ルイコフ、ブハーリン等の裁判は、スターリン書記長の政治的陰謀であって、ソヴィエト政府が正義を無視しうることを示すものである」[8]と批判的に論じている。

このように、欧米各国の大新聞は、少なくとも第2次裁判以降は全体としてモスクワ裁判をスターリンのでっち上げではないかと疑っており、簡単にはだまされていない。それでは、日本のマスコミはどうであったろうか？

2. 日本マスコミの反応

世論に支配的影響を与えるのはやはり大新聞や大衆雑誌である。ここでは、マスコミのなかで多数を占める折衷的見解と、全面的信用派の見解、完全なでっち上げとみなす見解の3つを、それぞれ代表的なものを例に取り上げよう。

『東京朝日新聞』と『東京日々新聞』

　一般的折衷論を形成しているのは大新聞である。ここでは、主に『東京朝日新聞』と『東京日日新聞』の両紙を中心に日本マスコミの多数意見を簡単に見ておく。

　まず両紙とも、第１次裁判の際には、論評抜きのいわゆる「客観報道」という形で、ジノヴィエフ、カーメネフらの「陰謀」と「銃殺」を伝えており[9]、「事件の真相」「からくり」などという意味深なタイトルをつけつつ、ソ連政府側の言い分をおおむね鵜呑みにした「報道」を行なっている[10]。かろうじて、『東京朝日新聞』1936年８月25日付けでトロツキーを登場させて、この裁判についての簡単な談話を掲載しているぐらいだ。しかし、同紙は、同年11月に３回にわたってモスクワ特派員で自称ソ連通の丸山政男に「ソ連テロ裁判を抉る」という題名でこの裁判についての詳しい解説記事を書かせており、これはほぼ全面的にスターリン政権側の言い分を事実と認めるものだった。この連載記事に対しては、第５章で取り上げる延島英一が詳細な批判をしているので、それを参考にしていただきたい。

　これが第２次裁判となると、一部の記者はかなり裁判に対する疑惑を深めており、この裁判を仕組まれた芝居だとする『モーニング・ポスト』紙の報道を伝えたり[11]、同じくトロツキーの談話を掲載している。さらに、「謎のソ連公判」と題して、比較的詳しくこの裁判を論じている記事も掲載されている[12]。そこでは、「ゲ・ペ・ウの厳重なる監視下にある旧トロツキー派要人のこの種の反政府運動が、ソ連国内で果たして可能であるかどうか。また、古き党歴を有する純共産党党員たる彼ら被告がファッショ国家の手先に容易に転落しうるものかどうか、常識は恐らくこれらのありうべきことを否定するだろう」と正しい推測をしながら、死刑が確実なのになにゆえ被告はすらすらと自白するのか理解できないとして、結局、被告による陰謀は事実であろうと結論している。

　第２次裁判の段階でも裁判での検察側の主張を引き続き信じた新聞記者もいる。それが第１次裁判でもスターリン政権の言い分を肯定したモスクワ特派員の丸山政男である。彼は「並行本部公判を傍聴して」という記事を『大阪朝日新聞』の２月24日号から３回にわたって連載しているが、丸山はこの第２次裁判の印象や感想を生々しく伝えつつも、批判的分析はゼロに近く、検察側の主張をそのまま繰り返すだけになっている[13]。しかし、その丸山も、被告があまりにもすらすらと自白していることには疑問を抱き、「要するに、

これらの情景と、余りに滑らかな裁判は、ある人々の洩らしたように、公判の真実性について疑問を抱かせたことは事実である」と言い、「ますますこの事件の謎的要素は深まりゆく」と言いながらも、「おそらく再びトロツキーが外国でいうであろう如く全部が素晴らしい『途方もない芝居』だとばかり見ることは出来ない」[14]として、結局、検察側の言い分を信じている。

最後に、第3次裁判に対してであるが、さらに裁判への疑惑を深めているのが特徴である。『東京日々新聞』は1938年3月17日付けで「ソ連の怪奇裁判」と題し、「真偽はまったく眉唾」「ことごとく政権強化の具」といった見出しをかかげて、この裁判を以下のように論評している。

> 現当局は何を目指して、わざわざ公判まで開いて巨頭連一掃の挙に出たかということになるが、……現当局はかく仕組むことによって、国民指導――政権強化の具にしたものと考えられるのである。すなわち、ブハーリン、ルイコフ等は……邪魔者となったので、これを国民の敵として弾圧を加えることによって、この一派に与するものに警告を発したものとみられる。[15]

全体として、「怪奇」や「戦慄」などのセンセーショナルな見出しを掲げて見せ物的に扱いながらも、内容的には、第1次から第3次にいたるまでしだいに裁判に疑惑を深めていることがわかる。しかしながら、核心となると、「真相はわからぬ」式で終ってしまっていたり、何らかの陰謀自体は存在したろうといった折衷的見解で落ち着いている場合が多い[16]。

こうした立場がだいたいの一般常識的見方であった。しかしながら、ジャーナリストの中にも、モスクワ裁判をほぼ完全に信じた者と、逆にそれを完全なでっち上げと見る者もいた。

ソ連通記者、布施勝治の見方

前者（全面信用派）の中には、ソ連通で通っていた、『大阪毎日新聞』の記者である布施勝治がいる。すでに本書でたびたび登場しているこのソ連通記者は、ことモスクワ裁判に対しては、イデオロギッシュな面は別として、事実関係としてほぼ全面的に信用している[17]。彼自身は、トロツキーを一貫して「現代有数のマルキストであり、また最も勇敢な国際左翼陣の闘将」[18]、「天成の革命家」[19]と評価しており、この評価とモスクワ裁判に対する信用とが、どう両立するのかまったく疑問に思われて当然であろう。しかしながら、布施は次のような独特な論理で、両者を見事に（？）関連づける。すな

わち、トロツキーはさすが大革命家、左翼の闘士であり、あれほどの弾圧を受けながら、国外から次から次へと陰謀を組織するとはたいしたものだ、といった論理である。トロツキーが反革命家であるがゆえにではなく、偉大な革命家であるがゆえに、このような陰謀を組織しうるし、実際に組織したのだというのである。たとえば、布施は次のように述べている。

> 国外からこの陰謀を指導したトロツキー氏が、亡命８年、各国いたるところ、官憲の圧迫をしのびながらも、ひそかに同志と連絡をとり、巧みに陰謀指導のロールを演じたその手腕の凄さ、これまた「天成の革命家」としての名を恥かしめないといわなければならない。[20]

布施にかかれば、誰もが不思議がった被告の自白も次のように解釈される。

> 平行作戦の一部に自白戦術というのがある。それは何か。各公判ごとに、世間を驚かしたのは被告達がベラベラとその罪状を告白したことである。これはもちろん一つはゲ・ペ・ウの脅迫によったと見なければならぬが、同時に自白戦術をとったものであるとも見なければならぬ。すなわち肝腎な秘密をかくさんがために、その秘密以外のことをベラベラとしゃべってしまう、とぼけて他をいうの戦術がそれである。[21]

「自白戦術」とはかなり奇想天外な発想だ。そして、トロツキーに対し、次のように奇妙な誉め方をするのである——「トロツキーの偉大さは、失意不遇の境地に立っても少しも士気阻喪しない点にある。幾度失敗を重ねても、百折不撓、初志を貫徹せねばやまぬという点にある」[22]。

このように、布施の場合、一般にモスクワ裁判を信用する者とは正反対に、トロツキーに対する憎悪や軽蔑の感情からではなく[23]、他ならぬ革命家としてのトロツキーに対する尊敬の情ゆえに、トロツキーの「陰謀」なるものを信じるに至ったのである。さらにまた、ソ連通としての自信と生半可な知識が、一般常識に反して、かえってモスクワ裁判をほぼ全面的に信じさせるように働いたとも言えるだろう[24]。

モスクワ裁判に列席した日向陽一

逆に全面不信派の例として、第２次モスクワ裁判に実際に列席し、でっち上げ裁判をその目で観察し得た日向陽一がいる。日向は、同じくこの裁判を

傍聴した丸山政男とは違って、次のようにモスクワ裁判の本質を見抜いている。

　　この裁判は全然政治的でかつ宣伝的であって、その内容ほど不可思議なものはない。この軍事裁判は公開せられて記者も見物したが、その裁判場から芝居地味たもので多くの宣伝的観覧席が設けられてあって、検事の訊問に対して被告は何らの渋滞なくまた臆面もなく自身の罪状を雄弁に詳細に陳述する。……その陳述の内容の全然虚構の捏造であることは……我々は疑いをいれぬのである。⁽²⁵⁾

　部分的に疑問を呈する人は少なからずいたが、「全然虚構の捏造」とまで言い切った人はあまり多くない。何ゆえ被告が自白したのかについては、日向は拷問と家族への脅迫の２つをあげており、なかなか正確な判断といえよう。また、日向のスターリニズム論も非常に興味深いので、簡単に紹介しておく。日向は、ソ連の本質を次のように矛盾物としてとらえる。

　　赤露は社会主義的方面と国家主義的方面の二面の顔を有するものであって、その先端は共産主義と帝国主義の両者を併せ有するものである。……この矛盾したる社会主義的方面と国家主義的方面の二方面が交叉して現出している所にその特色を見出しうるのである。⁽²⁶⁾

　これは、トロツキーのソ連論を彷彿とさせる。さらにまた、日向は、ロシア革命後には３つの選択肢があり、その１つが世界革命への道＝永続革命の道、２つ目が資本主義復活の道、３つ目が一国社会主義への道であるとし、スターリンはこの３つ目の選択肢をとったのであるが、しかし、ロシアの現状はとうてい社会主義を実現しうるだけ経済力も文化も存在しえないがゆえに、それは結局、資本主義的帝国主義と似通ったものとならざるをえない、との論理を展開する。これもまたトロツキーの分析を連想させる。この論文は 1937 年 12 月に発表されており、トロツキーの『裏切られた革命』が最初に邦訳出版されるのは、同年 7 〜 8 月であるから、日向がトロツキーの分析の影響を受けている可能性は高い。いずれにしても、この論文は、戦前日本のスターリニズム分析の水準がけっして低くはなかったことを示していると言えよう。

３．右派・民族派の見方

　反共・反ソ派ないし一般に右派ないし民族派の中には、このモスクワ裁判を真に受けて、ソ連のスターリン体制は絶えざる陰謀の波に巻き込まれて危機にあると安直に判断した者もいれば、その逆にこの裁判はまったくのでっち上げであり、それだけスターリン体制は腐敗し追い詰められているのだと判断した者もいた。また、そのいずれでもなく、ただソ連のこの馬鹿げた裁判劇を見て、無責任におもしろがったり、あきれたりする者も多かった。

信用派の見方

　信用派の一例として、水野嘉雄を取り上げよう。彼は、1937 年に『世界の戦慄』というパンフレットの中で、モスクワ裁判で「暴露」されたいわゆる「反革命事件」について、次のように述べている。

　　　反革命事件と言えば、ソヴェート政府首脳及びロシア共産党幹部（この両者はほぼ同一である）に対して不平を抱き、或はソヴェート制度を呪う分子によって企てられたソヴェート政権打倒の陰謀である。
　　　然して陰謀団がソヴェート政権転覆を公的を達するために執る手段と云えば、大抵の場合、工場を破壊、鉱山を爆破、列車事故を誘発して、運輸系統を破壊、サボタージュ、納税の拒否、飢餓示威運動、等をなすことに依って政府の経済建設事業に打撃を与え、他方これと同時に要路の人物を暗殺するテロ行為を併用するのが常である。
　　　反革命側は、これらの手段を決行するために、ソヴェート連邦内に於ける不平分子を糾合し、広く国外に於ける同志と連絡を取り、内外呼応して、ソ連官憲に感づかれないような極めて巧妙にして且つ用意周到なる破壊工作の実行を為して来たのであった。[27]

　見られるように、スターリン政権側の言い分をそのまま繰り返し、そうした陰謀事件が本当になされたことであるかのように書いている。そして、そうした陰謀をすべて指示していたのがトロッキーであることを筆者は信じて疑わない。

　　　彼ら〔陰謀事件を越したトロッキー派のこと〕はその首領たるトロッキーの

指令を奉じて、その目的を実現する手段として破壊行動、暗殺行為を決行し、スパイを行い、敗戦主義を標榜して居った。[28]

　そもそも、西側当局の厳重な監視下にあった亡命中の無力な一個人にどうしてそんなことが可能なのかという、政治的色分けに関係のない合理的疑問さえ、この人物の脳裏には浮かばなかったようだ。

懐疑派の見方

　しかし、右派と言えども、これほど単純な連中ばかりではない。この裁判の本質をちゃんと見破っていた人もけっこういた。代表的一例として日本民族主義者でナチスの信奉者でもあった池澤忠二を取り上げよう[29]。池澤は、『外交時報』に寄せた論文で、第２次モスクワ裁判について論評し、次のように看破している——「裁判は何のコトはない政治だ、しかも政治的デモンストレーションだ。……だから裁判とは形ばかりで、実質は徹頭徹尾デッチ上げられた芝居である」[30]。

　池澤がこのように判断した根拠はなかなか興味深い。池澤は何よりも、第２次裁判でトロツキストとファシストとの協力が云々されていることを「実に馬鹿々々しい而も恐ろしく拙劣な筋書き」とする。なぜなら、日独両国政府は、「トロツキストが……最も憎悪する」国であるからであり、ブハーリンと組織資本主義国ドイツとを結びつけるのならまだしも、「極左のトロツキストと日独両国との恋愛ではどんな素人をも納得させることが出来ない」からである。

　池澤は、スターリンがこうした芝居を必要とした理由の第１に、1937年に成立した日独協定をあげている。日独への民衆の警戒心と憎悪を呼び覚まし、西欧民主主義国への接近をはかろうとするのが目的だ、というのが池澤の見解である。これはあまり見られない動機説明だ。

　さらにまた、スターリンがトロツキズムを排撃する理由について、池澤は次のような実に興味深い発言をしている。「スターリンが、あれ程までにトロツキストを怖れなければならぬのは、スターリニズムではなく、トロツキズムこそが理論的にマルキシズムの正統であるという理由」があるからだ、と[31]。といっても、池澤はトロツキズムに同情的なのではなく、その反対に、マルクス主義の正真正銘の敵対者として、自己の敵を正確に理解しているにすぎない。

　次に、池澤は『改造』に寄せた論文のなかで、第３次モスクワ裁判につい

て、次のように断定する。

> 各被告に負わせられた罪状はことごとく捏造にかかるものである。もちろ
> ん被告らが反スターリン分子であったか、少なくともスターリン批判者で
> あったことは疑いない所である。しかし公訴状の内容、被告の陳述等に現わ
> るところ、要するに公判そのものはまったくスターリンの権力維持という
> 下劣なる政治的意図をもって作り上げられた三文芝居に過ぎない。[32]

そして、ゴーリキーを毒殺したのは、トロツキストではなく他ならぬスター
リン自身であるとさえ断定している[33]。

次に見るように、戦前の左翼（マルクス主義左翼を含む）がほとんどすべて
裁判を基本的に信用する立場にあったのに対し、戦前日本においてもっとも
正確なモスクワ裁判論を展開し得たのが主に体制派、右派、支配層（支配層
については後述）であったということは、戦前日本のマルクス主義左翼にとっ
て悲劇的なことと言わなければならない[34]。

4．左翼の見方

戦前の左翼の陣営は、大きく言って、ソ連擁護の左翼（マルクス主義系と
親ソ系のリベラル左派）、社会民主主義派、およびアナキスト系の３つに分け
ることができるであろう。アナキスト系については後述するとして、ここで
は、親ソ派左翼と社民派の両方を見ておこう。

親ソ派左翼の見方Ⅰ──全面信用派

親ソ派左翼の陣営は全体として、すでに触れたように、コミンテルンの絶
対的権威ゆえに、裁判を基本的に信用し擁護する立場にあった。しかしなが
ら、その枠組みの中にあっても、若干のニュアンスの違いが認められる。す
なわち、全面信用派と困惑信用派とである、後者に労農派の中心的人物が含
まれていたのはけっして偶然ではない。やはり、主観的にはソ連共産党をマ
ルクス主義の総本山と仰ぎながら、直接的にはコミンテルン支部として存在
しているわけではなかった労農派は、共産党系の論者と比べてコミンテルン
に対する自立の程度に差があるのであり、それがモスクワ裁判を同じく信用
する場合でも、若干のニュアンスの差をもたらしたのであろう。

全面信用派の見解は、本来、コミンテルン日本支部である日本共産党が中心となって展開していなければならないのであるが、しかしながら共産党自身は当時すでに弾圧によって壊滅状態にあり、日本共産党として論陣をはってトロツキズムを告発することはできなかった。せいぜい、コミンテルンの記事を邦訳して伝える『国際通信』（野坂参三が海外で編集し、秘密裏に日本に持ち込んでいた）などを通じてしか、モスクワ裁判についてのスターリン主義的見地を広めることはできなかった⁽³⁵⁾。それゆえ、全面信用派の見解は、『自由』、さらに『改造』や『日本評論』などに時おり寄稿する親ソ派の左派知識人に見られる程度ということになる。

　『自由』には戸坂潤や宮本百合子なども執筆しており、1930年代後半における貴重な左派・リベラル系の合法雑誌であった（1937～38年）。ここでは、岡野秀作のトハチェフスキー裁判に関する論文について見てみよう。岡野は言う。

> 今度の事件を解説し、批評した多くの人々の多数はこの見解に立ち、これをスターリン政権の強化のための異分子掃討を合理化し、人民を欺くトリックと見た。……このように考えられることは一見極めて自然であるように思はれる。しかしながら、われわれは、ソヴェートの現実の発展過程を頭においてこの事件を考えるならば、このように「ありえない」と思はれることが、ソヴェートにおいては、大いにありうるのであ……る。⁽³⁶⁾

　その発展過程とは、岡野によると、プロレタリア独裁がますます確保されるにつれ、小ブル・インテリ、技術主義的インテリなどが発生し、それがマルクス・レーニン主義に対立してトロツキズムに結晶化していき、はてはファシズムとまで結びつく、というものである。かくして岡野は言う、「このように見て来るとき、今度の赤軍八将星の断罪の理由たる如き犯罪事実が、必ずしも『人民を欺くためのカラクリ』であるとばかりも考えられないのである」⁽³⁷⁾。また、陰謀とトロツキーとの関係についても、岡野は次のように述べて肯定している。

> 今度の事件は、ソヴェート政府の発表によれば、トロツキイとの直接的関係は指摘されていない。しかし、ソヴェート連邦におけるあらゆる反革命運動は、現在の段階に至までは、すべてトロツキズムと結びつくべき必然性を有している。反革命運動が党及びスターリンの政策たる一国社会主義

に反抗する以上、それはこのスターリンの政策と正反対の立場に立つトロツキズムにその思想的根拠を求めたのは当然である。かくして、小ブル・インテリ的反動思想も、右傾派の反革命も、トロツキーの極左的インターナショナリズムと結びつき、さらにそれがファシズムとさえ共同する。……かくして、反革命はその目的の達成のためには手段をさえも選ばないテロリズムに堕し、ファッショ国家との通諜、共同工作にまで発展しうるのであろう。[38]

ここには残念ながら、いかなる自主的思考も科学的論証も見られない[39]。同じく、『自由』の別の号に掲載された北村一郎の論考は、トロツキーの『裏切られた革命』を全面的に批判しつつ、最後に次のように述べている――「これを読む時、我々は、ソヴェトの打続く陰謀事件の背後に、トロツキストの手が動いているという、ソヴェト当局の声明を否定することはできなくなる」[40]。

親ソ派左翼の見方Ⅱ――困惑信用派

次に困惑信用派の見解を見ていこう。その代表格として労農派の重鎮である荒畑寒村のモスクワ裁判論を紹介する。彼の裁判論ついては、すでに戦後のいくつかの研究文献でも論じられているが[41]、本章でもやはり落とせない論者として取り上げておく。

1936年に第1次モスクワ裁判が起こったとき、荒畑はおおむねソ連当局の立場に立った論文を『改造』に書いている[42]。しかし、その論文の冒頭でも触れているように、荒畑は最初このニュースを信じることができなかった。しかしながら荒畑は言う、「ソヴェート最高法院が、公開審理の結果をまって下した判決は、この事件を捏造陥穽と断定せざる限り到底疑いを挿むことを許さない」[43]と。そして、荒畑は公判で挙げられた被告の「犯罪」について詳細に紹介しながら、「ああかくのごとき反革命運動の一味が、かつては流離顛軻を賭して革命運動に尽瘁せる志士の末路なのか。…… これでは余りにもひど過ぎる」[44]と嘆く。しかし、続けて荒畑は、この末路がその思想的・政治的誤謬の必然的結果だとして読者を、そして自己を納得させるのである。

続いて、第2次モスクワ裁判に関連して、荒畑は再び論文を『改造』に寄せている[45]。荒畑は、前掲論文にもまして裁判における被告の自白を信用できるものとしている。なぜなら、前回裁判の自白は釈放の約束によって得

られたものであるという推測は、実際に銃殺が執行されたことによって覆されたからである[46]。しかしながら、同時に荒畑は公平に、被告の言う多くのことが事実と合わないとするトロツキーの立証のいくつかも挙げている。荒畑は困惑して「したがっていずれの主張が正しいか、容易に判断がつかない」[47]とする。明らかに、第1次裁判時の論文より、認識は前進している。そこで、荒畑は議論の矛先をやや変えて、事実関係の争いからスターリンとトロツキーの理論的・政治的対立関係に移る。この問題では、荒畑はかなり自信をもってトロツキーの誤りとスターリンの正しさを主張する。それでも、荒畑は「トロツキーは英雄である」と言っており、たとえ、その直後に「しかし彼は大衆を信じえない英雄、個人主義的な意味における英雄である」[48]とつけ加えていたとしても、生粋のスターリン主義者とは明らかに異なった自主性を当時から持っていたことを示している。

　最後に、第3次モスクワ裁判についてであるが、荒畑は1937年12月にいわゆる第1次人民戦線事件に連座して逮捕されたために（1939年4月保釈）、当時の彼の考えは残念ながらわからない。しかし、戦後に書かれた荒畑の自伝によるとかなりの疑惑をすでに抱いていたようである。

　　私はすでに1930年代におけるソ連の血なまぐさい粛清事件に対しても、深い懐疑の念をいだいていた。ジノヴィエフ、カーメネフらが初めて粛清の血祭りにあげられた当時は、まだソ連政府の声明を半ば信じていたのであるが、それに引きつづいて起ったボリシェヴィキ指導者の罪状が、みな外国政府との通諜、資本主義制度の復活、党・政府首脳部の暗殺というに至っては……とうてい信ぜられることではない。[49]

　しかし、この「懐疑の念」について戦時中はついに語ることはなかった。最初にこのことを明瞭に語ったのは、スターリン没の知らせを聞いたのちに書いた論文においてである。荒畑は、左翼界あげてのスターリン礼賛の大合唱の中にあって、モスクワ裁判について振り返りつつ、敢然と次のように書いた。

　　だが、いやしくも常識のある者が果してこんな断罪理由を信じうるであろうか。彼らは重大な誤謬を犯しもしたろう。幾多の失敗を演じもしたろう。それにもかかわらず、彼らがその全生涯をプロレタリア革命にささげ、殉難の道を歩んで来たことは何人も争うことが出来ない。[50]

　この鋭い指摘が、フルシチョフによるスターリン批判以前であったことに注意する必要がある(論文は1953年、フルシチョフ秘密報告は1956年)。ここに、自主独立の社会主義者としての荒畑寒村の面目が躍如としていると言えるであろう。

社民派の見方

　社民派は、メンシェヴィキの機関紙や欧米の新聞・雑誌などから得る知識によって、また、その反共的心情から、ソ連のモスクワ裁判をでっち上げと見る傾向が強かった。たとえば、社民派の理論雑誌で、たびたびトロツキーの論文を訳載していた『内外社会問題調査資料』の一論文は、第1次モスクワ裁判を論じて次のように言う。

> 　ところが、彼ら〔トロツキーとジノヴィエフのこと〕の命を受けて活躍したと称せられ裁判に付された者は、政府の囮であってスターリン政権の命令によって虚構の事実を陳述したのに過ぎず、裁判全体が巧妙なる捏造に外ならぬとも見られている。[51]

　「見られている」とあるように、筆者自身の判断として「捏造」であるとしているわけではないが、しかし、全体として裁判をあまり信用していないのははっきりとしている。また、スターリンのソ連について、「スターリンの一国社会主義がその本質においてイタリー、ドイツのファシズムと同一であることは明白である」[52]とし、民主的社会主義とは正反対物だとしている。しかし、この「民主的社会主義」なるものはすぐに日本の軍部独裁を支える翼賛体制へと収斂していくのである。

　モスクワ裁判を信用しない立場に立ちながらも、後で取り上げる延島英一の場合と異なる社民派の特徴は、第1に、被抑圧者たるトロツキスト擁護の視点がないこと、第2に、ロシア人に対する民族主義的蔑視意識を伴っていたことである。たとえば、先に紹介した論文は次のように言っている。

> 　精神的にほとんど見る陰もなく疲労困憊せる囚人を何らの有力なる証拠もなくして急きょ死刑を宣告し、猶予なくこれを執行したのに対し、ロシアの民衆は一斉に喝采を送ったと報道せられているのであるが、これは果してロシア人の本性と云うべきであろうか。[53]

「ロシア人の本性」という言い方はきわめて排外主義的である。とはいえ、同論文がモスクワ裁判に対して親ソ派左翼よりはるかにまともな判断をしていたことは疑いない。同論文はさらに、スターリニストによって迫害されている共産党幹部の亡命権を擁護しているだけでなく、ソ連が平和と現状維持を望んでいること、そしてその防衛政策において世界の社会主義・労働運動に依拠せざるをえないことを指摘して、「スターリンの独裁政治が結局、大衆を基礎とせざるをえないところにその絶大なる矛盾と悩みとが存在する」と正しく述べている[54]。

　同誌にはさらに、1937年7月の号から、メンシェヴィキ機関紙に掲載されたモスクワ裁判についての古参ボリシェヴィキの長大な手記が連載されている。それは、モスクワ裁判の数年前に起こったリューチン事件の分析から始まって、キーロフ暗殺事件を経て、第一次と第二次のモスクワ裁判、そして赤軍幹部銃殺事件に至る流れを詳細に分析し、きわめて多面的な議論を展開している[55]。同誌は、トロツキーのみならず、海外左派のこのような貴重な情報や議論を日本の読者に与える役割を果たした稀有な雑誌であった。

転向左翼の見方

　最後に、「左翼」は「左翼」でも、転向左翼の裁判論について見ておこう。例えば、第3章でも登場した高谷覚蔵は次のように言って、モスクワ裁判を基本的に信用する立場を表明する。

> 今度のトロツキー・ジノヴィエフ等々の事件について、ある人は「古い革命家達がああしたテロ行為なんかするとは到底考へられないことだ。」と言っている。しかし、あの不安定な澱みの中から抜け出てきた私から見れば、あれはありのままの事実であることに、疑いを持ちはしない[56]。

　このように高谷は、裁判の基本的な点に関してすっかり信用している。もちろん、全部が全部信用するわけではない。日本ナショナリズムへの転向者としては、トロツキストと日本軍部、および同盟国たるドイツとのつながりだけは否定されなければならない――「日本、ドイツと陰謀事件を結びつけたのはインチキだが、事件そのものはほんとうだろう」[57]。

　また、転向者の中の最大の大物である佐野学も、戦後の著作においてもなお、モスクワ裁判の基本点を完全に信用している。たしかに高谷と同じよう

に、帝国主義やファシズムとの共謀なるものに関しては信じていないが、トロツキーの命令による陰謀の存在についてはいささかも疑問を抱いていない。曰く、

> かれらは得意の地下運動の経験をもって深刻な反スターリン陰謀を計画し組織しだした。カメネフ、ジノヴィエフ、ブハーリンなどが中心となって国外のトロツキイと秘密に連絡して綿密な地下組織をつくってゆく。[58]

　概して、露骨な転向者ほどモスクワ裁判を信用する傾向が強かったように思われる。コミンテルンに忠誠を誓う者と、それときっぱり手を切り、日本ナショナリズムに忠誠を誓った者という、一見してまったく正反対の立場の人々が、ことモスクワ裁判に対しては、それへの信用を共有していたのはなかなか興味深い現象である。

5．支配層はどう見たか

　次に、支配層がこのモスクワ裁判をどのように見たかについて触れておこう。マスコミの論調や荒畑の内なる考えにも共通であるが、やはり支配層にあっても第1次裁判の時よりも第2次、第3次と経るにつれて、しだいにこの裁判のでっち上げ性を看取するようになっていった。特に、第2次裁判で、被告等と日本軍部との関わりが云々されたことは、支配層がこの裁判のでっち上げ性を見抜くうえで一つの重要な要素になったと思われる。なぜなら、日本軍部がかかわっていないことは、彼ら自身が一番よく知っているはずだからである。この点がかようにでたらめなら、その他の点も推して知るべし、と考えてもおかしくあるまい。
　このことをよく示しているのは、『改造』誌上で行なわれたソ連についての座談会における、陸軍省新聞班長にして陸軍歩兵大佐であった秦彦三郎の以下の諸発言である。「我々としては太田大使だとか、日本の武官と関係があったなどと裁判に出ていると、これはハッキリ嘘だということが分るんです」[59]、「... それをもってみれば今度の事件もこれは嘘だということになる」[60]。

満鉄調査部の第１次裁判分析

第１次裁判から第３次裁判にかけて、こうした見方の変化が一番はっきりしているのは、南満州鉄道株式会社調査部(以下、満鉄調査部と略記)発行の『ソヴェート連邦事情』における高橋宣彦の裁判分析である。高橋は第１次裁判に関してさっそく詳しい論評を同誌に掲載しているが[61]、『反対派ブレティン』各号から詳しくトロツキーの主張を引用して、そのテロリズム論、ソ連国家論、スターリン主義論などを正確に紹介しているにもかかわらず、結局は、トロツキーの指令によるテロを事実と認め(ただし、その目的が個人的政権欲にあったとするのはスターリン派の虚構だとしている)、ナチス・ドイツとの協力関係さえ肯定している。

途中まで非常に正確で、豊富な資料に基づいて分析をしながら、なにゆえ結論においては、モスクワ裁判の核心部分を鵜呑みにするはめに高橋は陥ったのであろうか？　ここにも、布施の場合と同じく、ソ連通が陥りやすい誤り、すなわち常識的感覚の欠如の一典型がある。さらにまた、第１次裁判段階では、まだなお十分に裁判のでっち上げ性が一般的に明らかになっていなかったという事情も加わるであろう。またトロツキー自身の、「スターリニズム官僚制の実力による打倒」というスローガンが誤解を与えやすいものであったことも影響していると考えられる。実際、高橋は、このスローガンをテロリズムの間接的証拠として重視している。

いずれにしても、満鉄調査部が、モスクワ裁判の真実について、より明確な見地をもつためには第２次および第３次裁判が必要であった。本稿では、第２次裁判を飛ばして、いちばん第１次裁判分析との違いがはっきりしている第３次裁判分析について検討する。

満鉄調査部の第３次裁判分析

満鉄調査部の第３次裁判の分析は同じ高橋宣彦名の論文で行なわれている。まず高橋は、第３次裁判の概要について詳しく触れた後で、他の多くの人と同じように、次の問いを発する。「これらの顛末はどこまで真実だろうか？」[62]と。

高橋は次の諸点に注目する。１、まず、「右翼トロツキスト・ブロック」という名称はソヴィエト検事局の創作である。２、被告等の間に何の必然的関係も見いだせない。謀略の主役たるエヌキッゼやカラハンなどの重要人物が、公判を待たずして暗黒裁判で銃殺されたのはいかなるわけか？　３、被

告等は、相互に別の被告の行為を感知していなかっただけでなく、ブハーリンやルイコフは犯罪の多くを否認している。犯罪行為の立証は被告の自白のみである。４、①チェルノフがダンの仲介でドイツのスパイとなったとされているが、その過程があまりにも作り話に過ぎているし、ダンもこれを有力な根拠をもって否定している。②ソ連経済における紊乱を被告の仕業にしているが、これはソ連の官僚主義、怠慢、不能率に求められるべきである。③ゴーリキーの毒殺については、まるで説得力のない苦しい説明に終始している。ソ連より亡命したクリヴィツキーは、ゴーリキーは生前にテロ緩和を求めており、もし毒殺されたとすれば、それを必要としたのはスターリンのみであると言っている[63]。以上が、筆者による、裁判におけるきわめて疑わしい点であり、いずれももっともな意見である。

　さらに筆者は、被告の自白の秘密についても説得的に説明する。第１に、全被告はすべてスターリンへの転向者ばかりであり、虚偽の自白により、スターリン政権に最後のご奉公をするつもりになったということは、十分にありうる。実際に、元共産党員のヴィクトル・セルジュはそのようなことを言っている。第２に、被告は最後まで助命の望みを捨てられないでいた。第３に、被告は自分の運命よりも家族の安全を憂慮した。第４に、被告の間にスターリンの逆スパイがいた。以上の説明は、今日の研究水準に立ってみても、かなりの程度正確であると言わざるをえない。ただし、ゲ・ペ・ウの巧妙な拷問には触れていないが、それは内部事情について知らない者にとってはいたしかたないところである。

　以上の考察から筆者は次のように結論する。「結論として、本裁判は捏造されたものであるといって差支えないであろう」[64]。以上の分析を見てわかることは、筆者は自己の判断材料として外国の資料を多用していることである。この点こそが、そうした外国の資料にまだ乏しかった第１次裁判の頃と決定的に違う点である。第１次裁判の時点では、もっぱらトロツキーのものだけが使用されていた。犯罪の当事者とされている本人の言が、客観的に見てあまりあてにならないと思えるのも無理はない。それ以外の人々の資料が豊富に存在し、かつ利用できたことが、正しい判断に到達し得た一つの重要な要素であった。

　しかしながら、ここまで正しい推論をしながら、何らかの陰謀の存在自体を高橋は否定していない（ただし、トロツキーとの関係は一言も云々されていない）。

しからば、全然何もなかったのであろうかといえば、そうではない。もし、ブハーリンがイズベスチャ主筆として、ルイコフが通信人民委員として、ヤゴダが内務人民委員として表裏なくスターリン政権に忠勤を励んでいたならば、ソ連の内外に衝動を与えることがスターリン政権にとって何の利益になるであろうか!?[65]

　どの主張にも多くの論拠に富むこの論文のうちで、唯一論拠に乏しいのはこの主張である。どうしてスターリンは陰謀を働いてもいない連中を銃殺したのかといった素朴な疑問が、陰謀の存在の肯定という誘惑に筆者を導く。しかしながら、いかなる陰謀が存在していなくても、スターリンはいくらでも元ボリシェヴィキ指導者を銃殺できることは、歴史の後智恵としてわれわれが知りうるだけでなく、実は筆者自身が、これに続けてその理由をあげて説明しているのである。

　すなわち、筆者は、陰謀の事実があるのに何ゆえわざわざ捏造の容疑に基づいてでっち上げ裁判をしたのかについてこう説明する。

　1、反対派が売国奴であり、反革命分子であったかのように大衆に印象づけ、もって大衆の内にある不満をそらし、反対派に対する愛想をつかせるため。2、被告の懺悔によって、まだ潜伏している反対派の降伏をよびかける必要である[66]。

　以上の論拠が正しいとすれば、これらの理由は同時に、実際に陰謀が存在していなくてもでっち上げ裁判をして反対派を銃殺する理由にもなりうるはずである。またそもそも、スターリンが一度でも自分に逆らったことのある人間をけっして信用せず、またけっして許さない人間だというスターリンの個性、さらにはこのような大粛清が、ソ連全体を弱体化させながらも、スターリンの独裁権力を著しく強化する手段であったということ、そして何よりもトロツキーおよびトロツキストを徹底的に悪魔化し、その暴力的弾圧も、いや虐殺さえも正当化できる対象だという印象を世界中に与える必要性（とくに進行中のスペイン革命との関係で）、といった諸点も考慮されれば、もっと納得が得られただろう。

　次に、筆者は、でっち上げ裁判における嘘と真実のアマルガムを通して見えてくるブハーリンの本来の立場についてかなり興味深い分析をしているので紹介しておきたい。

　1、ブハーリンは、スターリンの行き過ぎに対する批判をその綱領としており、それは言い換えれば「ネップ時代に帰れ」ということであり、「こ

の意味でブハーリンが公判においてソ連における資本主義的諸関係復活の企図を認めたのも、あながち嘘ではない。ネップもまた戦時共産主義に対して資本主義的諸関係の復活だったからである。検事局はこれを全体としての資本主義体制の復活にすりかえているのだ」[67]。

2、スターリンの極左的農場集団化に反対し、個人農を若干認めよという主張。

3、民主主義的自由の復活、独裁政治の否定の要求。注目すべきは、ブハーリンの起草によるソ連新憲法である。それは、建前上は非常に民主的な制度を保障した。ブハーリンは、これを手段にして合法的な意見の反映の道を探ったのだ。

4、後進諸国は資本主義段階を飛び越すことはできないという主張。および、ソ連内部の民族国家独立の主張。

5、帝国主義諸国の対立を利用し、辺境民族共和国を独立させて外国に対する緩衝となすという主張。「領土割譲を条件として外国と折衝したというのは、検事局の牽強付会である。既に1918年に領土割譲反対の立場から屈辱的ブレスト条約に極力反対したブハーリンが、今となってかかる売国的態度をとるはずがない」[68]。

6、ファシズムは「組織された資本主義」の実現に他ならないとする主張。

以上を要約して高橋は言う。

> レーニンはかつて次のように云った。「我々が小農国に住む限り、ロシアには共産主義よりも資本主義にとってより鞏固な経済的基礎がある」。この経済的基礎にもかかわらず、政治の力によって、強力な独裁権力によって急テンポで社会主義制度を実施せんとするのがスターリンの政策である。この経済的基礎に順応してある程度資本主義的諸関係と民主主義的自由とを保存しつつ、漸進的に社会主義制度の実現を期するのがブハーリンの政策である。ここに両者の一切の対立の根源があった。[69]

　このように筆者は、でたらめな自白の裏に隠されたブハーリンの最後の公的自己主張を見逃していない。このような分析が可能だったのも、ブハーリン裁判がそれ以前の2つの裁判と決定的に異なる点、ブハーリンは完全にはスターリンに屈服しておらず、巧妙に、スターリンへの抵抗を一つの重大な目的として公開裁判に応じたという点があったからこそである。ブハーリン

がでたらめな自白のうちに巧みに自己の主張を展開していたことについて
は、ブハーリン研究の第1人者であるスティーブン・コーエンも指摘してい
ることである[70]。驚くべきは、戦前日本にすでにこのことをある程度洞察
していた論者がいたことであろう。

　最後に、筆者は、ブハーリン裁判の政治的意義について述べている。

　1、スターリン政権にとっては、それは対外戦争の準備としての意義をも
　　　つ。物質的には、徹底的に内部における反対派を粛清することによっ
　　　て、精神的には、国民に日・独への敵愾心を植えつけ、愛国心を鼓舞
　　　することによって、また反対派を売国奴とすることによって反対派に
　　　対する国民の最後の期待を粉砕することによって、である。

　2、客観的には、この公判はソ連の対外信用を失墜させ、国際的地位を
　　　いっそう悪化させた。筆者は、ソ連にとってもっとも重要な友好国の
　　　一つであるフランスの人民戦線の中心的担い手である社会党の首領レ
　　　オン・ブルムでさえ抱いた、モスクワ裁判に対する嫌悪の情を紹介し
　　　ている。

　3、それでも今回のような裁判をせざるをえないのは、それだけソ連の危
　　　機が深刻だからである。その根本は農民をスターリン政権が完全に掌
　　　握していないことから来ている。したがって、現制度の改革がないか
　　　ぎり、今後も引き続き慢性的政治的闘争が継続するであろう。

　4、今回の裁判の特徴は、元反対派だけでなく、ヤーゴダのようなスター
　　　リン主義者をも裁判に引き出し銃殺している点である。これは、従来
　　　のスターリン政権の農民政策に重大な修正を加える準備をなすもので
　　　ある。

　5、本公判はソ連独裁政治の完全な行き詰まりを示した。反対派に対する
　　　弾圧の強化はますます反対派運動を強化するであろう。逆に党および
　　　政府の機構はますます官僚主義的になる。党大会が開かれるまでは内
　　　部的に安定したとは言えないであろう。

　6、本公判は、いかに、日、独などの防共国がソ連に間接的にとはいえ重
　　　大な影響を与えているかを示した。

　以上の分析はかなりの程度正確なものであると言わなければならない。と
くに、4の認識や、5の粛清の休止の指標として新しい党大会（18回大会）
の開催を挙げたことは、見事に的中した予言であったと言える[71]。

　以上見てきたように、高橋の論文は、何らかの陰謀があったという推測の
一点を除けば、だいたいにおいて正確で見事な裁判分析をしたものであると

言うことができる。

　高橋以外にも、満鉄系の学者でこの事件をでっち上げとみなした者は少なからずいる。たとえば、満鉄嘱託の学者である吉村忠三も、モスクワ裁判を完全なでっち上げと断定している。そして、公開裁判にした理由を8つあげている。そのいくつかは高橋論文とも共通するが、次のような独自の指摘もあるので、ここで紹介しておこう。

　　　　第2に、スターリンは、レーニン主義を傷つけるものは、スターリンではなく、被告共であり、スターリンはむしろレーニン主義の真実の信奉者であると訴えようとしたのである。[72]

　　　　第4、トロツキー主義者の公判に対して、トロツキストはデモクラシーの敵であることを明瞭にする課題が与えられている。……トロツキイはデモクラシーの敵であると見せかけ、スターリンのために、全世界のデモクラシー主義者を動員しようとしたのである。[73]

　吉村の議論の重要な点は、モスクワ裁判の目的の一つがトロツキー攻撃にあるという点をきっちり押さえていることである。モスクワ裁判を信じる者にとってはこれは当然の前提なのだが、モスクワ裁判をでっち上げと見る論者は、逆にこの肝腎な点をついつい見落としがちである。

外務省の第3次裁判分析
　外務省発行の『露西亜月報』における外務省の第3次裁判分析[74]は、満鉄調査部の分析より、いっそう真実に近い見解を示している。すなわち、満鉄調査部の高橋論文では、裁判がでっち上げであることを詳細に立証しつつも、何らかの陰謀自体はあったという想像をする誘惑に抗しきれていなかったが、この論文においては、何らかの陰謀なるものについては一言も触れないまま、裁判のでっち上げ性を指摘しているからである。個々の論点の深さに関しては高橋論文にかなわないものの、全体としての結論はいっそう真実に近い。

　まず、第3次裁判の概要について詳しく触れた後、おなじみの問い、「一体どの程度まで各被告の供述は真実であろうか」[75]を発する。筆者（ちなみに不詳である）が疑問とするのは次のような点である。

　1、被告はあまりにもすらすらと自白しすぎる。まるで他人ごとのようで

ある。これは、裁判の真実性よりもむしろ、ゲ・ペ・ウの脅迫と強制を証明するものである。

2、ブハーリンとルイコフは主要な容疑についてきっぱりと否定しており、また自己の配下の結社員による多くの犯罪について知らなかった。「今度の公判記事を読んだものは誰しもヴィシンスキー検事が強制的に、無理矢理に罪状を組み立てていく手腕に一驚するであろう」[76]。

3、「このブロックの結成当時の経緯も、その後のメンバーの関係も甚だ不明瞭であり、『右翼・トロツキスト・ブロック』が実在せるものでなくゲペウによってデッチあげられたものなることを雄弁に物語っている」[77]。

4、歴史の歪曲。とくに、1918年のブレスト講和論争においてブハーリンら左翼共産主義者らがソヴェート政府を打倒しようとしていた、という検事側の主張はばかげている。もしそうだとしたら、当時左翼共産主義派に属していたコシオール、ヤロスラウスキーはどうなるのか、両者とも今なお政府の要職にあるではないか。

以上の点より、筆者は「右翼・トロツキスト・ブロック公判は明らかに政治的カンパニアであった」と結論している。そのカンパニアの政治的目的であるが、その点については、すでに紹介した論者の分析の範囲にあるので、紹介は割愛しておく。さて、それでは、その政治的カンパニアは成功したか否かであるが、筆者は、国内においては表面上はその目的を達したかのようであるが、しかしそれは表面上のことにすぎず、民衆は革命の功労者を容赦なく銃殺するスターリン体制におののいている、とする。

　　かくてスターリン政権の挙国一致体制、戦時体制の整備は祖国の危急によって喚起される深い祖国愛に基づくのでなく、スターリン－エジョフ・レジームによって暴力的につくり出されたものである。[78]

国際的にも目論みははずれたと筆者はみなす。各国共産党も『プラウダ』を引き写した主張をしているが、しかし内部的にはかなりの動揺を生んだ。また人民戦線諸党にははなはだ不評であった、と。かくて筆者はこう結論する。

　　スターリンの期待するところの「資本主義国の労働者階級とソ連邦の労働者階級との国際的プロレタリア的連繋の強化」は果して望めるであろうか。

否、まさにその反対が生じつつある。[79]

　なお、同じ『露西亜月報』の論文でも、より後の58号所収の論文の方は、51号の論文と比べてはもちろんのこと、満鉄の高橋論文と比べてもかなり見劣りする[80]。しかし、事実関係に関する認識の基本線においては満鉄論文と大きな違いはない。すなわち、第３次裁判は多くの点で捏造であるが、しかし何らかの陰謀があったことは否定できない、といった点は同じである。ただし、満鉄が、主に前者のほうに力点を置いて分析しているのに対し、『露西亜月報』第58号の論文は後者のほうに力点を置いて分析している。したがって、この論文のほうが、全体としてモスクワ裁判に対し無比判的であるようになっている。ただし、「トロツキーの指令」云々については、どちらも一言も言及されていない。たとえ被告による陰謀があったとしても、トロツキーとは何の関係もないということに関しては、自明の前提であったようである。

内務省の第３次裁判分析

　内務省警保局は『外事警察報』という月刊誌を発行して、外国の左翼やファシズムの動向などを詳しく紹介・分析していた。もちろんのこと、モスクワ裁判についても、ソ連当局の言い分やトロツキーの批判なども翻訳して掲載していた。しかしながら、裁判に対する分析自体は、外務省がやっていたほどの詳しいものは見当らない。とはいえ、簡単であっても、同誌に内務省警保局の第３次裁判に対する見解が見られるので、それを紹介しておこう。

　大雑把に言えば、内務省も、外務省と同じく、モスクワ裁判を完全なでっち上げと見ている。第３次裁判でブハーリンらが告発されたのは、おおむね、国内産業の妨害、外国との通謀、敗戦思想の普及ないし暴動準備、党政府要人暗殺の４つであると分類したうえで、第１について次のように言う。

　　第２次５ヵ年計画によって約束された生活必需品の生産配給が民衆が鶴首して予期したにかかわらず、まったく需要を充たしえない状態にあり、しかもその責任を民衆の敵トロツキストに転嫁せしめんとしたものである[81]。

　第２、第３については、「外交の失敗、その他の国際関係の重圧に対する民衆の注意をそらすための意図を察知できる」[82]。第４については、その

確実度は前二者より高いと言いつつ、ただ裁判の「構成が巧みであったということの証明以外にはならない」[83] としている。かくして、筆者は次のように結論する。

　　以上のごとく事件における犯罪行為および犯意の実在性が乏しく、かつ被告を断罪する〔ため〕の資料が欠如しているにもかかわらず、蘇連当局があえてこれを断罪し19人を一まとめにして銃殺した真意はまったく政治的なもの以外の何ものでもありえない。[84]

6．モスクワ裁判の真実のために闘った延島英一

　以上見てきたように、一般マスコミはおおむけ折衷的、マルクス主義左翼は基本的に裁判擁護、体制派・支配層はおおむねでっち上げと判断していることがわかる。しかし、戦前日本において、モスクワ裁判をでっち上げと判断し、その旨断固として主張したのは、本当に体制派・支配層だけだったのであろうか？　なるほど、社民派は、モスクワ裁判を信用してはいなかったが、その旨を断固として主張したわけではない。ここに、左翼の中の重大な例外の存在がクローズアップされてくるのである。それがアナルコ・サンディカリストの延島英一である。たしかに支配層はあの裁判をでっち上げとみなしたが、当然ながらトロツキーに対する何の共感の念も持っていなかった。むしろその逆であった。しかし延島は違う。彼には明らかに、スターリニストに対する思想的敵意と、トロツキーないしトロツキズムに対する（一定の範囲内での）思想的共感があった。その点が、他のあらゆる論者と異なる延島の特徴である。

　延島英一は、大杉栄の弟子として出発し、国際主義的なアナルコ・サンディカリストとして、多くの著書・邦訳書をものにし、また労働運動や女性解放運動に従事してきた、戦前における第一線の左翼運動家・理論家である[85]。彼は、レーニン＝トロツキー時代のロシアで多くの無政府主義者が弾圧されたことに対しては、大杉と同じくきわめて批判的であるにもかかわらず、いざトロツキストが弾圧される立場になると、敢然とトロツキストを擁護し、弾圧者としてのスターリニスト体制を徹底的に糾弾する立場を取った。彼のモスクワ裁判批判が、社民派とはもちろんのこと、体制派・支配層のものと比べても抜きんでている点は、まさしくこのトロツキスト擁護、被抑圧者擁

護の姿勢である。

　延島英一は自己のモスクワ裁判論をさまざまな媒体に書いたが、それらの
うち、ペンネームで書いた『現代新聞批判』所収のものについては、次の章
でまとめて取り上げたので、それを参照してほしい。

延島英一のモスクワ裁判論

　まず、『セルパン』所収の論文「トロツキイ派公判の真相」を検討しよう。
これは第２次モスクワ裁判についての論文であるが、延島はいきなりこの裁
判がでっち上げに基づくものであることを以下に断定する。

> ラデック等の陳述が虚構であることは、昨夏以来ソ連全体にわたって検挙
> されたいわゆるトロツキイ派約 1600 名の中、彼らと同一の自白をなした
> ものが８月のジノヴィエフ等審理および 11 月のカメロヴォ事件の被告を
> 合してわずかに 42 人、すなわち全体の 2.5％に過ぎないことに徴しても明
> 白とせねばならぬ。[86]

　次に延島はトロツキー派の政綱、第４インターナショナル創立宣言書を紹
介して、トロツキーが共産党の改革ではなく、別党によって実力でもってス
ターリニズム官僚制を打倒する方針をとっていることを確認する。そして、
こうした政綱をもった集団であること自体、それだけでソ連では死刑に該当
するものであることを説明する。

　ここからの延島の説明は、さすがアナキストだけあって、第２次モスクワ
裁判に見られるような異様な事態（外国帝国主義との結びつきを公判で陳述す
ると減刑される）が、以前からのソ連の慣習に基づくものであることを、サヴィ
ンコフ事件を例にとって説明している。

> 彼〔サヴィンコフ〕はケレンスキイ内閣の陸軍大臣であったが、後社会革
> 命党右派の領有として反革命運動で捕えられたとき、彼の運動は英仏伊の
> 諸国政府から財政的、軍事的援助を受けたこと……を公判で陳述した。こ
> の陳述のため、彼は死刑を減じて 10 年の刑に処せられたが、それに不服
> で獄内で憤死した。彼を減刑したのは他ならぬトロツキイである。……も
> し被告が主張をまげず、あくまで失政を糾弾する場合には、秘密裁判とす
> るか、あるいは「緊急処分」で簡単に死刑にされるのである。ロシアのアナー
> キストで公開裁判を受けたものは未だ一人もいない。[87]

この彼の主張はトロツキーにとっては耳の痛いところであろう。また、延島はトロツキストこそレーニン主義の伝統にそったものであることを主張している。

　　トロツキイ派とスターリン派のいずれが10月革命の伝統を持していよう
　　が、ここでは問題にならぬ。スターリン新憲法はソヴェトの権力を削減し
　　て単なる市町村会類似のものに堕せしめた点で、明らかにレーニン主義の
　　伝統に背いている。これに反しトロツキイ主義はソヴェト統治形態を固執
　　する点においてレーニン主義を保持している。[88]

　アナキストらしく、10月革命の伝統とレーニン主義とを区別してはいるが、トロツキーの方をレーニン主義の伝統に基づいているとする主張は、戦前にあっては——けっして他に皆無というわけではないが——ごく少数の例の一つではある。
　上記論文を発表した翌月、延島は『日本評論』に、トロツキーの「ソヴィエト国家の階級的性質」という論文を訳出している。その後記において、延島はこの論文を訳出した意図を次のように語っている。

　　共産主義の頑固な批判者、したがってトロツキイ主義者でない私が、あえ
　　てこの翻訳を買って出たゆえんは、スターリン派官僚の悪辣無道、および
　　それに対する日本人一般の無知に対して、憤慨の念禁ずるあたわぬものが
　　あったからである。[89]

　そして、ついで何ゆえスターリンがこのようなお芝居をしなければならなかったのかについて、その主要な理由を2つ明らかにしている。いずれも、体制派・支配層の論文にはけっして見られない重要な洞察である。
　まず第1に、スターリン新憲法はソヴィエトの権力を大きく削減した。これは10月革命後に生じた最大の反動である——「かくて所在に反対の気運がおこり、これがいわゆるレーニン・トロツキイ主義に結晶しつつある。理論的に争いがたきスターリン派にとっては、虚構と中傷の手段をもってこれを弾圧するより他に方法がない」[90]。
　2番目の理由についてはその全体が引用するに値する。

２、西欧におけるトロツキイ派勢力の台頭――フランス、チェッコとソヴィエト連邦の間に軍事同盟が成立して以来、それぞれの共産党は階級闘争を中止せざるを得なくなり、その結果党内の革命分子は党を去って、一部はトロツキイ派に投じつつある。また英国の独立労働党を始め、各国の社会党左派の間に、トロツキイ派との合流の気配が最近すこぶる濃厚である。なかんずくスペインにおいて、トロツキイ派は一勢力を確立し、後に辞職せられたが、その代表者アンドレス・ニンは、カタルニャ政府の法相の椅子に就いた。これはトロツキイが上の文献中に確立した指導方針の成功を意味し、スターリン派にとっては、最も警戒すべき危険信号である。そこに国際的にも、いかなる手段を尽してもトロツキイ派の信用失墜を図らねばならぬ必要性が生ずるのである。[91]

　進行中のスペイン革命において、トロツキー派とされた POUM（マルクス主義統一労働者党）は、世界のトロツキスト系の団体の中で初めて、数万人ものメンバーを数える真に大衆的な党に転化した（トロツキー自身による手厳しい批判にもかかわらず）。このことがスターリンにとって政治的脅威になったのだと延島はみなしている。アンドレス・ニンは実際にはトロツキー派そのものではなかったが、この点を措いたとしても、当時の延島が取っていた他のどの論者とも決定的に異なる立場、すなわちスターリンに対するトロツキー派の政治路線の優位性をはっきりと承認し、スターリン派に対してトロツキー派を政治的に擁護するという姿勢はこの後記においても極めて鮮明であると言えるだろう。この点については、すぐ後で再論する。

延島とトロツキスト

　政治的・党派的立場が、真実に接近する障害となるのではなく、接近を容易にする場合がしばしばあるが、延島の場合もそうである。アナルコ・サンディカリストとしての、したがってまた反スターリン主義者としての延島の、被抑圧者擁護という党派的立場が、他のすべての左翼（とりわけマルクス主義左翼）が陥っていた幻想をいささかも共有することなく、モスクワ裁判の真相を理解させる一つの重要な要因となったのである[92]。

　このことは、モスクワ裁判に対する対抗裁判を行なったデューイ委員会について延島が深い関心を寄せ、デューイ委員会に関わっていたアナキストのアルフレッド・ロスメルに協力を申し出る手紙さえ書いており[93]、さらには、この対抗裁判の記録の一部を『日本評論』に訳出さえしていることからもう

かがえる[94]。プラグマティズムの哲学者ジョン・デューイはかつてアメリカででっち上げの犠牲になった無政府主義者サッコとヴァンゼッテイの事件の模擬裁判の責任者も引き受けており、無政府主義者であろうと、トロツキストであろうと、権力によるでっち上げの犠牲者に対し、誠心誠意公平な立場で対処し、勇気をもって真実を明らかにするその姿勢は、延島のものと大いに共通するものであったと言える。

しかしながら、延島の場合はそれだけではない。同時期における彼の他の諸論文から明らかなように[95]、彼はロシア革命史や国際情勢についての造詣が極めて深く、いちいち典拠を示してはいないが、外国の新聞や雑誌、とりわけ左翼やトロツキストの出しているものにも精通していた。彼自身、かつてインターナショナル史を執筆・出版していたことにも現れているように[96]、一朝一夕ではけっして得られない理論的・情報的蓄積があったのである。だからこそ、モスクワ裁判が起ったとき、すぐさまその本質を見破り、理論的・事実的説得力をもってそれの真実を暴露することができたのであろう。

延島が、モスクワ裁判の真実を悟らしめ、トロツキー擁護の立場をとることを可能にした3つ目の根拠は、スペイン革命において確立していたPOUM とアナルコ・サンディカリストの統一戦線にある[97]。先に紹介したトロツキー邦訳論文の後記で、延島はスペイン革命における POUM の伸張について述べていたが、延島は別途、スペイン革命についての論文を『日本評論』に載せている。そこで、延島はスターリン派について次のようにこっぴどくこき下ろしている。

> カバレロ内閣に2名の共産党員の入閣したことは扇情的に伝えられたが、彼等はスターリン派、即ち国際的にメンシェヴィキ化した共産主義者であるから、格別驚くに値しない。[98]

スペイン革命をブルジョア民主主義革命段階で押しとどめ、権力をブルジョア共和派のもとに置こうとするスターリン主義者に対して、権力をプロレタリアートに移譲させ、産業の社会化を実現せんとするアナルコ・サンディカリストと POUM との統一戦線の実現は、アナルコ・サンディカリスト延島にとって、モスクワ裁判におけるトロツキスト擁護をよりいっそう実践的で差し迫った課題としたのである。

おわりに

　以上、3つのモスクワ裁判に対する当時の日本人知識人たちの見方について簡単に見てきた。本章で言及した諸文献は、当時、雑誌や新聞、その他のものに発表された、モスクワ裁判および赤軍粛清事件に関する膨大な論説の一部にすぎない。書かれた論文のこの多さそれ自体が、いかにこの事件が日本人にとっても衝撃的なものであったかを示している。

　この裁判における当局の言い分を信じた者（左翼や元左翼に多かった）は、布施勝治のような特異な論者を除けば、基本的にトロツキーを悪魔的な存在として観念し、その印象を戦後まで引きずった。フルシチョフ報告などを通じて、あの諸裁判がでっち上げであったことが完全に明らかになった後も、そうしたトロツキー像は相当長いあいだ日本でも世界でも生き残り続けた。そして、この悪魔的で暴力的な極左陰謀家というトロツキーとトロツキストのイメージは、1960年代における急進主義の高揚期において、共産党にとって、台頭する新左翼に対抗する上で、最も重要なイデオロギー的武器となったのである。その意味で、自分たちにとって真に政治的ライバルになりうる唯一の存在たるトロツキー派ないし左翼反対派を、これらのでっち上げ裁判を通じて悪魔的存在に仕立て上げ、したがって政治的にも道徳的にも彼らをゲットー化しようとしたスターリンの企図は、結局のところ、かなり成功したと言えるだろう。

【注】
（1）この裁判記録はその後、パスファインダー社から再刊され、今ではインターネットでも読むことができる。https://www.marxists.org/archive/trotsky/1937/dewey/index.htm　これ自体は未邦訳だが、この対抗裁判の長大な判決文『Not Guilty』は翻訳されている。ジョン・デューイ調査委員会編『トロツキーは無罪だ！ ── モスクワ裁判「検証の記録」』現代書館、2009年。
（2）高杉一郎『スターリン体験』岩波書店、1990年、99頁、149頁。
（3）「トロツキー・ジノヴィエフ陰謀団本部の公判記──検事の論告」『思想月報』第32号、1937年。「反革命トロツキー・ジノヴィエフ団に対するソヴェート連邦最高裁判所軍事部判決」『思想月報』第33号、1937年。時事新報社外報部『赤露の戦慄』時事新報、1936年。
（4）前掲「トロツキー・ジノヴィエフ陰謀団本部の公判記──検事の論告」『思

想月報』第 32 号、285 頁。

(5)「蘇連邦反政府陰謀（平行裁判）事件」『文明協会ニュース』第 125 集、1937 年。
　　ソ連司法人民委員部『曝かれたトロッキーの陰謀』、『国際通信』特別パンフ、
　　1937 年。外務省情報部「暴露された蘇連の並行本部事件」『官報付録週報』第
　　17 号、1937 年。

(6)　プラウダ『反ソヴィエト「右翼＝トロッキー派ブロック」の公判記録』、外
　　務省調査部、1938 年。鈴木英夫・ソ連司法人民委員部『ブハーリン裁判』鹿砦社、
　　1972 年。

(7)　外務省情報部「暴露された蘇連の並行本部事件」『官報付録週報』第 17 号、
　　1937 年、58 〜 59 頁。

(8)　外務省情報部「ソ連裁判の内情」『週報』第 76 号、1938 年、35 頁。

(9)　この種の客観的報道の名による、スターリン派見解の無批判的な流布は以
　　下の文献にも見られる。鈴木孝「ソヴィエト反革命陰謀」『日本評論』10 月号、
　　1936 年。ただし、この筆者は後に、トロッキーの裁判批判の手紙を邦訳して
　　同誌に掲載している。「トロッキーの爆弾宣言」『日本評論』12 月号、1936 年。

(10)　たとえば以下のような記事タイトル。「非常時色の高潮にソ連政府の不安
　　十六巨頭銃殺の真相」『東京朝日新聞』1936 年 9 月 11 日；森正蔵（モスクワ
　　特派員）「ロシア反革命運動の真相」『東京日日新聞』1936 年 9 月 18-19 日；「独
　　露関係に重大渦紋 暴露したからくり 独秘密警察と通謀 暗号は『千一夜物語』
　　──ソ連テロ陰謀事件公判に聴く」『東京朝日新聞』1936 年 9 月 20 日。

(11)『東京朝日新聞』1937 年 1 月 27 日。

(12)「謎のソ連公判」（上）（下）『東京朝日新聞』1937 年 1 月 28 日、29 日。

(13)　丸山政男「並行本部公判を傍聴して」（上）（中）（下）『大阪朝日新聞』
　　1937 年 2 月 24 〜 28 日。

(14)『大阪毎日新聞』1937 年 2 月 28 日。

(15)「ソ連の怪奇裁判」『東京日日新聞』1938 年 3 月 17 日。

(16)　このような折衷的見解は以下の文献にも見られる。木下半治「ソヴィエト
　　の陰謀事件の真相」『セルパン』10 月号、1937 年。木下は事件の「事実関係」
　　に疑問を呈していないが、十分に証明されていないとしている。「キーロフの
　　死を惜しむのは尤もではある。しかし、それを利用し、世界を首肯させる十
　　分な理由も示さずして、長年、革命運動のために苦労してきた 11 月革命の大
　　功労者たるジノヴィエフ、カメネフ等の生命まで断つというのはどうであろ
　　うか？　心臓の弱いわれわれインテリゲンチアには、誠にヘンな気がするの
　　である」（同前、31 頁）。

(17)「イデオロギッシュな面」とは、トロッキーは個人的政権欲で陰謀を起こ
　　しただとか、資本主義を復活させるつもりであったとか、帝国主義やファシ
　　ズムと結んだとかといった罪状を指す。ソ連当局によるこのような主張は、
　　もちろん、布施の受け入れるところではなかった。

(18)『東京日日新聞』1937 年 6 月 14 日。

(19)　布施勝治『ロシア群像』北光書房、1948 年、130 頁。

(20)　布施勝治「スターリン政治の真髄」『外交時報』第 764 号、1936 年、195 頁。

(21) 布施勝治『ソ連報告』大阪毎日新聞社・東京日日新聞社、1939 年、32 頁。

(22) 同前、91 頁。

(23) たとえば、布施はトロツキズムについても次のように言っている――「トロツキー派の敗北は『力』の敗北であって、イデオロギーの闘争に破れたものとはいえない。見ようによっては、『トロツキスト亡びて、トロツキズム生く』ともいいうる」(前掲布施「スターリン政治の真髄」、198 頁)。

(24) ソ連におけるこの種の誤りに、もう一人のソ連通のロシア文学者昇曙夢も陥っている (昇曙夢『謎のロシア』大東出版社、1937 年)。ただし、昇は布施と違って、トロツキーを革命家としてではなく、残酷な陰謀家としてのみ描いており、ずっとスターリニズムに近い立場にある。またソ連経済通の伊部政一も、ほぼ全面的にモスクワ裁判を信用する立場に立っている。伊部は、国家を崇拝するスターリニズムは、国家を自然なものと観るブルジョア自然法学の立場に接近したものとして歓迎し、国家を否定するトロツキズムを「左翼小児病」として排撃している。そして、追い詰められたトロツキー派の「最後の望みは個人的テロリズムによってスターリン派要人を暗殺する」ことだけであり、「右翼反対派と提携するはもちろん、ドイツ秘密警察ゲシュタポとまで款を通じたりとて何ら異とするに足らないのである」とさえ述べている (伊部政一「トロツキー派陰謀事件の理論的考察」『国際知識』12 月号、1936 年、38 〜 39 頁)。

(25) 日向陽一「スターリン革命」『国際知識及び論評』12 月号、1937 年、92 頁。

(26) 同前、78 頁。

(27) 水野嘉雄編『世界の戦慄――戦時体制下のソ連邦は日本及び極東に於いて如何に策謀したか』綜合書房、1937 年、20 〜 21 頁。

(28) 同前、25 頁。

(29) 池澤忠二の親ナチス的発言は、たとえば以下の文献にはっきり見出すことができる。池澤忠二「ソ聯及び独逸独裁政治の理論と実際」『蘇聯邦要覧 1938 年版』日蘇通信社、1938 年。池澤はソ連は確かにスターリンの独裁だが、ナチス・ドイツは責任ある「指導者政治」であり、個人を尊重した高度な全体主義であるとして絶賛している (彼らにとって「全体主義」は悪い意味の言葉ではない)。

(30) 池澤忠二「ソヴィエト・テロリズムと日本」『外交時報』第 775 号、1937 年、128 〜 129 頁。

(31) 同前、133 頁。池澤の第２次裁判論としては以下の論考もある。池澤忠二「ソ聯に於ける並行本部事件の真相――其の政治的意義は何か？」『東大陸』4 月号、1937 年。その趣旨は基本的に『外交時報』論文と同じである。

(32) 池澤忠二「ブハーリン派陰謀事件の本質」『改造』4 月号、1938 年、348 頁。

(33) 同前、349 頁。

(34) 右派・民族派の中には、モスクワ裁判の真相というレベルを越えて、スターリンがこのような裁判を行なってでも強力な国家独裁体制を築き上げなければならなかった背景について冷静に分析している者もいる。『満州評論』に掲載されたある論文は、「スターリン独裁下のソ連国家機構が、予定され目標

とされた社会主義への途から外れた過程を辿って」いること、そして「純正共産主義者」（トロツキストのこと）「の立場より見れば、破局的な方向へプロレタリア独裁が押し流されている」ことを「厳然たる事実として否定できぬ」とし、その背景にある資本主義列強に囲まれたソ連の脆弱な地位を指摘するとともに、このことからあらゆる民主主義や合議制を排除した「準戦体制」をとらざるをえないこと、理想的な共産主義の立場からその方向に抵抗するあらゆる勢力を「売国的」として殲滅しなければならなくなっていることを指摘している（青々流「スターリン政権の動向」『満州評論』第 12 巻 7 号、1937 年、27 ～ 31 頁）。

(35) たとえば、前掲ソ連司法人民委員部『曝かれたトロツキーの陰謀』『国際通信』特別パンフ、1937 年。「あばかれた陰謀団一味」『国際通信』第 3 巻第8 号、1936 年、など。

(36) 岡野秀作「赤軍粛清工作の実相」『自由』8 月号、1937 年、70 頁。

(37) 同前、71 頁。

(38) 同前、74 ～ 75 頁。

(39) ちなみにロシア文学者の尾瀬敬止も当時、モスクワ裁判を完全に信用し擁護する論文を発表している（尾瀬敬止「ソ連政権打倒の夢——トロツキー一派によるテロ大陰謀」『日本評論』3 月号、1937 年）。しかしながら、その後、尾瀬は『ロシヤ及びロシヤ人』という著書において、モスクワ裁判におけるトロツキーの陰謀についてはあいかわらず疑っていないが、トロツキー個人については次のような注目すべき一言を記している。「トロツキーの名は、――いかにスターリンが"裏切り者"呼ばわりをするにしろ――ソヴェート革命史からは除くことが出来ないであろう」（尾瀬敬止『ロシヤ及びロシヤ人』大阪屋号書店、1941 年、132 頁）。

(40) 北村一郎「『裏切られた革命』批判」『自由』6 月号、1937 年、148 頁。

(41) たとえば以下の諸文献を参照。菊地昌典編『トロツキー』講談社、1981 年。上島武・藤井一行・中野徹三『トロツキーとゴルバチョフ』窓社、1987 年。

(42) 荒畑寒村「ヂノヴィエフ一派の銃殺」『改造』10 月号、1936 年。『荒畑寒村著作集』第 6 巻（1976 年、平凡社）所収。

(43) 同前、388 頁。

(44) 同前、396 頁。

(45) 荒畑寒村「トロツキーは果して無こか」『改造』7 月号、1937 年、『荒畑寒村著作集』第 6 巻所収。

(46) 同前、406 頁。

(47) 同前、409 頁。

(48) 同前、420 頁。

(49) 荒畑寒村『寒村自伝』論創社、1961 年、513 頁。

(50) 荒畑寒村「スターリンの犠牲」『自由の旗のもとに』5 月号、1953 年、427 頁。『荒畑寒村著作集』第 6 巻所収。

(51) 「トロツキー・ジノヴィエフ陰謀事件——ロシア共産党政治の行方」『内外社会問題調査資料』第 299 号、1936 年、9 頁。

(52) 同前、12 頁。
(53) 同前、10 頁。
(54) 同前、12 頁。
(55) 「蘇連恐怖政治の発展——五ヵ年計画と反対派の問題」（1）〜（5）、『内外社会問題調査資料』第 325 号〜 329 号、1937 年。
(56) 高谷覚蔵『コミンテルンは挑戦する』大東出版、1937 年、44 頁。
(57) 同前。
(58) 佐野学『スターリン主義と流血粛清』民主日本協会、1952 年、37 〜 38 頁。
(59) 荒畑寒村・嘉治隆一・秦彦三郎・他「蘇連の現状を検討する座談会」『改造』8 月号、1937 年、80 頁。
(60) 同前、81 頁。
(61) 高橋宣彦「ソ連邦内紛の真相——トロツキスト・ジノヴィエフ派裁判に関連して」『ソヴェート連邦事情』第 7 巻第 3 号、1936 年。
(62) 高橋宣彦「右翼トロツキスト・ブロック公判」『ソヴェート連邦事情』第 9 巻第 1 号、1938 年、1 頁。
(63) 同前、10 〜 13 頁。
(64) 同前、14 頁。
(65) 同前、14 〜 15 頁。
(66) 同前、15 〜 16 頁。
(67) 同前、17 頁。
(68) 同前、19 頁。
(69) 同前、20 〜 21 頁。
(70) スティーブン・F・コーエン『ブハーリンとボリシェヴィキ革命』未来社、1979 年、452 〜 460 頁、とくに 459 頁。
(71) 高橋は以下の文献でもこの予見を繰り返している。高橋宣彦「粛清工作をめぐる諸問題」『ソヴェート連邦事情』第 9 巻第 2 号、1938 年。
(72) 吉村忠三『ソ連の真相』偕成社、1937 年、37 頁。
(73) 同前、39 頁。
(74) 「ブハーリン派公判と其の政治的意義」『露西亜月報』第 51 号、外務省調査部第 3 課、1938 年。
(75) 同前、14 頁。
(76) 同前、16 頁。
(77) 同前。
(78) 同前、22 頁。
(79) 同前、23 頁。
(80) 「ソ連邦における粛清工作の決算」『露西亜月報』第 58 号、外務省調査部第 3 課、1938 年。
(81) 「右翼トロツキスト・ブロック反蘇陰謀事件（続き）」『外事警察報』第 190 号、内務省警保局、1938 年、93 頁。
(82) 同前、94 頁。
(83) 同前。

(84) 同前、95 頁。

(85) 延島英一の思想と生涯についてより詳しくは以下の文献を参照。志田昇「ト
ロツキーを擁護した日本人──延島英一の人と思想」『葦牙』第 14 号、1991 年。

(86) 延島英一「トロツキー派公判の真相」『セルパン』3 月号、1937 年、62 頁。

(87) 同前、64 頁。

(88) 同前。

(89) トロツキー「ソヴィエト国家の階級的性質」『日本評論』4 月号、1937 年、
315 頁。

(90) 同前。

(91) 同前。

(92) 戦前日本の戦闘的左翼は、周知のように、ロシア革命以後、ボリシェヴィ
キ派とアナキスト派に分裂して論争を繰り広げたが（アナ・ボル論争）、両者
の歴史的成否は別にして、少なくともモスクワ裁判に対する見方に関して言
えば、延島を輩出したことによってアナ派が優越していたと言えるだろう。
ボル派は講座派も労農派も真実を見抜くことができなかった（労農派の方が
多少ましだったとはいえ）。

(93) 加藤哲郎「歴史の真実と真理への接近──トロツキー文庫の日本人の手紙
に寄せて」『葦牙』第 14 号、1991 年。本書の第 5 章も参照。

(94) [延島英一編訳]「トロツキー模擬裁判」『日本評論』6 月号、1937 年、209
〜 222 頁。14 頁にも及ぶ力作であり、『日本評論』の編集後記には「ルポルタ
アヂュ・ジャーナリズムとして、けだし今月のヒットであろう」とある（『日
本評論』6 月号、544 頁）。

(95) 延島英一「ソヴィエト・ロシア内訌の真相」『日本評論』6 月号、1937 年。同「ト
元帥銃殺の真相」、『日本評論』7 月号、1937 年。

(96) 延島英一『インターナショナル史』解放社、1931 年。

(97) スペイン革命に関しては以下の拙書の第 6 章を参照。森田成也『トロツキー
と永続革命の政治学』柘植書房新社、2020 年。

(98) 延島英一「無政府主義者とスペイン内乱」『日本評論』3 月号、1937 年、233 頁。

第5章
『現代新聞批判』における
延島英一のモスクワ裁判批判

1. 延島英一のロスメルへの手紙と『現代新聞批判』

アナルコ・サンディカリストの延島英一は、モスクワ裁判調査委員会のアルフレッド・ロスメルに宛てた 1937 年 5 月 9 日付の英語の手紙の中で次のように述べている。

> 昨年 8 月にモスクワでトロツキスト裁判が始まって以来、トロツキストを擁護し、スターリンの陰謀を暴露したのは、日本では正真正銘私一人でした。私は、プロレタリアの勝利の最終的保障であるソヴィエト制度がスターリニスト官僚により危機に陥っていることを明らかにするために、多くの論文を書きました。[1]

延島はこう書いて、この手紙の末尾に、この時点で彼が複数のメディアに発表した論文のリストを載せている。その中で、『セルパン』に掲載されたもの 1 本と、当時『改造』や『中央公論』などと並ぶ最も代表的な論壇誌『日本評論』に掲載および掲載予定のものそれぞれ 1 本に加えて、"Critique of Contemporary Journalism" と表記されている媒体に発表された 5 本の論文が列挙されている。この新聞の実際の日本語タイトルは『現代新聞批判』で、月 2 回刊の小新聞であることがわかった。それは、当時、非常に重要な意義を持った戦闘的リベラル派の新聞で、1933 年から 1943 年まで大阪で発行されていた。急速にファシズムと軍部に屈服していく『朝日』や『毎日』や『読売』などの主流新聞に対する批判意識と危機意識を持った人々が、大手メディアで書けないことを（基本的に）ペンネームで書いている。加藤哲郎氏がこ

の延島の手紙をハーバード大学ホートン研究所のトロツキー文庫から入手した時点では、『現代新聞批判』の所在を確認することができず、したがって延島の論文の中身も確認することができなかった。しかしありがたいことに、この新聞の復刻版が1995年に不二出版から出版された。その宣伝文にはこうある。

> 本紙は『大阪朝日新聞』出身のジャーナリスト・太田梶太が、15年戦争のさなか、1933年に創刊したメディア批判のメディアである。その既成ジャーナリズム批判は痛烈で、軍部や言論統制に迎合する新聞のあり方を糾弾し、同時に新聞人への殺傷事件や舌禍事件などを見逃さない。ファシズムが荒れ狂う時代にジャーナリスト主体の確立と勇気ある連帯を訴えて、関西で体制に抵抗した数少ないジャーナリズムのひとつとして、貴重な資料である。

　推薦者として以下のそうそうたる顔ぶれが名前を連ねている。荒瀬豊、家永三郎、尾崎秀樹、久野収。同紙に寄稿した人々の多くは新聞記者やその他のジャーナリストだが、哲学者の戸坂潤、経済学者の住谷悦治（本名と、国府亮一や赤城などのペンネームで）、人権派弁護士として有名な布施辰治、思想家の和辻哲郎、戦後社会党の委員長にもなる鈴木茂三郎（イニシャルで執筆）、東大新人会出身で翻訳者・新聞記者となった早坂二郎、歴史学者のねずまさし、ジャーナリストで自由主義評論家の清沢洌（『暗黒日記』で有名）、経済哲学者の梯明秀、そして戦後、ソ連＝国家資本主義論を唱えて活躍する対馬忠行なども執筆している[2]。とくに、住谷、布施、早坂の3名は、さまざまなペンネームで記事を掲載していた延島英一と並んで、同紙に最も多くの記事を寄稿している。
　以上の面子を見ると、意外にトロツキーと関係の深い人々が多いことがわかる。住谷には短いがトロツキーについて論じたエッセイがあるし[3]、鈴木茂三郎はソヴィエト・ロシアを訪問した際にトロツキーと直接接している[4]。また早坂は1928年にかなり長文で好意的なトロツキー論を書いているし[5]、清沢は1937年にトロツキーの『裏切られた革命』を訳出して、その詳しい解説も書いている[6]。対馬が戦後、トロツキーに関する多くの著作・論文を書いたのはよく知られている通りだ。そして、何よりも延島英一である。
　さて、復刻版の冒頭に収められた同紙の創刊主旨書にはこうある。

　大新聞はあまりにも商品化し、往々にして自ら権威を放擲している。中小新聞はひたすら商品化せんとして、大衆に追随しつつかえって大衆に侮られている。……

　ただ、常世に大広告主あり、厳として新聞に対峙し、新聞は概ね大広告主に阿諛していたらざらんことをこれ畏れている。……

　今、ここに、独力、現代新聞批判を創刊する所以のものは、実にこの自信を唯一の拠る所にして、あえて当代の新聞に先鋭なる批判のメスを加え、その賞揚礼賛するべき点を天下具眼の士に紹介し、而してまたその横暴不当を爬羅剔抉して呪詛する者と共に三斗の留飲を下げんがためである。

　この趣旨書では新聞の商業主義化だけが批判されていたが、創刊号に掲載された「創刊の辞」では、それに加えて権力への新聞の屈服についても糾弾されている。

　現代のいわゆる大新聞は今や資本主義的経営による商品として、読者と大広告主とに阿諛迎合し、また権勢の前に慴伏して、言論と報道に著しく権威と品位とを失墜しつつある。而して新聞読者大衆は常に新聞の低劣にして扇情的なる標題、軽率なるニュースの扱い方とに迷わされ動すれば実相に対する認識と批判とを誤らんとしている。[7]

　ここで書かれている大新聞批判は現在でもそのまま妥当するだろう。同紙には現役の記者や関係者たちが（たいていはペンネームや適当なイニシャルで）多くの記事を寄稿しており、主流メディア（時に自分の所属する新聞）の紙面が辛らつに批判され、時に内部情報が暴露され、新聞拡張員の悲惨な待遇（今も変わっていない）に対する告発などもなされている。私は今回、この復刻版を購入し、同紙における延島英一のモスクワ裁判記事を中心に、彼の執筆と思われる記事をすべてチェックした。彼はさまざまなペンネームやイニシャルで記事を書いており（長島元一、高倉共平、E・K・N、E・N・K）、そのすべてを突き止めているわけではないので確定的なものではないが、少なくとも延島は『現代新聞批判』に約100本もの記事を寄稿している。

2. 第1次モスクワ裁判批判

　さて、彼のモスクワ裁判論である。周知のように、1936年の第1次モスクワ裁判を皮切りに1938年の第3次モスクワ裁判まで、その途中に起きた赤軍幹部粛清事件とともに、ソ連では大粛清の嵐が吹き荒れるのだが、日本の主流メディアは、当初、これを「客観報道」していた。「客観報道」ということはつまりスターリン政権側のでたらめの主張をそのまま垂れ流したということである。

　そうした中にあって、延島英一はこの裁判のでたらめぶりを告発する記事を書いた。その第一弾が、「長島元一」というペンネームで『現代新聞批判』第72号（1936年11月1日）に掲載された「モスコウ大疑獄の報道」という記事である。「長島元一」が「延島英一」のペンネームであるのは一目瞭然である。この論文こそ、延島がロスメルへの手紙で列挙している最初のモスクワ裁判批判の記事である。手紙では、この記事は「The Moscow-Trial in August, in the "Critique of Contemporary Journalism", Oct. 1, 1936, Osaka, bi-monthly」と表記されている。記事の題名は少し違うが、相手にわかりやすいようにそう表記したのだろう。また延島は、この記事を「1936年10月1日」としているのだが、これは「11月1日」の間違いである。たしかに、延島は10月1日号にも記事を寄せているが、それはモスクワ裁判問題ではなく、スペイン内乱問題だった。この時期の延島は、スペイン内戦とモスクワ裁判の両方について本紙をはじめ多くのメディアで健筆を振るっていた。そして、『現代新聞批判』に掲載された延島の最初の記事こそまさに、その10月1日号に掲載された「スペイン内乱の報道」という記事だった[8]。おそらく延島は、この記事の日付とモスクワ裁判批判の記事の日付とを取り違えたのだろう。

　さて延島は、「モスコウ大疑獄の報道」の冒頭で、日本の新聞報道がソ連指導部の主張するままにモスクワ裁判を「客観的に」報道ないし解説していることをこう批判している。

　　8月のモスコウに於けるジノヴィエフ、カメネフを首とする疑獄事件の報道は電報といい其の後の解説的報道といい、少なからず新聞人一般の眼識を疑わしめるものがある。ブルジョワ新聞は、事件そのもののセンセーショナルであるのに眩惑されて、スタリンの指揮棒の赴くままに踊らされた感が深い。[9]

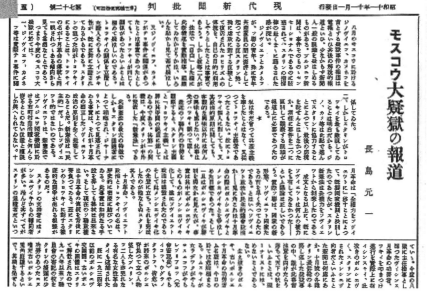

延島英一による最初のモスクワ裁判批判の記事（『現代新聞批判』第72号）

　しかし、この第一弾の記事では、スターリン体制に批判的であった人を含めて、当時世界中のほとんどすべての人がそうであったように（もちろんトロツキー自身を除いてだが）、モスクワ裁判で示された被告たちの罪状が一から十までまですべてでっち上げだとまではされていない。さすがにそれは通常人の想像を超えたものだった。疑わしい点はいろいろあるが、事件そのものは起こったことであるとみなされている。いくらスターリンでもそこまでめちゃくちゃなことはすまいという「常識」が邪魔をしたのである。延島は、このモスクワ裁判の報道において次の2点を踏まえるべきだとしている。

　一、ジノヴィエフ、カメネフ等は実際テロ事件に関係していた。
　二、しかしスターリンがトロツキイを最も敵視していることは明白だから、ジノ、カメ等はこの点で進んでスタリンに協力することによって、最後の窮境を脱せんとはしなかったか。
　このように事件を二つに区別して観察する眼識が報道上必要であったのである。

このように、延島は、このテロ事件をトロツキーに結びつけたのはでっち上げだが、テロ事件そのものは事実であり、それへのジノヴィエフとカーメネフの関与もおそらく事実だろうと判断している。この記事の中心をなすのは、なぜスターリンがこのテロ事件をトロツキーに結びつけたのかということの政治的・社会的考察である。延島がその考察において主たる手がかりとしたのは、つい最近制定されたスターリン憲法であった。それは、ソヴィエト制度を根本的に破壊することを目的としたものだとして、次のように述べている。

　　　この新憲法の最大の特徴でしかもスターリン追随者によって韜晦され、
　　　ジャーナリストによって見落とされている事実は、それが10月革命の樹
　　　立したソヴィエット政治の原則を全く抛棄していることだ。新憲法は「民
　　　主的」だ。しかしソヴィエット的ではないのである。……10月革命は「全
　　　権力をソヴィエットに」移すことによって、既成国家機関と袂別したので
　　　あったが、スターリン新憲法は全権力をソヴィエットから剥奪したのである。

　スターリンがこのようにして10月革命の革命的伝統から完全に手を切り、それを否定したことは、必然的にトロツキーないしトロツキストとの厳しい対立へと追いやったと延島は見る。なぜなら、トロツキーは10月革命の革命的伝統と密接に結びついていたからである。

　　　10月革命、ソヴィエット政治とトロツキイの名は、歴史的に密接に結び
　　　ついている。この事実はいかなる手段を弄しても払拭はできない。そして
　　　現在のソ連政権は10月革命の伝統を背後に背負っている。ここにスター
　　　リンのトロツキイに対する徹底的な闘争が生まれる根拠がある。……
　　　トロツキイ主義者を一掃するとなると、古いボリシェヴィキ、レーニンの
　　　信任を得た者、10月革命の功労者、内乱の勇士は、甘んじてスターリンの爪
　　　先を舐める者以外、すべて逮捕、銃殺しなければならない。
　　　そしてこれこそがスターリンが新憲法を施行するに当たってなさねばなら
　　　なぬ事前工作なのである。

　延島の考察は根本的に正しい。1936年のこの裁判を革切りに大規模に実行された大粛清は（延島はまだこの時点ではこれが単なる始まりにすぎなかったことをもちろん知らないのだが）、10月革命と内戦の革命的伝統、ソヴィエト

政治の伝統を完全に断ち切り、その都合の良い外形だけをスターリンの正統支配に利用するために必要だった。そしてまさにトロツキーこそがその伝統の最大の生きた体現者だった。たとえ公式文書や写真からトロツキーの名前と姿を消し去っても、今生きている革命家たちの脳内にはまだ、レーニンと並び立つトロツキーの姿が、10月蜂起の組織者であり内戦の勝利の組織者であるトロツキーの記憶が刻み込まれていた。その記憶、その思い出、その知識は、その保持者の肉体といっしょに滅ぼさなければならなかったのである。

延島は、キーロフ事件やその他の「テロ事件」をトロツキーに結びつける策略を暴くだけでなく、ジノヴィエフやカーメネフ、トロツキーの犯罪を「告白」した被告や証人たちの証言の中身がきわめてあやふやで信用できないことを具体的に指摘して、次のように述べている。

> このようにトロツキイ断罪の証拠、というよりは証言には辻褄の合わぬことが多々あるのである。これを見たヨーロッパの社会主義者はナチスの議事堂放火事件調査の例に倣い、一個の調査委員会を組織し、真相を徹底的に究明することになった。この調査委員会に賛成している人士は、いわゆるトロツキイ主義者のみならず、トロツキイと政見を全く異にしているものが多数に含まれているのである。

延島もこの記事を書いた半年後に、自ら調査委員会に協力したいとの手紙を、調査委員会の責任者の一人であるロスメルに手紙を出すことになる。延島はこの記事の最後に、『朝日新聞』を筆頭とする日本の大手新聞を次のように痛烈に批判している。

> ロシアでは8歳の幼児が、この「狂犬」どもを銃殺したことに対してスターリンに感謝の手紙を送ったということであるが、世界の、ことにソ連と国交縷々平穏ならざる日本の大新聞も、スターリンの眼には、この8歳の児童と同様に映じたことであろう。[10]

このように延島は、日本の大新聞が8歳の幼児並みであることを辛辣に論じている。同紙における延島の論調は他のテーマに関しても基本的に辛辣さと皮肉に満ちており、これもその一例にすぎない。

延島はロスメルへの手紙の中で、自分が書いたモスクワ裁判関連の第2の

記事として、「Again on the Moscow Trial」を挙げており、同じ『現代新聞批判』の 1936 年 12 月 1 日号だとしている。それに該当するのが、『現代新聞批判』第 74 号（今度は日付は合っている）に掲載された「ソ連テロ裁判」という記事である。この記事は、『東京朝日新聞』の 11 月 14、15、17 日号に掲載された丸山政男の解説記事「ソ連テロ裁判を抉る」を厳しく批判したものであった。丸山は単に客観報道をするだけでなく、より詳しい解説を施しているのだが、その内容は結局、この裁判が真実で、トロッキーが実際に陰謀を働いたのだということを確認するものだった。このような記事は当然にも延島の容赦ない批判の格好の餌食になった。

延島は、「表題を見た時、何を『抉』り出したか、どういう新事実を発見したかと些かならず興味を起したが、内容は陳腐で取るに足りない」と述べ[11]、丸山論文からいくつかの特徴的な文章を引用し、それらがいずれもまったく事実にも常識にも反することを指摘している。その上で延島は、スターリンがこのでっち上げ裁判を実行した理由として、72 号で指摘した論点にプラスして、次のような国際的事情を付け加えている。

> トロを叩きつける必要は、私が本誌 72 号で述べたソ連の国内事情の他に、国際的理由がある。それはフランス、イタリー、ベルギー、殊にスペインに於けるトロツキー主義者の優勢だ。9 月 26 日、カタルニア政府の改造に際して、「世界的に知られた」トロツキー主義者、プロフィンテルン前執行委員アンドレアス・ニンは、マルクス主義統一労働党を代表して司法大臣の椅子に着いた。

トロッキー自身はニンのこの司法大臣就任を、ちょうどロシア 2 月革命後に臨時政府に入ったメンシェヴィキ指導者と同じ振る舞いをしたとして厳しく批判していたのだが、延島は、スペイン革命の高揚によってトロツキストが大いにその勢力を拡大したこと、そしてそれ以外の国々でも同様の傾向が見られることを、スターリンによるこの暴虐の根拠の一つにしている。

3．第 2 次モスクワ裁判批判

以上が第 1 次モスクワ裁判に関する延島の『現代新聞批判』記事である。第 1 次裁判から数ヵ月後の 1937 年 1 月にはラデックやピャタコフらを被告

とする第２次モスクワ裁判が始まっている。延島は第３の記事でもって、ただちにこの第２の見世物裁判を論じた。この記事は、手紙では「The Radeks follow the example of the Savinkov-Ropshin」として紹介されているが、その掲載号である『現代新聞批判』1937年2月15日号には、長島元一名で「ソ連疑獄と朝日」という記事が掲載されている。題名はかなり違うが、内容としては、第２次裁判が1917年におけるサヴィンコフ事件に類似していることが指摘されているので、この記事のことを指しているのは間違いない。相手にわかりやすいように、内容を踏まえた表題にしたのだろう。

　延島はまず冒頭で、『朝日新聞』が延島による批判を完全に無視して、依然としてスターリン側の立場に立って、実際にトロッキーがこのような陰謀の黒幕であるかのような記事を載せ続けていることを厳しく糾弾している。さらに延島は第２次裁判に話を進め、これについても『朝日新聞』がスターリン政権に追随的な記事を書いていることに厳しい批判を加えている。

　　実に私が最初指摘した通り、この疑獄事件の報道に関しては朝日はスタリンから徹頭徹尾8歳の幼児並みに扱われたのである。スタリンは愚鈍な特派員を抱き込み、日本の最大最高の言論機関を自己の宣伝集団として操り、充分機の熟するのを待って今回の挙に出たのであろう。[12]

　スターリンが『朝日』の特派員を抱き込んだから、今回の第２次裁判の挙に出たというのは大げさだが、しかし、『朝日』にかぎらず世界中で多くのブルジョア・メディアがモスクワ裁判を信じたのを見て、このでっち上げ裁判を続ける気になった可能性は否定できないだろう。

　延島がロスメルへの手紙でリストアップしている『現代新聞批判』掲載の第４の記事は、英語で「The Death of the Leninist Party in Soviet Russia」と題されたもので、1937年5月1日付に掲載されたとしている。調べてみると、これに該当するのは、「レニン党の断末魔──五里霧中のソ連通」と題された記事である。掲載の日付も合っている。

　延島はこの中で、いわゆるソ連通と呼ばれている連中がまったくこの裁判を前にして無力さをさらけ出していることを口を極めて非難している。

　　私の知る限りでは、いわゆるソ連通諸氏は、読者と同様、もしくは以上に五里霧中感に浸り、途方に暮れているのである。ラデック公判後の各紙の解説、特派員の通信が、一体何を伝えたであろう。要するに狐につままれ

たような気がすると筆を揃えて言っているに過ぎない。いわゆる大雑誌に掲載されたソ連通諸氏の言説の多くも、新聞記事の切抜又は引延し以上のものではなかった。

　之を要するに、いわゆるソ連通諸氏は、現地にある朝日、毎日、同盟の特派員を含めて、最近のソ連邦の政治不安を全然知らないのだ。敢えていえばそれを理解する能力を欠いているのだ。[13]

　しかしこの記事のテーマは、これまでのように主流メディアの無能さをあげつらうことではなく、もっと踏み込んで、ソ連が当面している危機を分析し、それがレーニン主義党の解体を示唆するものであることを明らかにすることであった。その中で、延島は、実はスターリンでさえ芝居を躍らせているにすぎず、内務人民委員エジョフが黒幕ではないかという説を唱えている。

　今度のトロツキイ派事件というのは、スターリンにボルシェヴィズムと断然手を切らせるべく仕組まれた芝居ではないか。スターリンに元のツアーのごとく表面的には威権広大だが、実質においてはゲ・ペ・ウの仕組んだ芝居で思うままに踊らされているのではないか。ソ連邦の真の実権者は、その意味でエジョフではないか。

　たしかに、この大粛清において中心的役割を果たしたのは内務人民委員のエジョフだった。この時期、エジョフはスターリンと並び称されるような存在にすらなった。しかし大粛清が一通り終わると、それによって生じた多くの混乱やダメージの責任を取らされて、彼自身が粛清されてしまうのである（1940年）。

　真の黒幕が誰であれ、この一連のモスクワ裁判はレーニン主義党の解体と崩壊を示すものであると延島はみなしている。延島はその階級的根拠は専門的知識人層、専門家層の台頭と支配であるとみなす。

　専門的知識の所有者はいかなる社会においても権力者となり得る傾向があるが、他の社会では、財産、門閥、社会的伝統などのために、その傾向は十分に伸長されえない。しかるにプロレタリア社会では、かかる障碍が大部分除かれるため、彼らに権力の帰する傾向は極めて容易かつ顕著になるのである。

　延島は、スターリンが共産主義政党、プロレタリア政党の立場を放棄して、これらの知識階層、専門家層、技術者の組織になろうとしていると言う。他方で、共産主義の伝統、プロレタリア党の伝統を守っているのはトロツキーであるが、こちらはこちらで、フランスやスペインでしだいにアナルコ・サンディカリズムと融合しつつあるので、どちらの極においてもレーニン主義の党は死につつあるのだと延島は結論づけ、最後に次のように述べている。

　　我々はソ連邦におけるトロツキイ派一人一人の銃殺の呻きの中に、レーニンの党の断末魔を見なければならぬ。彼等の逮捕一件ごとに、マルクス・レーニン主義の最後の痙攣を感ぜざるを得ないのである。

　ロスメルの手紙でリストアップされている『現代新聞批判』における5本目の記事は、この上の記事からすぐ後に出されたもので、「The Arrest of Iagoda」と表記されている。調べてみると、上の記事の次の号に掲載された「ヤゴダ逮捕の真因」という記事がそれだろう。元ゲ・ペ・ウの長官として絶大な権力を振るっていたヤーゴダさえもトロツキー派テロ組織の一員として逮捕された事実は、この事件全体がでっち上げである証拠だと延島は指摘する。

　　この広範な力を持つヤゴダまでが左袒していながら、いわゆる反対派の手で政府及び党要人を一人も倒せなかった点に至っては、これまた奇中の奇といわざるを得ない。殺されたのは後にも先にもキロフ一人だが、キロフは反対派に対する寛容策の主張者だったのだから、何も殺す必要のなかった要人である。実際スタリン初め現在のソ連邦要人は、神か人かと言いたくなるくらいだ。[14]

4．赤軍首脳銃殺事件とその後

　以上で、ロスメルへの手紙に列挙された『現代新聞批判』掲載の記事は終わりだが、この手紙の後にも延島は裁判批判の記事を書いている。今度は、モスクワ裁判そのものではなく、赤軍幹部に対する裁判を批判する記事である。
　延島はこの中で、やはり大手新聞がことごとくこの事件についてまともな理解を示していないことを厳しく批判している。これまでのモスクワ裁判と

のいちばん大きな違いは、トロツキーとの関連が云々されていないこと、ト
ハチェフスキーを初めとする赤軍幹部の逮捕を極秘にし、公開裁判がなされ
ず、公判はたった1日でなされ、被告の8名の赤軍幹部がすべて即日銃殺さ
れたことである。見世物裁判も、べらべらとした自白もなかった。延島は、
日本のメディアでこの重要な相違点に気づいた者はほとんどおらず、例外は
布施勝治だけだと述べている。しかし、その布施も、トロツキーとの関連が
ソ連側から云々されていないのに、結局、トロツキー派との関連があるのだ
ろうと結論づけることで、せっかくの分析をぶち壊していると延島は言う。
では、トロツキー派を陥れるためでないとすれば、この裁判はなぜ行なわれ
たのか。延島の分析はかなり的確である。

> 党幹部は、ラデック公判を口実として、軍部にゲ・ペ・ウの手を伸ばさん
> とした。この時トハチェフスキイを首とする軍首脳部は、この手入れを拒
> んだのである。無責任なゲ・ペ・ウの跳梁を許したのでは、今や極度に専
> 門化した軍の編成に支障をきたし、軍紀軍律が保てなくなるからである。
> ……この党部と軍部の衝突が、今度の赤軍事件の真因であろう。それ故に
> こそトハチェフスキイの逮捕を極秘に付し、電光石火的に審理して銃殺し
> たのであろう。長引くと軍全体が動揺する恐れがあったからであろう。[15]

　モスクワ裁判はすべてでっち上げであっただけでなく、その裁判で銃殺さ
れた人々は実際にはスターリンにとって脅威ではけっしてなかった。それに
対して、赤軍首脳銃殺事件はそうではない。罪状は同じくでっち上げだが、
彼らは実際にスターリンにとって脅威になりうる存在であったし、おそらく
すでになっていた。だからこそ、延島が指摘するように、見世物裁判を演じ
る余裕さえなく、電光石火で銃殺に処したのである。

　この記事以降、モスクワ裁判関係の記事はなくなる。1938年の第3次モ
スクワ裁判に関する延島の論評記事はない。しかし、延島自身はさまざま
なペンネームで健筆を振るい続けている。日中戦争や張鼓峰事件、独ソ不可
侵条約、チェコ事件、独ソ戦などでも長い記事を書いている。また布施勝治
の著書『ソ連報告』（1939年）を批判する記事も非常に興味深いものであり、
紙幅が許せば詳しく紹介したいところだ[16]。
　だが、日本のあらゆるリベラル派、社会主義者、そして延島のようなアナ
ルコサンディカリストやアナキストも含めて、戦争が拡大し深刻化するにつ

れて、その論調はしだいに愛国主義的なものになっていき、太平洋戦争の勃発を機に、完全に大日本帝国万歳、八紘一宇の議論へとなだれ込むことになる。この『現代新聞批判』も例外ではなかった。大手新聞の資本主義的商業主義と国家主義的追随主義を批判していたはずの『現代新聞批判』はやがて、左からではなく右から、『朝日』や『毎日』を批判するようになる。『朝日』の軟弱な姿勢では帝国日本はアメリカに勝利できないというわけだ。こうして、『現代新聞批判』はその歴史的意義を完全に失い、1943 年には新聞そのものが停止するに至る⁽¹⁷⁾。

　ちなみに、延島英一は、その論調が完全に愛国主義になってから、『現代新聞批判』に書く時もペンネームやイニシャルを使うのをやめ、本名の延島英一名で記事を書くようになる。もう本名を隠す必要がなくなったということであろう⁽¹⁸⁾。

【注】
(1) 訳は以下より。加藤哲郎「歴史の真実と真理への接近――トロッキー文庫の日本人の手紙に寄せて」『葦牙』第 14 号、1991 年、145 頁。
(2) すでに述べたようにほとんどの執筆者はペンネームやイニシャルだけを使っていたので、今なおわかっていない著名人がこの『現代新聞批判』に執筆していた可能性がある。
(3) 住谷悦治「トロッキー」『社会思想』12 月号、1927 年。
(4) 鈴木茂三郎『労農露西亜の国賓として』日本評論社出版部、1923 年。
(5) 早坂二郎「レーニンの片腕、没落のトロッキー」『歴史を創る人々』中西書房、1928 年。その中で早坂はトロッキーを、「海の底に落ち込んでもなおかつ永久に回り続け」、広大な海を塩辛くした「塩の臼」にたとえている（同前、111 ～ 112 頁）。
(6) 清沢洌「トロッキーのスターリン批判」『東洋経済新報』7 月 3 日号、1937 年。トロッキー『裏切られた革命』（中央公論別冊附録）、中央公論社、1937 年 8 月。清沢洌『ソ聯の現状とその批判』東洋経済新報社、1937 年。
(7) 『現代新聞批判』第 1 号、1933 年 11 月 15 日、1 頁。
(8) アナキストとして、延島の第一の関心はまさにスペイン内戦の行方だった。『現代新聞批判』に掲載された延島のスペイン内乱関係の主な記事は以下の通り。長島元一「スペイン内乱の報道」『現代新聞批判』第 70 号、1936 年 10 月 1 日；同「スペイン内乱の報道其後」『現代新聞批判』第 73 号、1936 年 11 月 15 日；同「米田實博士のヨタ――朝日の『首都陥落後のスペイン』」『現代新聞批判』第 74 号、1936 年 12 月 1 日；同「カタルニア政変の真相――東朝スペイン特電の與太」『現代新聞批判』第 78 号、1937 年 2 月 1 日；同「外国新

聞切抜帳——人民戦線ヴァラエチー」、『現代新聞批判』第 80 号、1937 年 3 月
1 日；同「スペイン内乱に関する英佛書」『現代新聞批判』第 83 号、1937 年 4
月 15 日；同「バルセロナ市街戦の背景」『現代新聞批判』第 85 号、1937 年 5
月 15 日;同「英国のスペイン干渉——各新聞の論調」『現代新聞批判』第 86 号、
1937 年 6 月 1 日；同「内乱後のスペイン」『現代新聞批判』第 90 号、1937 年
8 月 1 日；高倉共平「読者を愚にする新帰朝の重德泗水君——スペイン問題で
事実を歪曲」『現代新聞批判』第 96 号、1937 年 11 月 1 日。

(9) 長島元一「モスコウ大疑獄の報道」『現代新聞批判』第 72 号、1936 年 11 月
1 日、5 頁。

(10) 同前、4 頁。

(11) 長島元一「ソ連テロ裁判」『現代新聞批判』第 74 号、1936 年 12 月 1 日、4 頁。

(12) 長島元一「ソ連疑獄と朝日」『現代新聞批判』第 79 号、1937 年 2 月 15 日、9 頁。

(13) 長島元一「レニン党の断末魔——五里霧中のソ連通」『現代新聞批判』第 84 号、
1937 年 5 月 1 日、7 頁。

(14) 長島元一「ヤゴダ逮捕の真因」『現代新聞批判』第 85 号、1937 年 5 月 15 日、
3 頁。

(15) 長島元一「赤軍陰謀事件の報道——頼りない新聞のソ連通」『現代新聞批判』
第 88 号、1937 年 7 月 1 日、2 頁。

(16) E・K・N「漢楚軍談的『ソ連報告』——布施勝治氏の新著」『現代新聞批判』
第 127 号、1939 年 2 月 15 日。

(17) 人権派弁護士として有名な布施辰治もこの『現代新聞批判』紙上でいくつ
も愛国的記事を書き、対米戦争開始への感激の念を表明している。

(18) 延島英一名の記事は以下の通り。延島英一「新聞新体制の再検討」『現代
新聞批判』第 203 号、1942 年 4 月 15 日；同「新聞国民化の諸問題」『現代新
聞批判』第 207 号、1942 年 5 月 1 日；同「出版新体制の中心問題」、『現代新
聞批判』第 210 号、1942 年 8 月 1 日。

第6章

戦前日本における
マルクス主義翻訳文献の歴史
——その発展と衰退

　本章は第1章への補足をなすもので、戦前日本におけるマルクス主義翻訳文献がどの程度の規模で出ていたのかについて、より詳しく紹介する。そのことで、戦前日本におけるトロツキー翻訳文献の位置づけについてもよりいっそう明確になるだろう。序文でも触れたように、私はこのテーマですでに『科学的社会主義』に上下で論文を書いたが[1]、本章はそれとはまったく別に書いたものである。

1．全体像

　戦前のマルクス主義者や進歩派知識人たちが過酷な弾圧と検閲と発禁処分にもかかわらず、大量のマルクス主義文献を翻訳ないし執筆し、出版しつづけ、当時の日本を世界有数のマルクス主義文献大国にしたことはよく知られている。だが実際にそれがどれほどの規模であったかは、必ずしも十分知られているとは言えない。戦前を暗黒一色に塗りつぶす偏った見方からは想像もつかないほどの大量のマルクス主義文献が出ていたのだが、その全容を調べた人はまだいない。とくに戦前のマルクス主義文献のかなりの部分（おそらく過半）を占めるのは、何よりも海外のマルクス主義文献を翻訳した書籍であった。
　先行研究として、久保誠二郎氏による「戦前日本のマルクス主義文献」[2]がある。しかし、これは翻訳文献と日本人による文献の両方をリストアップしたものであり、また「凡例」にあるように、マルクス（マルキシズムを含む）、エンゲルス、レーニン（レーニズムを含む）、スターリン、カウツキー、ブハー

リンというわずかなキーワードにもとづいて、国立国会図書館の検索サービス（OPAC）、国立情報学研究所の検索サービス（CiNii）、法政大学附属大原社会問題研究所（和書データベース）の３つの所蔵書籍情報を利用して作成された限定的なリストにすぎない。また、まったく同じ文献が複数回リストアップされている事例も散見される。なぜそんなことが起こるかというと、OPAC と CiNii とで書名の記載が異なる場合があり、それゆえ、同じ文献なのに二重にリストアップされているのである。さらに、このリストには、書名に「マルクス」という言葉さえ入っていれば、完全な反共主義の文献も機械的に記載されている。そこで私は、戦前のマルクス主義関係の翻訳文献に絞った文献目録を自分で作ることにした（ただし、この文献目録そのものは膨大すぎて本書には収録していない）。

　しかし、そのように限定しても問題がある。どこまでを「マルクス主義関係の翻訳文献」とみなすかである。まず、露骨な反共・反マルクス主義の文献は排除されるべきであろう。目録作成の目的は戦前におけるマルクス主義の普及・研究状況を確認するためであるのだから、露骨な反共・反マルクス主義文献までカウントすると、その点が曖昧になってしまう。だからといって、マルクス主義に対する真面目な批判文献や学術文献も排除するのは、やりすぎであろう。これらの文献が翻訳される背景にあるのはやはり、マルクス主義に対する関心の増大だからである。したがって、クローチェやバートランド・ラッセル、ベーム＝バヴェルク、ボルトケヴィッチらによる学術的なマルクス主義批判文献は入れることにした。

　次に問題になるのは文学的作品である。まず、ジョン・リードの『世界を揺るがした十日間』のようなドキュメンタリー作品や、トロツキーの『わが生涯』のような自伝や伝記の類は当然リストに入るべきだろう。また、ルナチャルスキーやウィットフォーゲルやコロンタイのように、マルクス主義の理論家でありながら文学作品も書いているような人々の文学作品はリストに入ってしかるべきだろう。また、ソ連時代に、単なる同伴者ではなく明確なプロレタリア作家ないし共産主義作家によるマルクス主義志向の創作物もリストに入れていいだろう。問題はマクシム・ゴーリキーをどうするかだ。日本では相当以前からロシア文学作家としてのゴーリキーの作品が翻訳されていた。彼のものを入れると、日本におけるマルクス主義文献の普及の推移がやや曖昧になってしまう。ロシア革命が起こるまで、マルクス主義文献の翻訳点数はほぼゼロに近かった（他方、クロポトキンらの無政府主義の翻訳文献はかなり出版されていた）。しかしゴーリキーの作品を入れるとかなりの点

数にのぼってしまう。それゆえ、今回は、ゴーリキーの作品は、特殊にレーニンやロシア革命などを論じているもの以外は割愛することにした（ゴーリキー全集もまるごとリストから排除した）。基本的に同じ理由から、中国の革命文学の巨匠である魯迅の翻訳も省くことにした。両者の翻訳を入れると、全体としての点数が数十点ほど増える。

　また、たしかにある種の社会主義者ではあるが、マルクス主義者と言えるかどうかあいまいな場合もしばしばある。とくにマルクス主義の翻訳が盛んになる以前の1910年代や20年代前半には、そういった社会主義者の作品がかなり大量に訳されていた。まず、そうした中で明確に無政府主義者として分類できる人々（クロポトキン、プルードン、バクーニン、エマ・ゴールドマンなど）は基本的にリストに入れなかった（ただしマルクス主義やロシア革命を論じたものは入れておいた）。問題は、ウェッブ夫妻やエドワード・カーペンターをはじめとするイギリスのフェビアン協会派やその他の社会改良主義的な社会主義者（ギルド社会主義者など）をどうするかだ。これらの作品も初期段階で大量に翻訳されており、マルクス主義の翻訳時代への架け橋のような役割を果たしている。とはいえ、やはり内容的にマルクス主義的とは言えないので、リストから除くことにした。さらに、ソレルやラサールをマルクス主義者に数えるのはかなり微妙だが、マルクス主義に強いかかわりのある文献にかぎっては、リストに入れておいた。どんな分類でも境界事例の判断には苦慮するが、いちおう以上のような処理をしたことを付記しておく。

　基本的に著作として出版されたものだけがリストアップされているが、定期刊行物であっても、ほとんど翻訳だけで編集されているものについては翻訳書としてカウントしている。といっても、すべての定期刊行物をチェックしたわけではないので、この面に関しては漏れている場合がまだまだあると考えられる。

　同じ著者の翻訳であっても、戦前の日本では著作権が問題にされていなかったので、話題になった原著であれば、同じ年に同じ文献が違う翻訳者と違う出版社によってほぼ同時に出版されるということも頻繁にあった。これらはもちろん別の文献としてカウントされている。同じ底本で同じ翻訳者であっても、改訳されたり、装丁や表題が変わったり、あるいは伏字が増やされたりすることで、繰り返し再刊されているが、これらも版が明らかに違うものであるかぎり、別の文献としてカウントされている。ただし、ただ刷数（戦前はそれも「版」と言っていたので注意が必要）を重ねただけのものは、たとえ、OPACやCiNiiでヒットしても別の文献とはみなしていない。

また、上巻、下巻や１巻、２巻などの複数点で出ているものもそれぞれを１点として数えている。底本が同じでも、改訳版、増補版、普及版、文庫版などとして異なった体裁で出ていれば、確認できるかぎりで、それぞれ１点として数えている（戦前は、欧米のように、ハードカバーで出てから、後にソフトカバー＝普及版で再刊される場合が少なからずあった）。ごくまれにだが、同年同月に同じ出版社から同じ翻訳者で出版されていながら、表紙だけが違う２種類の版が出ている場合がある。この場合は別々のものとしては数えずに、同じ作品とみなした。

　戦前の政府機関は内部で閲覧研究するために、しばしばマルクス主義の文献（とくに『共産党宣言』、『国家と革命』、『共産主義のABC』など）を翻訳して内部閲覧していたが、これらも、OPACやCiNiiでヒットするものについては、リストに入れておいた。

　以上の基準に基づいて、戦前の日本におけるマルクス主義翻訳文献の出版点数を年度別にまとめると以下のようになる。

17年以前	1917年	1918年	1919年	1920年	1921年	1922年	1923年	1924年	1925年
4点	0点	1点	17点	19点	21点	16点	37点	37点	60点

1926年	1927年	1928年	1929年	1930年	1931年	1932年	1933年	1934年	1935年
83点	237点	240点	254点	310点	302点	217点	112点	81点	80点

1936年	1937年	1938年	1939年	1940年	1941年	1942年	1943年	1944年	1945年
105点	81点	25点	15点	17点	18点	0点	2点	1点	0点

合計 2387 点

　以上はあくまでも現時点での数字である。まだなお多少増えたり減ったりするだろうが、おおむねこの水準から大きくは変わらないだろう。以上を視覚的にわかりやすいように、1917年以降に限定してグラフ化すると次頁のようになる。

　ざっと見ればわかるように、戦前のマルクス主義文献の翻訳の歴史は、おおむね1919年に始まって1941年で終わりを告げている。したがって、戦前日本におけるマルクス主義の翻訳の歴史はだいたい20年とみなすことがで

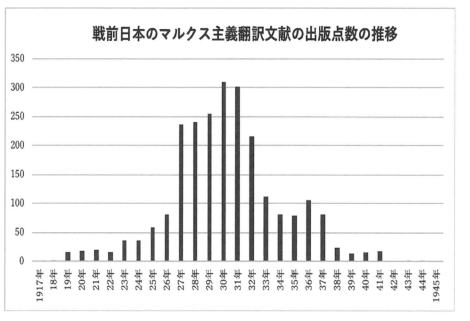

きる。この 20 年間は全体として大きく３つの時期に分けることができるだろう。1919 年から 1926 年までの上昇期、1927 〜 1932 年の全盛期、1933 年以降の衰退期である。

・上昇期……マルクス主義の翻訳文献の出版点数は 1917 年のロシア 10 月革命勃発以前はほとんど出版されていないが（その内実については後述する）、1919 年から徐々に増え始め、1923 年後半から 1924 年前半の関東大震災の影響による停滞を例外とすれば、1924、25、26 年と着実に増えていっている。

・全盛期……1927 年までに出版されたマルクス主義関係の翻訳文献はトータルで 290 点ほどだったが、1927 年だけでそれにほぼ匹敵する 240 点近くが出版されている。この 1927 年から 1931 年までの５年間が戦前の最盛期で、1932 年には出版点数は大きく下がったとはいえ、この 1932 年も含めると、６年間で 1500 点以上の翻訳文献が出版されたことになる。その中でも 1930 年と 1931 年が頂点で、どちらも年間に 300 点以上出版されている。

・衰退期……1933 年以降、戦争の拡大と激化に歩調を合わせて、出版点数は大幅に減っていき、太平洋戦争が勃発した 1941 年の末以降はほぼ出版点数はゼロになり（政府機関による翻訳が少しあるだけ）、戦争が終わるまでその状態は続く。

2. 1919 年までの先行期

　各時期について見る前に、1919 年までの時期、いわば先行期について簡単に見ておこう。すでに述べたように、1917 年まではほとんどマルクス主義の翻訳文献は存在しない。いちおう 4 点を確認することができたが、それらのうち理論的な文献と言えるのは、2 点だけである。1 つは、1908 年というかなり早い時期に先駆的に翻訳されたエンゲルスの『家族・私有財産および国家の起源』で、堺利彦がそれを抄訳し、『男女関係の進化』という題名で有樂社から出版した。きわめて早い時期の翻訳なのだが、興味深いことに、堺がこの著作を翻訳したのは、それがマルクス主義の文献だからではなく、むしろ同書がよりどころとしているルイス・モルガンの著作に対する関心からであった。堺は「はしがき」で次のように述べている。

　　本篇は主として、フリードリヒ・エンゲルスの著『家族、私有財産、及び国家の起源』に依る。しかしてエンゲルス氏のこの書はまた米国の学者リュイス・モルガン氏の名著『太古の社会』に依ったものである。モルガン氏の『太古の社会』は実に歴史以前の研究において、一時期を画する大著であって、今日いやしくも原始時代の社会について論議する者は、必ず皆この大著に基づいているのである。しかるにモルガン氏のこの大著はいまだかつて日本の読書会に紹介されておらぬ。そこで予はこの篇において、せめてその一端を紹介せんと欲したのである。モルガン氏の原著に依らずしてエンゲルス氏に依りたるはただ簡明なる記述の便宜に従ったのである。付記す、エンゲルス氏はマルクスと共に近世社会主義の祖と称せられる人である。[3]

　この「はしがき」でわかるように、マルクス主義の位置づけはかなり低く、エンゲルスについても、わざわざ説明しなければならないぐらいだった。
　2 点目は、それから 5 年後の 1913 年に出版されたカウツキーの『社会主義倫理学』で、これも堺利彦の手になるものであった（丙午出版社）。今度はマルクス主義への関心、とりわけその唯物史観と倫理との関係に対する関心から翻訳された。これはもともと 1912 年 1 〜 12 月に『新仏教』という雑誌に「唯物論の倫理」という表題で連載されたもので、筆者である堺の「序言」によると、最初に英訳版からの重訳し（連載時）、その後、ドイツ語原著によっ

て訂正をほどこされた。この著作が『新仏教』に連載されていたという点だけでも、大逆事件（1911年）後のいわゆる「冬の時代」であったこの時期のマルクス主義文献が、いかに非政治的なものとしてのみ存在しえたかがわかる[4]。

　大きな転機となったのは言うまでもなく1917年のロシア革命である。だが、すぐにマルクス主義文献の翻訳が出はじめたわけではない。1917年はゼロで、1918年に先駆的にトロツキーの『過激派と世界平和』が出版されているぐらいだ。同書については、すでに本書の第1章で詳しく述べたので、ここでは割愛しよう。

3．上昇期（1919～1926年）

　次に、各時期についても詳しく見ておこう。まずは上昇期である。この上昇期は、まだマルクス主義文献がぽつぽつとしか出版されていない前半期（1919～23年）と、関東大震災による1年近い中断を経た後に順調に出版点数が増え始める後半期（1924～26年）とに分けることができるだろう。

上昇期の前半期（1919～1923年）

　1919年になると、マルクス、エンゲルス自身のものをはじめとするマルクス主義の翻訳文献の出版がようやく本格的に始まる。まず、1919年に松浦要と生田長江によるそれぞれ別個の『資本論』の翻訳が出され始め（いずれも途中で終わる）、マルクスの『賃金・価格・利潤』も翻訳出版されている[5]。同時に、『資本論』の解説書やマルクス伝なども出版される。解説書としては、その後も繰り返し出版されるカウツキーの『資本論解説』が最も重要である（後述）。この1919年だけで、タイトルに『資本論』を冠したものが7点も出版されている。

『資本論』生田長江訳 1919年

翌 1920 年には、『マルクス全集』の一環としてより本格的に『資本論』の翻訳刊行が始まるとともに（後述）、マルクス、エンゲルスの入門書的なものが出版される。この時期、マルクス主義への関心が始まるのだが、それはまだ政治的・革命的というよりも、入門書的ないし学術的なものが主であった。また、マルクスの翻訳が何よりも『資本論』から始まったのは、日本のその後の『資本論』研究（戦後を含めて）の盛況ぶりを予示するものであったと言えるだろう [6]。また、翻訳の対象となったのも多くは英語版で、たまにドイツ語からの翻訳が見られる程度だった。

　レーニンの翻訳書が初めて出版されるのはようやく 1921 年になってからである。『労農革命の建設的方面』（三徳社）は、山川均と山川菊栄の夫婦の共訳であり、まだ新しい翻訳世代はほとんど育っていない。もちろんロシア語原書からの翻訳ではなく、英語版と仏語版からの翻訳である。ロシア語からの翻訳が出始めるのは全盛期になってからだ。さらに同じ年に、プレハーノフの著作も初めて日本語に翻訳出版されているが（『マルクス主義の根本問題』岩波書店）、この前半期は、まだこれらのビッグネームの翻訳は本格化しておらず、むしろ後にはほとんど翻訳されることのない理論家がしばしば翻訳対象になっていた。

　たとえば、今ではむしろ少しだけブームになっているウィリアム・モリスは、日本で最初に著作として訳されたマルクス主義者かもしれない。彼の『理想郷』は 1904 年に翻訳出版され、その後、1920 年に再刊されている。アメリカ社会党の指導者で後に猛烈な反ボリシェヴィキとなるモーリス・ヒルキットの『社会主義体系』（日本評論社出版部）は 1920 年に出版され、1921 年には同じアメリカ社会党のもう一人の指導者ルイス・ブディンの『マルクス学説体系』（アルス）が山川均訳で出されている。ブディンはトロッキーのニューヨーク時代に親しく交わった一人であり、ヒルキットは

レーニン『労農革命の建設的方面』山川均・菊栄共訳　1921年

ニューヨーク時代のトロツキーの最重要ライバルだった。

　また、レーニンによって左翼小児病の代表格とされたオランダの極左マルクス主義者ヘルマン・ゴルテル（オランダ語読みだとホルテル）の『唯物史観解説』が 1919 年に堺利彦によって翻訳され、売文社出版から出されたが、発禁になり、1920 年には出版社を変えて、「レッドカヴァー叢書」の一環として再刊されている[7]。しかしこれも 1923 年の関東大震災で出版社が焼け、1924 年に再刊されている。ヒルキット、ブディン、ゴルテルは戦後一度も翻訳されていないが、当時彼らの著作は、マルクス主義の入門書として大いに活躍した。また、フランスのマルクス主義者で、マルクスの娘婿であるポール・ラファルグの著作が 1921 〜 22 年に 4 冊も翻訳されているのも、注目に値する。

　他にも、マックス・ベーアなどの英語圏のマルクス主義者の文献がこの時期かなり翻訳されている。その中でも目立つのは、ジョン・スパルゴー（スパーゴ）、アーネスト・ウンターマン、メアリー・マーシーなどのアメリカのマルクス主義者の入門的文献だ。一般にアメリカはマルクス主義の不毛の地と認識されているが、先のヒルキットとブディンも入れれば、この時期、日本の社会主義者がいかにアメリカのマルクス主義者たちが書いたわかりやすい英語文献に頼っていたかがわかる。

　他にも、この時期において注目すべき点について、3 点指摘しておきたい。

　第 1 に、この前半期に実際には翻訳なのに、表紙には訳者名だけが記載され、あたかもその訳者による著書であるかのように表紙に書かれていたり、あるいは CiNii やOPAC に訳者名だけが著者として登録されている場合がしばしばあることだ。当時は、翻訳であるかどうかにそれほど厳格ではなかったようだ。

　第 2 に、ベーベルの『婦人と社会主義』をはじめ、社会主義的な婦人解放論が非常に早い時期に翻訳されていることである。『婦人と社会主義』は早くも 1919 年に

カウツキー著『マルクス資本論解説』1919年
左はハードカバー版（売文社）、右がソフトカバー版（三田書房）

最初に一部が訳され（村上正雄訳、三田書房）、1922〜24年に全5巻が翻訳され（牧山正彦訳、弘文堂書房）、1923年には山川菊栄による別の訳が1冊本で出ている（アルス）[8]。このベーベルの著作以外にも、堺利彦や山川菊栄や山川均らの社会主義者たちは早くから女性解放に関わる著作をかなり積極的に訳しており、このことは特筆に値する。

第3に、大鐙閣の『マルクス全集』[9]の一環として、高畠素之による『資本論』全3巻が翻訳出版されたことである[10]。完結するのは後半期（1924年）だが、主要な部分は前半期に出ている。すでに述べたように、1919年からいっせいにさまざまな人による『資本論』の翻訳が始まったが、最後まで翻訳しきったのは、この高畠訳だけであり、それは戦前唯一の完訳でもあった。高畠はこの『資本論』をその後繰り返し改訳・改訂しつづけるが、この努力そのものが戦前における日本の『資本論』研究に寄与するところ大だった。

高畠は同時に、『資本論』の解説書として最も売れたカウツキーの『資本論解説』も翻訳しており、それはまず1919年にハードカバー版（売文社）とソフトカバー版（三田書房）の2種類が翻訳出版されている（久保氏のリストでは1918年出版となっているが、1919年の間違いであろう）。この著作も、『資本論』と同じく、高畠によって後に繰り返し改訂・再版・改訳され、さまざまな出版社から出され、いずれもよく売れたようである。

258

上昇期の後半期（1924〜1926年）

　その後に続く1924〜26年の後半期だが、これも最初からすぐ順調に翻訳文献が増大したわけではない。1924年は、1923年9月1日に起こった関東大震災による深刻な影響もあって、出版点数は1923年と同じである。東京の出版社をも襲った関東大震災は、当然にも、マルクス主義の翻訳文献の出版動向にも深い影響を与えた。1923年には37点が出版されているが、出版月が確認できるものを見ると、ほとんどが9月以前に出版されており、9月以降に出版されたのはわずか1点にすぎない。多くの原稿や組版が地震による火災と共に焼失したのである。1924年には同じ37点が出版されているが、そのほとんどは5月以降に出版されている。それ以前に出たのは、出版月が確認できるものに限ってだが、4点だけである[11]。つまり、1923年9月から1924年5月までの8〜9ヵ月間、ほぼ出版活動は停止していたということである。しかし、震災による打撃からかなり立ち直った1925年にほぼ倍増の60点に増加し、1926年には83点へと急増している。

　マルクス・エンゲルスのものはまだ、『資本論』や『剰余価値学説史』、『経済学批判』のような経済学関係と、『空想から科学へ』『賃労働と資本』『フォイエルバッハ論』『哲学の貧困』『ゴータ綱領批判』などの比較的短いものや入門書的なものが中心である。目につくのは、1926年にエンゲルスの『イギリス労働者階級の状態』がドイツ語原書から竹内謙二訳で出版されていることだ[12]。

　レーニンに関して最も重要なトピックスは、日本最初の『レーニン著作集』（全10巻）が山川均を編集責任者にして企画され、1926〜27年に（部分的な計画変更はあったが）、きちんと最後まで刊行されたことである。発売元は白揚社で、主としてドイツ語、部分的に英語とフランス語から翻訳されている。予約した会員のみへの販売であるが、かなり売れたようだ。きわめて立派な装丁で出され、すべて箱つきで、一冊あたりの頁数もきわめて多い。1914年以降の著作と論文に限定したと刊行の辞に書かれているが、実際には、『ロシアにおける資本主義の発達』と『唯物論と経験批判論』が8、9巻と10巻に収録されている。第1巻が1926年3月に発行され、最後の第10巻が1927年3月に発行されているので、ジャスト1年で全10巻を出したことになる。山川均に関する最も詳細な伝記である石河康国の『マルクスを日本で育てた人　評伝・山川均』にもこの『レーニン著作集』のことが出てくる。

そしてレーニンの業績自体を体系的に紹介したのも山川だった。わが国初の『レーニン著作集』をみずから監修・編纂し、西（雅雄）や佐野文夫、田所（輝照）など水曜会育ちのメンバーに翻訳させ、1926年3月から全10巻を白揚社から刊行したのである。著作集の第1巻は、ネップにかんする論稿を網羅した『新経済政策』だが、山川の訳出である。[13]

　この日本で最初の『レーニン著作集』の予約購読者向けに立派な冊子の「内容見本」が作成されたのだが[14]、そこで紹介されている全10巻の企画と実際に出版されたものとを比較すると、ある決定的な違いが見いだせる。当初の企画では、第8巻は『プロレタリア独裁』とされ、『国家と革命』が第1編に収録される予定だったのが（「内容見本」にも1頁だけ『国家と革命』からの抜粋が翻訳掲載されている）、実際に出された8巻は『ロシアにおける資本主義の発達　前編』になっている。『国家と革命』を出すのは危険だと判断されて、企画が変更されたのだろう。実際、その後、別の人々が何度か『国家と革命』を翻訳出版しているが、すべて即日発禁処分になっている。著作集を何とか完結させたいという思いから、急きょ、企画が変更されたのだと考えるのが合理的であろう。

　この『レーニン著作集』は上昇期から全盛期への結節点に企画出版されたというだけでなく、全盛期をつくり出す起爆剤のような役割を果たした。1926年に出版されたレーニンの翻訳点数は13点にすぎず、その半分以上がこの『レーニン著作集』だった。しかし、この『レーニン著作集』の成功をきっかけに、1927年以降、爆発的にレーニンの翻訳が出されるようになった。『レーニン著作集』の完結は1927年3月だが、1〜4月にレーニンの翻訳は他にわずか4点しか出ていない。しかし、同著作集が完結して以降、レーニンの著作出版点数は爆発的に増大する。5月〜8月が12点、9〜12月が倍の24点である。

　さて、この後半期は、レーニンやトロツキーだけでなく、その後に主たる翻訳対象となる大物のマルクス主義者があいついで翻訳され始める時期でもある。まず、ブハーリンの翻訳書は、1923年の『轉換期の経済学』（稲垣守克訳、改造社）が最初だ。これはたちどころに版を何度も重ねたが、ブハーリンのものが本格的に出版され始めるのは、ようやく1926年になってからである。ちなみにスターリンの著作はこの時期、政府機関による翻訳しかなく、まだ民間の出版社からは出されてない。

　ローザ・ルクセンブルクは、1923年に『資本主義社会に於ける再生産の

問題』(『資本蓄積論』の一部)が「大原社会問題研究所パンフレット」の一つとして、久留間鮫造訳で出版されているが、本格的な翻訳著作としては、1925年に『ローザ・ルクセンブルクの手紙と其生涯』(同人社)が最初であり、1926年には一気に6点も刊行されている。

さらに、レーニンについで戦前に最も翻訳されたマルクス主義者の一人であるオイゲン・ヴァルガの著作が最初に訳されたのも、この時期だ。彼の『資本主義経済の没落』(白揚社)は西雅雄訳で1924年に出版されている。ジノヴィエフの最初の日本語訳である『労働党と労働組合――労働組合の中立主義に就て』(富士辰馬訳、改造社)も、1924年に出版されている。ボグダーノフの最初の翻訳が出たのもこの時期だ(『経済科学十二講』赤松克麿訳、白揚社、1924年)。ルナチャルスキーは、1924年に満鉄調査部によるものが出ているが、それを別とすれば、通常の市販本としては、1925年に出版された『新芸術論』(茂森唯士訳、至上社)が最初である。

戦後はほとんど出版されなかったが、戦前は大量に出版されたプロフィンテルンの指導者ロゾフスキーの翻訳書も、1925年に『国際労働組合運動――革命主義的潮流と改良主義的潮流』(堺利彦訳、白揚社)として出されている。ロゾフスキーと同じく、戦後はほとんど出版されず、戦前には大量に出版されたボリシェヴィキ幹部としては、他にデボーリンがいるが、1925年に彼の『レーニン主義の哲学』(志賀義雄訳)が希望閣から出されている。

もう一つ、この後半期に特徴的なのは、ごく短い期間だが、トロツキーの文学論と文化論が集中的に訳され、一種のトロツキー・ブームが起きたことである。この点についてはすでに第1章で詳しく論じたので、ここでは触れておくだけにする。

4. 全盛期 (1927〜1932年)

次に1927年から始まる全盛期だが、最初の1927年だけで240点近くのマルクス主義の翻訳文献が出版され、前年の約3倍に増えている。それ以降、毎年200点以上が出版され、頂点をなす1930と1931年にはそれぞれ300点以上が出版されている。1931年と比べて大きく減った1932年でも、200点以上が出版されている。まずこの時期を全体として見ていこう。

全盛期の全体像

　各ビッグネームの出版点数もこの時期に飛躍的に増大している。まず、マルクスとエンゲルスのものだが、1919 年から 1923 年まで、6 点、4 点、5 点、5 点、8 点と停滞していたが、1924 年、25 年、26 年と、9 点、11 点、15 点と順調に伸ばしていき、1927 年には一気に 42 点に飛躍している。1928 年には 34 点、1929 年は 23 点、1930 年は 25 点、1931 年には 24 点、1932 年は 21 点である。マルクス、エンゲルス関係でこの時期に特筆すべきなのは言うまでもなく、改造社から世界初で戦前唯一の『マルクス・エンゲルス全集』全 27 巻（補巻と別巻を入れて 32 冊）が出版されたことだろう。これについては後で再論する。

　レーニンはどうか？　先ほど述べたように、レーニンの翻訳著作が最初に出版されたのはようやく 1921 年になってからだが、その後、出版点数はほとんど伸びず、1925 年まで合計でわずか 14 点しか出版されていない。1926 年には、それまでの 5 年間とほぼ同じ 13 点が出版され、27 年になると一気に 3 倍以上の 44 点に増大し（この転換の結節点をなすのが、先ほど紹介した『レーニン著作集』である）、その後、1928 年に 48 点、1929 年に 41 点、1930 年に 45 点、1931 年に 33 点、出版されている。そして全体として出版点数が大きく減る 1932 年でも、26 点が出版されている。分量的に、戦前に最も多く出版されたのは、マルクスでもエンゲルスでもなく、レーニンのものであった。レーニンの翻訳著作だけで戦前、300 点以上の出版が確認できる。

　ブハーリンの著作の翻訳出版点数は、マルクス、エンゲルス、レーニンのビッグスリーに次ぐものだ。ブハーリンの著作は 1927 年まではせいぜい年に 1〜3 点しか出版されていなかったにもかかわらず、1927 年になると、共著や編集も入れると、その年だけで 22 点も出版されている。スターリンの著作の翻訳出版が本格化するのは、ようやくこの時期になってからだ。1927 年までは雑誌での翻訳や政府機関による翻訳として以外は 1 冊も出版されていなかったが、1927 年にはブハーリンとの共著も入れて一気に 14 点が出版されている。

　この時期、レーニン、ブハーリン、スターリン以外にも、ボリシェヴィキの指導的メンバーや著名理論家たちの著作が大量に訳されている。オイゲン・ヴァルガ[15]、ルナチャルスキー、ロゾフスキー、ピアトニツキー、デボーリン、コロンタイ、ポクロフスキー、ボグダーノフ、モロトフ、アドラツキー、リャザノフ、等々とほとんどの有名どころの著作が大量に訳されている。コミン

テルンを初めとする国際機関の文献が大量に出版されるようになったのもこの時期の特徴で、著者名・編者名にコミンテルン（コミンターン、コムミンテルン等々）や青年コミンテルン、プロフィンテルンといった共産党系の国際機関の名を冠した文献が山のように出版された。

　そして言うまでもなく、これらの文献は基本的にすべて広い意味でのスターリニズム（一国社会主義論にもとづくソ連中心の官僚主義的で教条主義的なマルクス主義）を基調としていた。日本のマルクス主義翻訳文献の最盛期が始まった1927年は、トロツキーが反主流派として党内闘争に敗れていく時期と重なっており、したがって雪崩のように大量のマルクス主義翻訳文献が訳された時期は、スターリニズムが大量に日本のマルクス主義知識人に植えつけられる時期でもあったと言うことができる。

　この時期、マルクス主義文献の多数を占めるのはボリシェヴィキないしスターリニズム、コミンテルン関係のものだったとはいえ、プレハーノフ、カウツキー、ローザ・ルクセンブルク、ヒルファディング、オットー・バウアー、ハインリッヒ・クノーなどの非ボリシェヴィキ系のマルクス主義者の翻訳も、それなりに出されていたことも触れておく必要があるだろう。とくに、戦後の方が多く出版されるトロツキーやローザ・ルクセンブルクと違って、プレハーノフとカウツキーは戦前の20年間の方が、戦後の75年間よりもよっぽど多くの翻訳書が出版されている[16]。

　1927年からのこの大きな飛躍の重要な要因は、1926年の第2次共産党の結成や労働運動の高揚などに加えて、ロシア革命の影響下で政治的に急成長した新しい若手の知識人たちがこの時期から翻訳者ないし研究者（たいていはその両方）として自立しはじめたことである。たとえば、1918年に結成された左翼的な東大新人会に参加した人々の中には、後にマルクス主義の翻訳や研究を担った人々を大勢輩出したし、山川均を指導者とする水曜会には、労働者出身で向上心の強い若い世代が集まり、外国語を独習して、新しい翻訳者の世代の一翼を担った。また、マルクス主義派が1920年代後半に講座派と労農派に分裂したことは、両派が時に競い合って、時に協力してマルクス主義文献の翻訳や独自の研究書の出版をするという事態をもたらし、このこともマルクス主義文献の急増と活気をもたらした。

　1928年の3.15事件や1929年の4.26事件をはじめとする共産党に対する度重なる大弾圧とあいつぐ発禁処分の中で、そして現在のようなインターネットもパソコンも、充実した辞書もない中で、原稿用紙にペンで書き、文選工と植字工が一字ずつ字を拾って版を組み、粗末な印刷機と粗末な紙で印

刷するという悪条件の中で、これほど大量の翻訳書が出されたことは、ただ
ただ驚くほかない。

　そして、これほど出版点数が多くなった理由の一つは、実はこの弾圧その
もののであったとも言える。当時におけるマルクス主義の出版活動は厳しい
事前検閲と絶えざる発禁処分との闘いであったが、何らかの翻訳書が発禁処
分になると、タイトルを少し変えたり、伏字を少し増やしたりして同じ出版
社から出しなおされたり、あるいは別の出版社から再版されることもよく
あった。

翻訳の大プロジェクト

　さらに、この時期のいくつかの注目すべきポイントを指摘しておきたい。
まず第1に、この時期、いくつもの大規模な翻訳出版プロジェクトが企画さ
れ、驚くほど短期間に実行されたことである。その最初の本格的な試みは、
先に少し触れた『レーニン著作集』全10巻であるが、その後も、「レーニン
叢書」が企画・出版されたり（20点以上を出版）、『レーニン全集』も何度か
企画されている（いずれも数巻を出したのみで挫折）。

　こうした著作集・全集出版プロジェクトの最も有名な事例が、先ほど少し
触れた全27巻（補巻と別巻を入れて32冊）からなる日本独自の『マルクス・
エンゲルス全集』の編集と出版の事業であった。この日本版『全集』は、世
界で初めての本格的な『マルクス・エンゲルス全集』でもあり、1928年か
ら1933年にかけて改造社から出版された。労農派を中心とする多くのマル
クス主義者やその他の進歩派知識人の協力のもとに、この巨大な事業は見事
に完遂されたのであり[17]、それは、マルクス、エンゲルスの祖国ドイツや
ソヴィエト・ロシアでそうした事業が実現されるずっと以前のことであった。
この全集には『共産党宣言』は入っていないが、『共産党宣言』への各種序
文は収録されている。また、『資本論』も入っていないが、この全集とセッ
トで（したがって同じ装丁で）高畠版の『資本論』全3巻5冊が（以前のもの
を改訳したうえで）出版され（1927〜28年）、さらにそれとセットで同じ高畠
訳のカウツキーの『改訳資本論解説』（1927年）も同じ装丁で出版されてい
る[18]。これらも全集に含めるなら、世界最初の『マルクス・エンゲルス全集』
は全38冊となる。

　有名な話だが、この改造社版の『マルクス・エンゲルス全集』の企画が公
式に発表された1928年5月とほぼ同じ時期に、共産党系の学者を中心にして、
同人社、弘文堂、希望閣、岩波書店、叢文閣の5社が中心となって別の『マ

連盟版『マルクス・エンゲルス全集』全 20 巻の
予約購読者向け内容見本

ルクス・エンゲルス全集』全 20 巻が企画発表され（改造社版と区別するために聯盟版と通称されている）、予約募集の内容見本や広告まで出され、相互に激しい宣伝合戦が行なわれたが、結局、聯盟版の方は挫折することになった[19]。

　これ以外にも、後でも触れる『スターリン・ブハーリン著作集』全 16 巻（白揚社）をはじめ、数えきれないほどの「〜選集」「〜叢書」「〜パンフレット」「〜著作集」などのシリーズが企画され、（一部は最後まで、一部は途中まで）刊行された。たとえば、1927〜28 年に叢文閣が企画した「社会科学叢書」は全 40 巻が刊行され、多くの翻訳と共に日本人自身による著作も多数収録された。同じ叢文閣が 1928 〜 1930 年に企画した「マルクス主義芸術理論叢書」はすべて翻訳からなり、全 12 巻が完結している。それ以外にも多くの叢書やシリーズが企画された。たとえば、1927 年に出版された「叢書」だけでも、「マルクス主義叢書」「マルキシズム叢書」「マルクス思想叢書」「マルクス・エンゲルス政治論叢書」「社会科学叢書」「我等叢書」「政治批判叢書」「社会問題叢書」「レーニン叢書」「レーニズム叢書」「レーニン農業問題論文叢書」「婦人問題叢書」「国際プロレタリア叢書」「労働組合運動叢書」などが見出せる。1930 年だと、「大衆叢書」「国際時事問題叢書」「レーニン主義入門叢書」「ソヴェート作家叢書」「農業問題叢書」「法及び国家理論叢書」「労農ロシヤ文学叢書」「世界社会主義文学叢書」「コミンテルン叢書」「青年運動叢書」「世界経済叢書」「ソヴェート連邦経済叢書」といった具合である。しかし、1930 年以降に企画されたものは、そのほとんどが数点ほど出した後に、弾圧によって途絶している。

　第 2 に、この時期、マルクス主義関係の文献は商業的にも十分採算の取れ

るものとなり、共生閣や希望閣やマルクス書房などの左翼出版社だけでなく、すでに名前の出ている改造社だけでなく、平凡社や新潮社、春秋社などの大手の出版社もマルクス主義文献の出版に手を出すようになったことである。このことはマルクス主義をよりいっそう大衆化し、深く日本社会に浸透させることにつながった。たとえば、新潮社は1926～27年に「マルクス思想叢書」を企画し、マルクス主義に批判的な著作（ベーム・バヴェルクなど）と共にエンゲルスやカウツキーらの文献も翻訳しているし、弘文堂は1926～29年に「マルキシズム叢書」21冊を出版している。また各出版社は、「社会思想全集」（平凡社）とか「世界大思想全集」（春秋社）などの大規模なシリーズを企画し、あるいは「文庫」を発行したために（代表的なのは岩波文庫と改造文庫）、それぞれのシリーズにマルクス主義の主要な古典文献を入れたがったので、このことからも、同じマルクス主義文献の複数の翻訳がたくさん出るようになった（これは戦後も続く日本独特の出版文化でもある）。

　第3に、ソ連、コミンテルン、ドイツ共産党などから、マルクス主義の入門書や教程、教科書のたぐいが大量に出版されるようになり、その多くが忠実に日本に翻訳され、紹介されたことである。同じく、初心者の理解を助けるために、マルクス、エンゲルス、レーニン、その他の主要なマルクス主義者のさまざまな文章や論文を分野別にまとめて出版する企画も多く実行された。このような初心者あるいは労働者向けの教科書的文献の大量出版が見られるのも、この全盛期の特徴である。

前半期と後半期の分岐

　この全盛期の短い5～6年間をあえて2つに分けるなら、1927～29/30年の前半期と1930/31～32年の後半期とに分けることが出来るだろう。この2つの時期にはいくつかの違いがある。

　まず第1に、前半期はトロツキーをはじめとする反対派は粉砕されていたとはいえ、スターリンの独裁はまだ確立されておらず、スターリンとブハーリンが並び立っていた時期だった。先に触れた1928～30年発行の『スターリン・ブハーリン著作集』全16巻はこの時期の代表的成果である。ごく短期間に、いずれも分厚い16冊もの著作集が完結したことは驚くべきことだ。この時期はブハーリン全盛の時代でもあり、ブハーリンの著作の翻訳はスターリンの著作の翻訳よりもはるかに多く出版されていた。この短い「ブハーリン時代」ないし「スターリン＝ブハーリン時代」の存在は忘れられがちだ[20]。とくにブハーリンの主著の一つである『史的唯物論』[21]と並んで、

プレオブラジェンスキーとの共著である『共産主義の ABC』[22] は、前半期と後半期をまたいで、何度もさまざまな訳者、出版社から、さまざまなタイトルで出版されている（そしてすべて発禁処分になっている。画像にあるように、表紙に貼られた「特500」は発禁書の意味）。

しかし、ブハーリンが失脚する後半期になると、ブハーリンの出版点数は急減し、1932 年にはついに1点にまで落ちる。その推移を簡単に以下のグラフにまとめたが、1927 年に一気に増大し、1927 〜 29 年に絶頂をきわめ、1930 年から急減している様子がわかる。

ブハーリンとプレオブラジェンスキーの共著
『共産主義の ABC』

第2に、前半期はまだスターリン独裁が確立されていないことに同じく関連して、一時的にソ連哲学界を完全に制覇していたデボーリンの著作が大量に翻訳出版されている。しかしデボーリンはスターリンに対して一定の自立性を持っていたため、1930 年に失脚し、したがって後半期以降にデボーリ

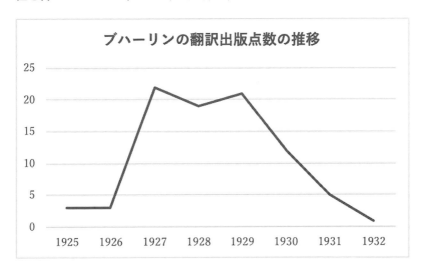

ブハーリンの翻訳出版点数の推移

ンの著作の出版は激減し、1931年には『「デボーリン派」批判のために』という著作が翻訳されている(白揚社)。代わりに哲学部門の指導者となるのが、スターリンにより忠実なミーチンであり、1932年からその著作の翻訳が始まっている。

　同じような栄枯盛衰はリャザノフについても言える。ソ連の最も権威あるマルクス研究者で、マルクス・レーニン研究所の所長であったダヴィッド・リャザノフもまた1930年にでっち上げ事件で失脚し、代わってアドラツキーが1931年にマルクス・エンゲルス・レーニン研究所の長となると、翻訳出版されるのも主にアドラツキー編のものになる。リャザノフに関して特筆しておくべきことは、リャザノフ評注版の分厚い『共産党宣言』が1930年に翻訳出版されていることである[23]。

　第3に、後半期からモロトフやマヌイルスキー、クーシネン、カガノヴィッチ、クイブイシェフのような、札付きのスターリニストの翻訳の出版が始まることである。たとえばモロトフは、1930年まで1冊も翻訳されたことがなかったが、1930年に2点、1931年には4点、1932年には5点、出版されている。1930年に出版されたスターリン生誕50周年を記念した翻訳書『スターリン』(インターナショナル編輯部編訳、戦旗社)はその集大成みたいなもので、主要なスターリニスト官僚がみなこぞって寄稿している。主要な理論家をあらかた粛清してしまったので、このような官僚しか残らなかったのだ。

　第4に、一方では1929年に大恐慌が起こって世界経済を混乱の只中に叩き込むとともに、他方で同じ時期にソ連では強制的な農業集団化と大規模な5ヵ年計画が実行されて、ソ連は工業生産高を急速に伸ばしていた。その実態はかなり問題含みだったのだが、表面的には、ソ連は当時、世界で最も成功している経済成長国家に見え、恐慌で苦しむ資本主義諸国との鮮やかな対比をなしていた。そのため、後半期には、一方では、世界恐慌について分析する多くのマルクス主義文献（とくにオイゲン・ヴァルガによるもの）が大量に出版されるとともに（世界恐慌を主テーマとする専門雑誌さえ発行されている）、他方では、一部のマルクス主義左翼を超えてソ連経済への関心を知識層のあいだで掻き立て、ソ連の工業や農業に関する多くの翻訳書が出されるようになった。この点が後半期のもう一つの重大な特徴である。

5．衰退期（1933 ～ 1941 年）から戦後へ

全盛期から衰退期へ

　このように 1927 ～ 32 年の 6 年間に戦前の日本はマルクス主義文献の翻訳
の最盛期を迎えるのだが、その間にも国内の共産主義・社会主義勢力に対す
る弾圧は強化されていっており、すでに後半期には衰退期への転換の徴候が
はっきり見られるようになっている。形式的には、1930 年と 31 年に出版点
数は頂点を迎えているが、それは出版する側と弾圧する側との激しいせめぎ
あいの結果だった。実際、この間、発禁処分になる文献の数もうなぎ上りに
増大しており、たとえば、1927 年に出版されたマルクス主義翻訳文献に占
める発禁処分の割合は、1 割弱であったが、1928 年には 2 割になり、1930
～ 32 年には 4 分の 1 から 3 割近くにまで増えている。とくにコミンテルン
＆プロフィンテルン、青年コミンテルン関係の翻訳文献はほとんどが発禁処
分になった。検閲当局が最も警戒したのは、まさにこのような国際組織との
つながりだったのである。コミンテルンやプロフィンテルンがいかにスター
リニスト的であろうと、それとの思想的・組織的つながりは、階級的な意味
においてだけでなく、民族的・国家的な意味においても、日本の支配体制と
相いれなかった。コミンテルンと手を切って、天皇制を支持さえすれば、た
とえば佐野学や鍋山貞親のように、ある種の「社会主義」を標榜していても
大目に見られたのである。
　また、全盛期の後半からすでにマルクス主義系・左翼系の雑誌が次々と諦
観・廃刊を余儀なくされていくとともに、左翼出版社の多くも倒産したり、
その活動を停止せざるをえなくなっている。たとえば、上野書店は 1929 年
12 月、イスクラ閣は 1930 年 3 月を最後に出版を停止しており、南宋書院は
1930 年 7 月、マルクス書房は 1930 年 11 月、南蛮書房は 1931 年 3 月、左翼
書房は 1931 年 7 月、戦旗社は 1931 年 8 月、プロレタリア書房は 1931 年 11 月、
南北書院は 1932 年 7 月、共生閣は 1933 年 2 月、希望閣は 1933 年 5 月をそ
れぞれ最後に出版が（あるいは少なくともマルクス主義文献の出版が）途絶え
ている。これらの出版社の中でも、とくに精力的にマルクス主義翻訳文献を
出していた共生閣の栄枯盛衰について見てみよう。

マルクス主義出版社、共生閣の盛衰

　共生閣は 1926 年から出版活動を開始している。社長である藤岡淳吉の孫

にあたる中川右介という人が手記を残しているが⁽²⁴⁾、それによると、鈴木商店という当時、日本を代表する大商社に勤めていた淳吉は、堺利彦をはじめとする社会主義者の文献を読んで社会主義に目覚め、商社をやめて堺利彦の弟子になる。その後、1922年に結成された共産党に参加したり、さまざまな活動をして何度も逮捕された後に、1926年に24歳という若さで共生閣という出版社を起こす。そして、1928年1月に「レーニンの『国家と革命』を友人の岡崎武に訳させて出し、本人曰く『天下に名を挙げた』」⁽²⁵⁾。もちろん、この『国家と革命』は即日発禁と

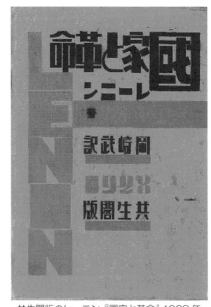

共生閣版のレーニン『国家と革命』1928年

なっているが、予約申し込みだけで3000部もあったそうだ⁽²⁶⁾。この1928年という年は、レーニンの翻訳出版のピークをなす年でもある。1928年1月に出されたこの共生閣版『国家と革命』は、したがって、このピークの年のスタートを飾るにふさわしいものだったと言える。

　ちなみに、共生閣の出版第1号は、藤岡淳吉の先生である堺利彦が訳したハインドマンの『共産制より資本制へ』（訳者の堺によるとハインドマンの『社会主義経済学』の序論を訳したもの）で、1926年10月に出版されている。50頁足らずの短い小冊子だが、その巻末で、おそらく淳吉自身の筆によるものと思われるが、ハインドマンのこの文献の来歴について、次のように述べられている。

　　この小冊子はかつて大正10年、書店アルスより社会科学叢書第2編として荒畑勝三氏の手によって訳出されたラファルグの『私有財産の進化』に、付録として一度公表されたものである。それを今度、訳者の承認を得て独立のパンフレットとしたわけであるが、原著者は訳者も云っているがごとく、英国における社会主義の長老として有名な人物であるが、戦時、にわかに愛国主義の潮流に参加して、大分ミソをつけ、先年物故した。しかし、

社会進化の歴史に関する見解においては、その道の権威であった。即ちこの文の如き、特に諸君の一読に十分値すると確信する。[27]

1926年にはこれを含め合計4点が出版されているが、いずれも短い。1927年には一気に20点近くが出版され、本格的なマルクス主義出版社となった。1928年には20点台半ば、1929年には30点以上、1930年には40点近くと順調に増大しつづけ、1931年と1932年にはそれぞれ30点前後が出版されている。合計で200点以上も出し、そのほとんどがマルクス主義の翻訳文献であった。その中には、1927～28年に企画された「レーニズム叢書」全12巻14冊や、1929～30年の「ソヴィエト・ロシア経済学叢書」全3巻、途中で挫折した『ゴルキー全集』（ゴーリキー全集）や『フォイエルバッハ全集』、『プロレタリア講座』なども含まれている。

戦前は事前検閲体制だったので、出版物は発売前にすべて内務省警保局の図書課（検閲課）に納本し、チェックを受ける必要があった。1920年代終わりから1930年代初めにかけて左翼出版物への検閲や発禁処分はしだいにエスカレートしていき、多くが即日発禁となったが、それでもかなりの量のマルクス主義本が市中に出回っており、100年近く経った今日でもしばしばこの種の発禁出版物を古本屋で手に入れることができる。少し不思議に思えるが、その理由の一端をこの手記は教えてくれる。

　淳吉の回想録によると、共生閣は本ができる前に新聞に広告を出し、郵便振替での予約金を求め、それが集まってから印刷していた。当時の法律では、全ての本は出来上がった時点で当局に見本を提出しなければならなかった。もし、予約金をくれた読者に郵送する前に提出し、発売禁止になってしまったら、送ることができず、横領になってしまう。読者を騙すわけにはいかないので、淳吉は郵送してから当局に提出することにした。発売禁止の決定が出たときには、すでに読者の手元に届いているという寸法だ。[28]

同じようなやり方はおそらく、当時の多くの左翼系出版社が取っていたと思われる。そうでないと、翻訳して組版して印刷までしてから発売禁止になったら、いっさい売上金が入らず、かかった費用がまったく回収できなくなるからだ。リスク回避の方法として、事前予約申し込みを利用したこのような手法は広く採用されていたと思われる。皮肉なことに、検閲制度そのものが、

左翼本が市中に出回る独自の回路を開拓する結果をもたらしたのである。

　こうして、共生閣は創業して7年足らずで200点ものマルクス主義文献を出版する。しかし、1933年に暗転がやってくる。まず1月に淳吉の敬愛してやまなかった堺利彦が病で亡くなる。古参社会主義者、堺の死は一つの時代の終了を象徴していた。そして、その衝撃も冷めやらぬ中、当局の弾圧の手が共生閣にまで及ぶ。

　　満州事変以後、国内情勢は左翼にとってますます厳しくなり、出版社への弾圧も激しくなった。小林多喜二が警察の拷問で虐殺されたのは1933年2月20日だが、その3ヵ月後の5月、共生閣にも官憲の手が入った。その結果、200点の刊行物のうち75点を当局に「納本」していなかったことが発覚した。淳吉はあるとき、うっかり納本するのを忘れたところ、警察が何も言ってこなかったのに味をしめて、以後も「忘れる」ことにしていたのだ。そのおかげで、本来ならば発禁になるような本が、全国津々浦々にまでいきわたった。[29]

　警察国家下でも左翼本が国内に広がっていったもう一つの回路がこれで明らかになった。しかし、それもこの「手入れ」の瞬間までである。「納本忘れ」が警察にばれて、「警視庁特高課に呼び出され、全出版物が発売禁止となり、倒産する」。いったん市中に流れれば、それらをすべて回収するのは不可能である。いつかバレて倒産ないし活動停止の憂き目に遭っても、それまでにできるだけ市中にマルクス主義文献を流してしまおうとしたこの左翼出版人の根性は見上げたものだ。倒産後、淳吉はどうしたか？

　　その後、聖紀書房を興し、石原莞爾の本など民族主義の本を出した。教科書出版もやり、これは儲かったこともあった。荒畑寒村、向坂逸郎らが生活に困っていると、民族学の翻訳の仕事を回した。[30]

　倒産後、民族主義の出版物を出す出版社に転向したというのも、当時の左翼の一般的な流れ（マルクス主義から民族主義へ）と合致しており、それでいながら、生活に困った左翼文筆家に無難な仕事を回して助けていたという話も興味深い。

　淳吉は1943年に戦時下の出版社整理プロジェクトのもとで6社を合併させて彰考書院を設立し、この新しい出版社こそが終戦直後の1945年12月に

堺・幸徳訳の『共産党宣言』を出版することになるのだが、その話はまた最後にしよう。

いずれにせよ、共生閣は1933年にわずか3点の出版物を出しただけで、出版社をたたむことになった。白揚社や改造社のような大手出版社に負けないほど多くのマルクス主義翻訳文献を出していた左翼出版社の共生閣が1933年を最後に活動を停止したことは、堺利彦の死と並んで、全盛期から衰退期への転換を象徴する出来事だった。

衰退期の前半期と後半期

日本の侵略戦争が拡大していくごとに左翼やマルクス主義への弾圧が強化され、マルクス主義翻訳文献の出版点数もそのたびに大きな落ち込みを記録するようになった。まず、満州事変の起こった1931年の翌年である1932年が最初の転換点で、それまで全体として急速な上昇線を描いていた出版点数の曲線は、1932年以降、急激な下降線を描く。1932年はそれでもまだ200点以上が出版されていたが[31]、1933年には100点強とほぼ半減し、その後も減り続ける。マルクス主義の翻訳出版点数は1936年に一瞬増大するが（後述する）、日中戦争（当時の表現では支那事変）が起こった1937年7月以降には文字通り激減し、1938年には25点になる。第2次世界大戦が勃発した1939年には15点に減り、太平洋戦争が勃発する1941年末以降はほぼゼロになる。こうして戦前のマルクス主義翻訳文献の歴史は完全に終焉を見る。

この衰退期はしたがって、この戦争の拡大の流れに沿って、日中戦争勃発以前の前半期（1933～37年前半）と、日中戦争勃発から太平洋戦争勃発までの後半期（1937年後半～1941年）に分けることができるだろう。

前半期は、政治的文献や革命的文献が急速に出せなくなっていった中でも、マルクス主義者たちは、比較的弾圧されにくい経済理論や学説史、歴史学、哲学、文学・芸術、さらには自然科学の分野でマルクス主義文献の翻訳や研究を続けることで、マルクス主義の火をともし続けた[32]。たとえば、1933年には、マルクス主義の経済理論や経済学教科書のたぐいと哲学関係がそれぞれ20点以上出されており、両者で全体の4割を占めている。さらにもっと後の時代になると、経済理論や哲学でも出せなくなってきて、歴史学や自然科学や文学芸術関係が主たる翻訳の対象となっている。たとえば1937年には歴史学と学説史に限定しても30点近くが出版されており、全体の3割強を占める。

この衰退期全体の特徴、そして前半期から後半期への転換を象徴するの

はやはり、最も政治的ないし革命的と見られていたレーニンの翻訳点数の変化であろう。レーニンのものは、先に述べたように全盛期の最後の年である1932年の時点でも26点出ていたが、1933年にはいっきに4分の1以下の6点にまで減少し、1934年になるとわずか1点にまで減る（「哲学ノート」に関するもの）。しかし厳密に言うと、1934年にはもう1点、レーニンを著者の一人とする文献が出ていた。すでに述べたように、この時期は文学論や歴史学などの無難なものが出版の中心になっていたが、レーニンに関してもそうで、出版社はトルストイに関するレーニンやプレハーノフらの論考をまとめた著作を出そうとした。この種の本はすでにこれまで何度も出版されていたし[33]、何の問題になったこともなかった。ところが、1934年の時点ではそうでなくなっていた。冒頭でレーニンの論文が2本収録されていたが、内務省の検閲当局は冒頭のレーニンの論文を切り取るよう命じたのである。出版社は、著作が発禁になるのを防ぐために、1冊ずつすべてレーニンの論文を切り取り、代わりに次のような訂正文を貼り付けた。

> 本書の巻頭に掲げたレーニンの『トルストイの意義』（ロシア革命の鏡としてのレフ・トルストイ）及び（レフ・トルストイ）の二論文（自2頁至14頁）は其筋より削除を命ぜられましたのでこれを切り取りました。各位の御諒恕希ひます。
>
> 昭和9年6月　　　隆章閣[34]

　このように1934年にレーニンの翻訳は1点にまで激減し、1935年も1点しか出版されていない。レーニンの翻訳はこのまま消えていくのかと思いきや、1936年になると突然、レーニンの翻訳文献が急増し（24点）、1937年にも一定継続するのである（8点）。その大部分を占めるのが、この1936年から1937年にかけて白揚社が西雅雄[35]を中心として企画出版した『レーニン重要著作集』である。当初は全30巻の企画だったが、最終的には全27巻として完結した。1936年7月に5冊がいっきに刊行されたのを皮切りに、1937年6月に西雅雄による『レーニン年譜及著作目録』が出版されて完結するまで、ジャスト1年間で全27巻が発行されている。この『レーニン重要著作集』の多くは、1920年代末から1930年代初めに発行されたものの新装再刊であるが、編集責任者である西雅雄が担当したいくつかの巻を初め、改めて訳したものも多い。そのほとんどが発禁になったとはいえ、それでもかなりの部分が市中に出回った。これはちょうど、燃え尽きる寸前にろうそ

くの火が一瞬強く光るのと似て、マルクス主義翻訳文献がほぼ完全に一掃される直前に最後の華々しい出版事業だったのである。

　この『レーニン重要著作集』の企画もあって、1936年に一瞬、マルクス主義文献翻訳が増大するのだが、後半期である1937年7月以降になると再度急減していき、とくにレーニンをはじめとする政治的人物の文献はいっさい出なくなる。レーニンの翻訳文献の出版は1937年に8点確認されているが、すべて日中戦争が起こる7月以前

『レーニン重要著作集』全27巻の完結を知らせる広告

のものである。幸いなことに、先に述べた『レーニン著作集』全27巻はすべて日中戦争勃発以前に出版されている。もし出版がもう少し長引けば、完成を見ることなく途絶したことだろう。レーニンの翻訳文献の出版がゼロになったことが前半期と後半期を分ける最もわかりやすいメルクマールである。

　後半期においては、マルクス主義文献がたとえ出されても、その多くは政府関係機関による調査のための翻訳であるか(36)、ソ連の内情を暴露する系のものであった(37)。あるいは、まじめなマルクス主義の翻訳文献（無難に歴史学が多かったが）を民間の出版社が出すときも、翼賛的な言い訳を冒頭に添えることが必要になっていた。たとえば、サファロフの『支那社会史(全訳版)』（早川二郎訳）が1939年に白揚社から出版されているが、出版社はその冒頭で、日本軍による武漢陥落を祝いつつ、日本による新支那建設のためには科学的な支那社会研究が必要だとし、次のように述べている。

支那を知り、支那を解すること、それは、支那社会の厳密な・科学的な分析を措いては断じて希み得ない。サファロフの研究が、例えソヴェート的観念によって多くを歪められているとはいえ、支那研究の上に有しつつある高き学的価値を否定すべくもない。拒否すべきものは拒否し、摂るべきものは大胆に摂る。これは我々日本民族の世界に誇るべき天与の偉大な前進的資質であるはずだ。ゆえに我々が当面する興亜聖業に資すべきより優れたる研究の出現するまで、しばらく、このサファロフの研究の中から、我々の支那研究の完璧のための、何らかの養分を摂取してゆかなければならない。[38]

　あくまでも「興亜聖業」のためにこの本を出すのだというわけだ。そして、全盛期にはあれほど華々しく活躍していたマルクス主義知識人たちも、1930年代後半になると、次々と天皇主義者や民族主義者へと転向していき、日本の大陸政策（つまりは侵略戦争）の支持者になっていった。一例として、淡徳三郎がいる。1935年まで淡は多くのマルクス主義文献を訳していたが、その後、転向し、戦後は再びマルクス主義者として活躍した人だ。彼が1941年に出版した『戦争と自由』には次のような一節がある。

　　戦争をしている以上、戦争の目的がハッキリしていなければならないのは言うまでもないことである。例えば日支事変は「東亜の新秩序」建設を目的としており、この自覚あるが故に、国民は勇躍して難苦を忍び、生命を鴻毛の軽きにも比することができるのである。[39]

　これは一例にすぎず、多くのマルクス主義知識人が同じような運命をたどった。こうした行為を潔しとしない人々は、非マルクス主義の歴史書や文学などの翻訳で糊口をしのいだ。こうして戦前日本におけるマルクス主義の翻訳の歴史は完全に終焉する。日本は文字通り、完全な暗黒時代に突入するのである。

戦後の解放とマルクス主義の復活

　しかし、このような完全な暗黒期はわずか4〜5年ほどしか続かなかった。1945年8月15日に終戦を迎えると、早くも同年の12月からマルクス主義文献が再び市場に出回り始めた（この頃のものは戦前に出したものを伏字なしで再刊したものがほとんど）[40]。翌1946年には、堰を切ったように大量のマ

戦前の２大発禁書　『共産党宣言』と『国家と革命』。彰考書院、終戦直後

ルクス主義文献が、翻訳書であれ、日本人による独自の文献としてであれ、出版されるようになる[41]。とくに、戦前におけるマルクス主義の２大発禁書であった『共産党宣言』と『国家と革命』が複数の出版社からいっせいに出版されるようになったことは、日本の解放を象徴する出来事だった[42]。

　この２つとも出したのが先ほど紹介した藤岡淳吉が社長の彰考書院である。淳吉は終戦直後、駿河台のニコライ堂の近くにあった倉庫を借りて彰考書院を再建するのだが、最初に何を出すか考え、戦前には絶対に合法で出せなかった、あるいは出しても即日発禁となった『国家と革命』と『共産党宣言』の両方を出すことにした（『共産党宣言』は 1945 年 12 月、『国家と革命』は 1946 年 2 月）。孫の手記を見てみよう。

　　朝日新聞と毎日新聞に２冊の広告を出し、予告した。すると「全国から、まるで飢えたるものが飛びつくように、各地各方面から、注文殺到して、たちまち数十万円の金を握ることができた。手許にある『共産党宣言』の奥付には……定価十円とある。１万部で 10 万円だ。数十万円というから、数万部が発売前に売れていたことになる。『共産党宣言』のヒットの勢いに乗じて、彰考書院はマルクス、エンゲルス、レーニンなどの著作を次々

と翻訳出版していった。新刊が出るたびに、社屋のまわりに何百人もの学生が行列を作って買い求めたという伝説がある。[43]

　戦後の解放の息吹と、そしてマルクス主義に対する激しい知的・政治的欲求が渦巻いていたことがよく伝わってくる。特高警察と軍国主義という鉄の万力がなくなるやいなや、このようなマルクス主義翻訳文献の大量出版が可能になったのは言うまでもなく、戦前におけるマルクス主義文献の大量出版と普及のおかげである。日本の戦後史はいわば、マルクス主義文献の翻訳出版の新しい波とともに始まったと言っても過言ではない。

【注】
(1)　森田成也「戦前日本におけるマルクス主義翻訳文献の盛衰」上下、『科学的社会主義』4月号＆6月号、2022年。
(2)　http://www.ric.hi-ho.ne.jp/jlme/
(3)大原社会問題研究所編『日本社会主義文献：世界大戦（大正3年）に到る 第1輯』同人社書店, 1929年、76頁。現物は未確認。
(4)　他の2点は、優れたデザイナーとしても昨今注目を集めているウィリアム・モリスの作品（堺利彦訳）と、ロシアのメンシェヴィキ指導者の一人、レオ・ドイッチェによるシベリア脱走記（幸徳秋水訳）である。どちらもマルクス主義への関心から訳されたとは言えない。詳しい書誌情報は以下の通り。ヰリアム・モリス『理想郷』平民社、1904年；レオ・ドヰツチ『神愁鬼哭：革命奇談』隆文館、1907年。
(5)　マルクス『マルクス経済学説要旨：マルクス著価値価格及び利潤』経済社出版部発行、誠文堂発売、1919年。翻訳者は『資本論』を訳した松浦要。
(6)　ただし、1919年に内務省警局によって非売品の内部文書として『共産党宣言』がパンフレットとして発行されている。内務省や司法省は、戦前のマルクス主義文献の3大発禁書とされる著作──マルクス＆エンゲルスの『共産党宣言』、レーニンの『国家と革命』（1921年）、ブハーリン＆プレオブラジェンスキーの『共産主義のABC』（1925年）──をすべて（もちろん伏字なしで）翻訳している。レーニンの『国家と革命』は、1923年に『レーニンの社会学説』という学術的な名前で抄訳が出たが（浅野研真訳、文化学会出版部）、その後は出版されるたびに即日発禁になっている。
(7)　レッドカヴァー叢書は堺利彦と山川均が共同で企画した社会主義文献の体系的な翻訳・紹介プロジェクトで、真っ赤な装丁で出された。その第1弾が山川均と堺利彦によって『マルクス伝』（大鐙閣、1920年）として出版され、その第2弾がゴルテルの『唯物史観解説』だった。『マルクス伝』は山川均・堺利彦共編となっているが、実際にはジョン・スパルゴーの著作『カー

ル・マルクス』の抄訳。詳しくは以下を参照。https://www.facebook.com/seiya.morita.758/posts/463585448747859

(8) これは、その後すっかり定着するようになる『婦人論』という表題で出版した最初のもので、英訳からの重訳とはいえ、初の全訳でもある。700頁以上ある大著。

(9) この『マルクス全集』は、出版社が発行した予約見本を見ると、当初の予定では、『資本論』、『剰余価値学説史』などを含む全4部からなる相当に本格的なものだったが、結局は、高畠訳の『資本論』全3巻と『経済学批判』『神聖家族』などを出しただけに終わった。

(10) ただし、第2巻第2冊が出版される直前、関東大震災では組版が消失し、版元である会社が焼けたので、最後の第2巻2冊と第3冊だけは1924年に別の出版社である而立社から出た。高畠訳の『資本論』は1巻→3巻→2巻という順で翻訳が出たので、2巻が最後になる。

(11) 国会図書館も一部被災したので、1923年以前の所蔵図書の多くが焼失した。したがって、1923年以前の文献調査は必然的に不十分にならざるをえない。

(12) エンゲルス『英国労働者階級の状態』同人社、1962年。

(13) 石河康国『マルクスを日本で育てた人　評伝・山川均』1巻、社会評論社、2014年、140頁。

(14) 私の以下のFacebook投稿を参照せよ。カラーで実物の「内容見本」の写真をアップしておいた。https://www.facebook.com/seiya.morita.758/posts/365774341862304

(15) 戦前、オイゲン・ヴァルガの翻訳著作は編集や複数著者のものを含め85点が確認できるが、数え方によっては90点に達するので、ブハーリンとほぼ互角であるとみなすことができるだろう。

(16) プレハーノフは戦前に40点以上が出版されており、ロシア語版『プレハーノフ全集』にもとづいた全10巻の『プレハーノフ選集』が1920年代末に企画され出版されている（ただし途中で挫折）。カウツキーは戦前に60点以上も出版されている。戦後にはプレハーノフは、改造文庫復刻版を除けば、10点強、カウツキーは20点強である。

(17) この大翻訳事業には、労農派知識人を中心に98名もの翻訳者が参加したそうだ（水島治男『改造社の時代 上：戦前編』図書出版社、1976年、105頁）。

(18) この改造社版の『資本論解説』は『マルクス＝エンゲルス全集』と同じ装丁の豪華なハードカバー版と、より粗末なつくりのソフトカバー版が同時に出版されている。どちらも当時、相当売れたようで、1927年中に50版を重ね、私が持っている1931年11月付のものは88版と記されている。

(19)「聯盟版は同年7月10日を配本開始日として広告していたが，実現せず，7月31日には岩波が聯盟を脱退し挫折する。これは，社主の岩波茂雄が，配本予定の期限が切れても原稿さえ揃わず全集刊行の見通しが不分明さを増すなかで，聯盟側の他の書店の終始岩波にもたれかかる無責任さに愛想をつかしたからであったという。高野は岩波の聯盟脱退を思い止まるように苦慮したが，結局9月10日，万策尽きて聯盟版全集計画は完全に頓挫する」（大村

泉「2 つの日本語版『マルクス＝エンゲルス全集』の企画（1928 年）」『大原社会問題研究所雑誌』第 617 号、2010 年、5 頁）。

(20) 最近の一例として、以下を参照。立本紘之『転形期芸術運動の道標——戦後日本共産党の源流としての戦前期プロレタリア文化運動』晃洋書房、2020 年、64 〜 68 頁。

(21) 最初、1926 年 4 月に『無産階級の社会学』という表題で一部訳が出版され（川口洋郎訳、大潮閣）、同年 6 月に全訳が出されている（改造社、富士辰馬・横田千元訳）。その後も、1927 年には白揚社（広島定吉訳）と同人社（栖崎煇訳）からそれぞれ出版。1928 年には広島訳の普及版が出版されるとともに、『スターリン・ブハーリン著作集』の第 2 巻として改訳版が出されている（どちらも白揚社）。1930 年には同人社から今度は直井武夫訳が出され、同じ年に広島訳が今度は改訳の上、「マルクス主義の旗の下に」文庫として出版されている。

(22)『共産主義の ABC』は、最初に 1923 年に抄訳・略述版が『プロレタリア経済学』として出版され、1925 年に司法省から最初の全訳が出されているが、これらを別にすると、1929 年に共生閣（『社会主義入門』、寺島一夫・山口菊男訳）、イスクラ閣（上下巻、マルキシズム研究所・早川二郎訳）、白揚社（『スターリン・ブハーリン著作集』の 1 巻＝『マルクス主義入門』）からそれぞれ出版されている。1930 年にも平凡社（社会思想全集の 18 巻）と政治研究所（田尻静一訳）からそれぞれ出され、さらに 1929 年のイスクラ閣版が『政治学教程』と表題を変えて上下巻で再刊されている。1931 年にも、左翼書房から『社会主義入門』として出され（左翼書房編集部訳）、プロレタリア書房から『共産主義教科書』として出されている。しかし戦後は、復刻版（早川訳のイスクラ閣版）として以外は出ていない。

(23) まず 1930 年 1 月に「マルクス主義の旗の下に」社から早川二郎と大田黒年男訳で出たが発禁になり、11 月に『コンパルタ・コムニスト』と表題を変えて、大田黒研究所から再刊されたが、それも発禁。さらに 1932 年に河西書店から再刊されたが、それも発禁。また、リャザノフの長い評注だけを独自に編集しなおしたものが、『マルクス学説註解』として新興閣から 1930 年に出版されている。

(24) この手記には 2 種類ある。ほぼ内容は同じだが、細部において若干異なる。中川右介「ある左翼出版人の略伝—— 2008 年版出版にあたって」、マルクス、エンゲルス『彰考書院版 共産党宣言』アルファベータ、2008 年。同「祖父・藤岡淳吉と堺利彦——彰考書院版『共産党宣言』をめぐって」、小正路淑泰編著『堺利彦——初期社会主義の思想圏』論創社、2016 年。前者の方が長く、詳しいので、前者（「2008 年の手記」と略記）を基本とするが、後者（「2016 年の手記」と略記）も適宜参考にする。どちらの手記も実に興味深い内容である。

(25) 中川「2016 年の手記」、391 頁。

(26) 川内唯彦「戦前のレーニンの文献の邦訳について」『前衛』7 月号、1960 年、175 頁。同書は 1930 年に『国家論』という表題で左翼書房から再刊されたが、やはり発禁になっている。

(27)　ハインドマン『共産制より資本制へ』共生閣、1926 年、48 頁。ちなみに、藤岡淳吉は、戦後、出版の自由が復活した時、後述するように真っ先に『共産党宣言』と『国家と革命』を復刊するのだが、この堺訳のハインドマンの小冊子も「解放文庫」の一環として復刊している（ハインドマン『社會進化の必然：生産方法の歴史的観察』彰考書院、1946 年）。終戦直後の時期になぜわざわざイギリスの改良主義者ハインドマンなのかという疑問は、堺利彦への淳吉の敬愛の念と共生閣の出版第一号がこの著作であったという思い出が深くかかわっていると思われる。

(28)　中川「2008 年の手記」、117 頁。

(29)　同前、118 頁。「2016 年の手記」では「それまでに出版した 200 点のうち 67 点を警察に納本していなかったことがバレ」たとある（「2016 年の手記」、392 頁）。

(30)　中川「2016 年の手記」、392 〜 393 頁。

(31)　同じ 1932 年でも、前半と後半では大きく違う。マルクス主義文献の出版は主に 1932 年の 6 月以前に集中しており、後半はすでに前半と比べて大きく落ち込んでいる。たとえばレーニンの翻訳だが、1932 年は全体として 26 点出版されているが、そのうち 1 〜 6 月に出たものが 20 点で、7 〜 12 月に出たものはわずか 6 点である。

(32)　この時期、白揚社から『歴史科学』という雑誌が発刊されているが（1932 〜 36 年）、その中身は完全にマルクス主義ないし史的唯物論にもとづくもので、服部之総や早川二郎（小出民声）などが健筆を振るい、ポクロフスキーやウィットフォーゲルなどが翻訳されていた。

(33)　たとえば、レーニン・プレハーノフ『トルストイ主義批判』白揚社、1929 年；レーニン・プレハーノフ『マルクス主義の鏡に映じたるトルストイ』希望閣、1931 年。

(34)　『トルストイ研究』隆章閣、1934 年。ただし、国会図書館所蔵のものは切り取られていない。

(35)　山川均の水曜会の出身で、戦前のマルクス主義文献の翻訳者として大活躍した西雅雄はその後、転向左翼の一人として有名な満鉄調査部に就職するが、1942 年に満鉄調査部事件で逮捕され、1944 年に獄死している。

(36)　その中でとくに注目すべきなのは、毛沢東のものが政府関係機関によっていくつか翻訳されていることであろう（『持久戦論』中支経済研究所、1938 年；『新民主主義論』東亜研究所、1941 年；『新民主々義論』満州帝国外務局政務處、1941 年）。戦前は毛沢東の翻訳は民間出版社から出されていない。同じく、1938 年に外務省情報部が、トロツキスト指導者の陳独秀（当時はすでにトロツキスト組織からは離れていたとはいえ）の文献を翻訳していることも注目に値する。陳独秀『抗日戦争ノ意義』外務省情報部第三課、1938 年。

(37)　その中で目立つのは、戦後も翻訳が出されている元 GPU エージェントのクリヴィツキーの手記が 2 回翻訳出版されていることであろう。ヴェ・クリヴィツキー『ソ連の暗黒面：クレムリンの謎を解く』今日の問題社 , 1938 年；クリヴィツキー『ソ連の内幕』人文閣 , 1940 年（翌年、題名を『ソ聯の秘密室』

(38) 発行者識「新版序言」『支那社会史（全訳版）』白揚社、1939年、1頁。

(39) 淡徳三郎『戦争と自由』改造社、1941年、90頁。

(40) 1945年12月だけで6点のマルクス主義翻訳文献が出版されている。マルクス＆エンゲルス2冊、レーニン2冊、その他2冊。

(41) 私が確認しえた範囲では、1946年に130点以上ものマルクス主義翻訳文献がいっせいに出版され（戦前には市場に出回らなかった毛沢東の翻訳もいくつか出されている）、その後、右肩上がりに出版点数は増えていく。

(42) 1945年12月に、まず戦前の堺・幸徳訳の『共産党宣言』が復刊され、1946年には新訳を含む7点もの『共産党宣言』と4点の『国家と革命』が出版されている。

(43) 前掲中川「2016年の手記」、393〜394頁。「2008年の手記」では「毎日1000部の予約が入った」とある（前掲中川「2008年手記」、120頁）。「2008年の手記」によると、その後、淳吉は戦犯として追及され、自分が作った彰考書院に1年半も出入りできなくなったとある。彰考書院は結局、1957年に倒産する（同前、123頁）。

〔付録1〕

戦前日本における
トロツキーの翻訳文献目録

【解題】

　トロツキーの本格的な日本語文献目録はこれまで2回作成されている。どちらも私と志田昇氏によって作成されたものだ。最初は1990年東京で開催されたトロツキー没後50周年の国際シンポジウムのために作成されたもので、当日、小冊子として配布された。その後、われわれはさらに完全な目録を作るべく努力し、記載文献を300点ほど増やしたうえで、1992年に復刻出版されたドイッチャーのトロツキー伝3部作の第2巻『武力なき預言者』の付録として収録した。今回のこれが3回目となるが、戦後編は割愛し、また「トロツキーに関する文献」も（あまりにも膨大なので）割愛し、トロツキー自身のものの翻訳だけに限定した（下線はこの文献目録に新たに収録したもの。逆に前回は目録に入れたが、内容をよく精査して、トロツキーのものと言えないと判断したものは取り除いた）。

　新聞記事に関しては、比較的長めのものだけを採用した。戦後訳があるものについては、できるだけ調べて、該当するものを挙げておいたが、突き止められなかったものもある。1992年版では、トロツキーの論文翻訳のうち、現物ないしコピーで内容確認ができなかったものが3点あったが、今回、そのうちの2点（「レーニンの死因」『世界週刊』3巻43号，1940年10月、「ヨゼフ・スターリン」『新興亜』3月号，1941年）を確認することができた。また、『赤軍の建設』というタイトルのトロツキーのパンフレットが共生閣から1926年に出版されたとの広告があったが、他のどの資料でも確認できなかったので、入れていない。

1．トロツキーの翻訳著作（合計 37 点）

①著者と訳者　②出版社と出版年月　③備考　④国会図書館のサイト（OPAC）からダウンロードないし内容閲覧できる場合の URL　⑤戦後訳

1. **『過激派と世界平和』**（原題『ボリシェヴィキと世界平和』）　①レオン・トロツキー著；室伏高信訳　②上田屋，1918 年 5 月　③戦前に出された最初のトロツキーの翻訳書。英語版の『ボリシェヴィキと世界平和』の翻訳だが、全訳ではなく、革命的内容を含む最終章は訳されていない。函には「過激派首領トロツキー近著」とある　④OPAC に記載なし　⑤『戦争とインターナショナル』（柘植書房 , 1991 年）

2. **『露西亜革命実記』**（原題『十月からブレストまで』）　①エル・トロツキー手記，茅原退二郎訳　②日本評論社出版部，1920 年 4 月　③訳者の父親である茅原崋山（大正デモクラシーの担い手の一人で評論家、ジャーナリスト、民本主義という言葉を作ったとされている）が「序文」を書いている。1925 年に『露西亜革命記』として別の出版社から再版　④https://dl.ndl.go.jp/info:ndljp/pid/960969　⑤『ロシア革命——「十月」からブレスト講和まで』（柘植書房、1995 年）

3. **『デクレエルの家族』**（『種まく人』号外）　①トロツキー著；訳者不詳②種蒔き社，1922 年 5 月　③訳では「小説」とされているが、実際にはトロツキーがフランスに滞在していたときに行なったルポルタージュ⑤戦後訳はない

4. **『露国工業経済に関する指導的意見』**（『露文翻訳 労農露国調査資料』第 25 編）（原題『工業の根本問題』）　①エル・トロツキー著；鈴木尚三訳　②南満洲鉄道株式会社庶務部調査課編，1925 年 2 月　③1923 年のロシア共産党第 12 回党大会におけるトロツキーの工業報告の、ロシア語原文からの全訳。後に下の文献といっしょに『労農露国研究叢書』第 5 編（大阪毎日新聞社、1926 年）に収録　④https://dl.ndl.go.jp/info:ndljp/pid/984027　⑤『社会主義と市場経済——ネップ論』（大村書店 , 1992 年）

5. **『露国共産党第 12 回大会決議（工業に関する決議)』**（『露文翻訳 労農露国調査資料』第 26 編）　①エル・トロツキー著；鈴木尚三訳　②南満洲鉄道株式会社庶務部調査課編，1925 年 2 月　③ロシア共産党第 12 回党大会におけるトロツキーの工業報告に基づいた決議の、ロシア語原文からの全訳。後に上の文献といっしょに『労農露国研究叢書』第 5 編に収録　④https://dl.ndl.go.jp/info:ndljp/pid/984028　⑤同上

6. **『十月革命ノ課程』**（『哈市常報』第 616 号）（原題『十月の教訓』） ①トロツキー著;高橋捨次郎訳 ②陸軍省, 1925 年 3 月 ③トロツキーの「10月の教訓」の伏字なしのロシア語からの全訳 ⑤『永続革命論』（トロツキー選集, 5）（現代思潮社, 1961 年）;『トロツキー研究』第 41 号（トロツキー研究所, 2003 年）

7. **『露西亞革命の思想戦：レーニズム？トロツキーズム？』** ①トロツキー, カーメネフ, スターリン著;井田孝平訳 ②早稲田大学出版部, 1925 年4 月 ③トロツキーの「1917 年（10 月革命の教訓）」、カーメネフ「レーニニズムかトロツキーズムか」、スターリン「トロツキーズムかレーニズム」を収録。訳者の井田孝平氏の肩書は「前日露協会学校長」 ④ https://dl.ndl.go.jp/info:ndljp/pid/917637 ⑤トロツキーのものだけ戦後訳がある。同上

8. **『文学と革命』** ①トロツキイ著;茂森唯士訳 ②改造社, 1925 年 7 月③トロツキーの『文学と革命』（ロシア語原著）の第 1 部の全訳。革命以前の諸論文を収めた第 2 部は訳されていない。1931 年に『無産者文化論』とともに『社会思想全集』第 19 巻に収録 ④ https://dl.ndl.go.jp/info:ndljp/pid/1018143 ⑤『文学と革命 I』（トロツキー選集, 11）（現代思潮社, 1965 年）;『文学と革命』上（岩波文庫, 1993 年）

9. **『ロシヤ革命家の生活論』**（原題『日常生活の諸問題』） ①レオ・トロツキー著;西村二郎訳 ②事業之日本社出版部, 1925 年 7 月 ③『日常生活の諸問題』のロシア語版からの全訳 ④ https://dl.ndl.go.jp/info:ndljp/pid/1021414 ⑤『文化革命論』（第 2 期トロツキー選集, 16）（現代思潮社, 1970 年）

10. **『無産者文化論』**（海外芸術評論叢書, 2）（原題『日常生活の諸問題』） ①トロツキイ著;武藤直治訳 ②聚芳閣, 1925 年 10 月 ③『日常生活の諸問題』の英語版からの翻訳。訳者による「プロレット・カルト小論」、ルナチャルスキー「労働者の自己教育」、レーニン夫人「労農ロシアの教育事業」、アウグスト・ベーベル「社会主義社会における文芸と芸術」などを付録として収録。1931 年に『文学と革命』とともに『社会思想全集』第 19 巻に収録 ⑤同上

11. **『レーニン回想記』**（原題『レーニンについて』） ①トロツキー著;勢田洋訳 ②エルノス出版 1925 年 10 月 ③『レーニンについて』の英語版からの翻訳 ④ https://dl.ndl.go.jp/info:ndljp/pid/977783 ⑤『レーニン』（河出書房新社, 1972 年）;『レーニン』（光文社古典新訳文庫, 2007 年）

12. **『露西亜革命記』**（原題『二月革命からブレストまで』） ①トロツキー手記;茅原退二郎訳 ②成光館出版部, 1925 年 11 月 ③ 1920 年出版の日本評論社版から版権を譲り受けて再刊。タイトルと表紙も変更。1920 年版

（付録 1〕戦前日本におけるトロツキーの翻訳文献目録

285

にあった訳者の父親である茅原崋山による「序文」は削除　⑤「2」と同じ

13. 『労農露国研究叢書 第5編』（南満州鉄道株式会社庶務部調査課編）　①
　　［エル・トロツキー, ルナチャルスキー他著］；鈴木尚三他訳　②毎日新
　　聞社, 1926年6月　③1925年に『労農露国調査資料』第25編、26編
　　として出版されたものをまとめたもの。他に、「露国の工場委員会」、ル
　　ナチャルスキー「露西亜共和国の国民教育」も収録　④https://dl.ndl.
　　go.jp/info:ndljp/pid/1151579　⑤「4」「5」と同じ

14. 『ヨーロッパとアメリカ：トロツキー氏講演』（日露協会報告, 第20号）
　　①トロツキー講演；訳者不詳　②日露協会, 1926年8月　③ロシア語原
　　文からの翻訳　④https://dl.ndl.go.jp/info:ndljp/pid/976322　⑤『ヨーロッ
　　パとアメリカ』（柘植書房, 1992年）

15. 『英国汝は何處へ行く?』（原題『イギリスはどこへ行く』）　①レオン・
　　トロツキー著；小林十二造訳　②国際社, 1926年9月15日　③『イギ
　　リスはどこへ行く』の英語版からの翻訳　④https://dl.ndl.go.jp/info:ndljp/
　　pid/1017376　⑤戦後訳はなし

16. 『英国は何處へ往く』（原題『イギリスはどこへ行く』）　①レオン・ト
　　ロツキー著；萩原久興, 越智道順訳　②同人社書店, 1926年9月30日
　　③『イギリスはどこへ行く』の英語版（1926年）から翻訳し、ドイツ語
　　版（1925年）を参考に。付録として、J・R・キャンベルの「英帝国は
　　崩壊するか」を収録。　④https://dl.ndl.go.jp/info:ndljp/pid/1017979　⑤
　　同上

17. 『ロシアは何處へ往く？：資本主義か社会主義か』（原題『社会主義へ
　　か資本主義へか』）　①レオン・トロツキー著；田中九一訳　②同人社,
　　1927年2月　③『ロシアはどこへ行く』英語版からの翻訳　⑤『社会
　　主義へか資本主義へか —— 過渡期経済と世界市場』（大村書店, 1993年）

18. 『轉換期の文化』（中外文化協会定期刊行書, 第18巻）（原題『日常生活の
　　諸問題』）　①レオン・トロツキー著；丘逸作訳　②中外文化協会, 1927
　　年9月　③『日常生活の諸問題』の英語版からの翻訳。付録として、ラ
　　トガース「知識階級とロシア革命」、アプトン・シンクレア「新芸術史
　　論序説」を収録。これに収録されたラトガース（ルトガース、リュトヘ
　　ルス）の論文はおそらく、戦前の日本で唯一翻訳されたラトガースの論
　　文と思われる　⑤「9」と同じ

19. 『シベリヤ脱走記』（原題『往復』）　①レオン・トロツキー著；槙宗夫訳
　　②南宋書院, 1927年12月　③『1905年』第2部の英語版からの翻訳と
　　思われるが、訳者序文のようなものがいっさいない　⑤『1905年』（第
　　2期トロツキー選集, 2）（現代思潮社, 1969年）

20. 『トロツキー追放記（トロツキーの手記全文）』（『露西亜事情』68 集）（原題『何がどのように起こったか』）　①トロツキー著；訳者不詳　②露西亜通信社, 1929 年 4 月　③トロツキーが追放された直後に発表した『何がどのように起こったか』の全訳。付録として「之を冷笑するサウェート新聞」を収録　⑤戦後訳はなし

21. 『労農政府を手痛く攻撃するトロツキーの暴露的檄文』（『国際パンフレット通信』261 冊）（原題『何がどのように起こったか』）　①レオン・トロツキー著；国際パンフレット通信部訳　②タイムス出版社国際パンフレット通信部, 1929 年 4 月 11 日　③同上　⑤同上

22. 『露西亜の真相』（原題『ロシアの実情』）　①トロツキー著；南黒黎訳　②富士書房, 1929 年 6 月　③ドイツ語版の『ロシアの実情』（合同反対派の政綱、および、トロツキーがイスパルトに宛てた手紙を訳したもの。翌年に別の題名で普及版として再刊　⑤『左翼反対派の綱領』（トロツキー選集, 3）（現代思潮社, 1961 年）;『偽造するスターリン学派』（トロツキー選集, 補巻 1）（現代思潮社, 1969 年）

23. 『暴露されたるソヴェートロシア』大衆版（原題『ロシアの実情』）　①トロツキー著；南黒黎訳　②富士書房, 1930 年 6 月　③1929 年出版の『露西亜の真相』の普及版で、表紙装丁・タイトルともに変更　⑤同上

24. 『自己暴露（わが生活, 1)』（原題『わが生涯：自伝的試み』1 ）　①トロツキイ著；青野季吉訳　②アルス, 1930 年 7 月　③トロツキーの『わが生涯』英語版からの翻訳の前半。発禁処分。1937 年に改造文庫から『わが生涯』上中下として再刊　④ https://dl.ndl.go.jp/info:ndljp/pid/10298480　⑤『わが生涯』上（岩波文庫, 2000 年）

25. 『革命裸像（わが生活, 2)』（原題『わが生涯：自伝的試み』2 ）　①トロツキイ著；青野季吉訳　②アルス, 1930 年 12 月　③内扉には「1931」とあるが、奥付は「昭和 5 年 12 月 15 日」となっている。1937 年に改造文庫から『わが生涯』上中下として再刊　④ https://dl.ndl.go.jp/info:ndljp/pid/1179903　⑤『わが生涯』下（岩波文庫, 2001 年）

26. 『レニンの横顔』（原題『レーニンについて』）　①トロツキー著；小池四郎訳　②春陽堂, 1931 年 4 月　③表紙が 2 種類存在するが、おそらく一方が普及版　④ https://dl.ndl.go.jp/info:ndljp/pid/1907578　⑤「11」と同じ

27. 『文学と革命；無産者文化論』（社会思想全集, 19）　①レオン・トロツキー著；茂森唯士, 武藤直治訳　②平凡社, 1931 年 6 月　③「8」「11」と同じ

28. 『スターリン、トロッキー』（世界人伝記叢書, 2）　①プラウダ紙所載, エル・トロツキイ著；広岡光治, 青野季吉訳　②春陽堂, 1931 年 6 月

③スターリンとトロッキーの伝記だが、前半のスターリン伝は『プラウダ』所載のものを用い、後半のトロッキー伝は、トロッキー『わが生涯』の一部を収録　⑤トロッキーのものは「24」と同じ

29. **『トロッキーのロシア現状批判』**（『国際パンフレット通信』522 冊）（原題「弱体化しつつあるのはスターリンかソ連か」）　①トロッキー著；国際パンフレット通信部訳　②タイムス出版社国際パンフレット通信部, 1932 年8 月　③英語版からの翻訳　⑤『トロッキー著作集 1932』上（柏植書房, 1998 年）

30. **『支那革命ニ対スル「トロツキー」ノ意見』**（『哈市常報』60 号）　①トロッキー著；訳者不詳　②陸軍省, 1933 年 3 月　③冒頭に「在哈爾浜（ハルビン）陸軍歩兵大佐小松原道太郎」の署名がある。1932 年 12 月発行の『反対派ブレティン』からの翻訳。戦後訳は、「思弁ではなく、行動のための戦略を —— 北京の友人たちへの手紙」というタイトルで、『トロッキー著作集 1932』（柏植書房新社、2000 年）に収録。本文末尾にあるトロッキーの署名がなぜか「レオニード、トロッキー」とされている。

31. **『日本は自殺するのか』**（『国際パンフレット通信』652 冊）（原題「破局に突き進む日本」）　①トロッキー著；訳者不詳　②タイムス通信社, 1934 年 1 月　③トロッキーが『リバティ』のために書いた論文「日本は自殺するのか」の全訳　⑤『トロッキー著作集 1932-33』下（柏植書房, 1989 年）；『トロッキー研究』第 35 号（トロッキー研究所, 2001 年）

32. **『わが生涯』上**（改造文庫, 第 1 部；第 149 篇）　①トロッキー著；青野季吉訳　②改造社, 1937.8　③ 1930 年に『自己暴露』『革命裸像』として出版されたものの文庫化。新たな訳者序文あり　④ https://dl.ndl.go.jp/info:ndljp/pid/1180867　⑤「24」と同じ

33. **『わが生涯』中**（改造文庫, 第 1 部；第 150 篇）　①同上　②改造社, 1937.9　③同上　④ https://dl.ndl.go.jp/info:ndljp/pid/1180877　⑤同上

34. **『わが生涯』下**（改造文庫, 第 1 部；第 151 篇）　①同上　②改造社, 1937.10　③同上　④ https://dl.ndl.go.jp/info:ndljp/pid/1180884　⑤同上

35. **『スターリン政権を発く』**（新潮文庫, 246 編）（原題『裏切られた革命』）　①トロッキイ著；三浦逸雄訳　②新潮社, 1937 年 7 月　③英語版の『裏切られた革命』のほぼ全訳だが、付録の「一国社会主義批判」は訳されていない。本文も一部訳されていない　⑤『裏切られた革命』(トロッキー選集, 補巻 2)(現代思潮社, 1968 年)；『裏切られた革命』(岩波文庫, 1992 年)

36. **『裏切られた革命』**（『改造』第 19 巻第 8 号別冊付録）　①トロッキー著；荒畑寒村訳　②改造社, 1937 年 8 月　③内扉では『裏切られたる革命：ソヴィエット同盟とは何ぞやそれは何処に往くか』というように表記されており、OPAC と CiNii ではそのタイトルで登録されている。訳者名

も「荒畑寒村訳」となっているが、末尾の「訳者の言葉」を見ると、岡田宗司や稲村順三など10人で翻訳を分担し、最後に荒畑、岡田、稲村でチェック・修正したとある　⑤同上

37.　**『裏切られた革命』**（中央公論別冊附録）　①レオン・トロッキー著；[清沢洌訳]　②中央公論社, 1937年8月　③清沢洌による詳しい「おくがき」あり。全訳ではなく主として後半中心の一部訳。　④ https://dl.ndl.go.jp/info:ndljp/pid/1445415　⑤同上

２．トロツキーの翻訳論文（合計175点）

　①出版年月, 訳者　②掲載紙誌・掲載著作、出版社（著作の場合、雑誌の場合は最初に登場する場合のみ表記）　③備考

Ⅰ．ボリシェヴィキ時代（1917～1927年）

1.　**「講和勧告全文（国際露都十二月二十九日発）：露外相の宣言」**　① 1918年1月, 訳者不詳　②『大阪朝日新聞』1918年1月7日, 大阪朝日新聞社　③ 1917年12月29日におけるトロッキーの対ドイツ単独講和に関する宣言書のほぼ全文の訳。

2.　**[ツロツキー労兵会演説]**（播磨楢吉「単独講和に決定す」下）　① 1918年2月, 播磨楢吉訳　②『時事新報』1918年2月26日, 時事新報社　③記事中、1918年1月26日にトロッキー（記事では「ツロツキー」）によってなされた単独講和やむなしの演説を3段にわたって詳細に紹介

3.　**「単独講和宣言書」**　① 1918年2月, 蜷川新訳　②『国際法外交雑誌』16巻5号, 国際法学会

4.　**「外相の報告」**（播磨楢吉「不調印と露国」中）　① 1918年3月, 播磨楢吉訳　②『時事新報』1918年3月18日, 時事新報社　③ 1918年2月14日の露都労兵会におけるトロッキーの演説を3段にわたって詳しく紹介。ドイツとの略奪的講和には調印しないが、そのことによって戦争の再開になるわけではないという趣旨

5.　**「露国過激派外相の講和慫慂」**　① 1918年2月, 訳者不詳　②『外交時報』319号, 外交時報社

6.　**「ドイツ政府への講和の申し入れ」**　① 1918年3月, 林毅睦訳　②『国際法外交雑誌』16巻6号, 国際法学会

7.　**「ツロツキー自伝」**　① 1918 年 3 月, 高畠素之訳　②『新社会』3 月号,
売文社　③高畠の前文によると、トロツキーがニューヨークを去ってロ
シアに向かう数日前に書いた短い伝記の翻訳とあるが（もしそうなら 10
月革命前の 1917 年 2 月に執筆したことになる）、内容はトロツキーの実
際の伝記的事実と一致しない個所が多く、また、1918 年に出版された『ボ
リシェヴィキと世界平和』を読むように書いていることからして、これ
が実際にトロツキーの筆によるものかどうかは疑わしい

8.　**「休戦及平和問題ニ関スル国民外交委員「トロッキー」ノ書簡」**　①
1918 年 4 月, 外務省政務局訳　②『外事彙報』4 号, 外務省政務局　③
1917 年 11 月 16 日の書簡と同年 11 月 26 日の書簡（日本大使への通知）
を訳載

9.　**「労働者の天下　過激派政府との経済問答　トロツキー氏に会見したロッ
ス教授の報告　資本の国外流出は禁止」**　① 1918 年 5 月, 訳者不詳　②『読
売新聞』1918 年 5 月 18 日, 読売新聞社　③アメリカの社会学者エドワー
ド・ロスが当時の外務人民委員であるトロツキーに対して行なったイ
ンタビューの翻訳記事。この記事の中でトロツキーは、工場をすべて国
有化することは考えておらず、労働者管理を導入することが当面の政策
だと主張

10.　**「過激派の産業計画」**　① 1918 年 5 月, 訳者不詳　②『大阪毎日新聞』
1918 年 5 月 18 日, 大阪毎日新聞社　③上と同じくエドワード・ロッス
によるインタビュー記事の抄訳

11.　**「過激派と世界平和」**　① 1918 年 5 月, 訳者不詳　②『新社会』5 月号,
売文社　③わずか半頁の要旨訳。戦後訳は著作の「1」を参照

12.　**「ボリシェヴィキの計画経済」**　① 1918 年 5 月, 訳者不詳　②『社会改良』
5 月号, 友愛会　③エドワード・ロッスによるインタビュー記事の翻訳

13.　**「過激派と世界平和」**(1)〜(7)　① 1918 年 5 月〜8 月, 訳者不詳　②『日
本経済新誌』23 巻 3 号〜9 号, 日本経済新誌社　③『ボリシェヴィキと
世界平和』のほぼ全訳。室伏訳では省略されていた最後の章「革命の時
代」も翻訳されている

14.　**「トロツキーと語る：過激派の経済思想」**　① 1918 年 6 月, 岡田忠一訳
②『露西亜評論』6 月号, 露西亜評論社　③エドワード・ロッスによる
インタビュー記事

15.　**「トロツキィの近著『過激派と世界平和』」**　① 1918 年 6 月, 訳者不詳
②『倫理講演集』190 号, 大日本図書　③『ボリシェヴィキと世界平和』
の序文と最終章の抄訳

16.　**「過激派と世界の平和」**　① 1918 年 6 月, 岡悌治訳　②『大日本』6 月号,
大日本社　③『ボリシェヴィキと世界平和』の抄訳。同じ号の「世界近

事」というコラム欄では、アメリカ滞在中におけるトロツキーの動向について、モスコヴィッチが『アウトルック』誌に掲載した文章の抄訳を載せている

17. **「労働者執権の予期」** ①1918年6月，イー・ケイ生（近藤栄蔵）訳 ②『平民』16号 ③『総括と展望』の英語版の抄訳。英語版の『Our Revolution』から翻訳。『平民』は片山潜がアメリカで発行していた雑誌

18. **「共産党宣言 第三インターナショナル」** ①1919年6月，訳者不詳 ②『平民』21号 ③トロツキーが起草した共産主義インターナショナルの創立宣言の抄訳。戦後訳は、「世界の労働者への共産主義インターナショナルの宣言」というタイトルで、『コミンテルン最初の五ヵ年』（現代思潮社、1962年）に収録

19. **「革命時代の一節」** ①1919年12月，嘉治隆一訳 ②『デモクラシイ』1巻8号，新人会 ③『ボリシェヴィキと世界平和』の最終章の抄訳

20. **「露国の革命党及其の運動」** ①1920年4月，野村徹訳 ②『外交時報』370号，外交時報社 ③論文中にロスによるトロツキーへのインタビューがほぼ全文紹介されている

21. <u>**「トロツキーの英露協約及英露密約の廃棄宣言（一九一八年一月）」**</u> ①1920年4月，遠藤憲治訳 ②『外交時報』370号，外交時報社 ③「外交上より見たる波斯」という論文の一部

22. **「労働組織の諸問題」** ①1921年4月，訳者不詳 ②『経済資料』7巻4号，満鉄東亜経済調査局 ③労働の軍隊化に関するトロツキーの論考の翻訳。戦後訳はなし

23. **「新共産党宣言の一節」** ①1921年5月，訳者不詳 ②『同胞』8号，新人会 ③「18」に同じ

24. **「第三国際共産党宣言」** ①1921年5月，在米日本人社会主義団本部訳 ②『社会主義』6月号，売文社 ③「18」に同じ

25. **「労働の自由と労働の義務、強制労働と軍隊制度」** ①1921年10月，訳者不詳 ②『経済資料』7巻10号，満鉄東亜経済調査局 ③「労農露国に於ける強制労働制度」という論文の一部で、1919年12月17日『プラウダ』所載のトロツキーの論文の抄訳。戦後訳は、「民兵制度と結びついた全般的労働義務への移行（テーゼ）」というタイトルで、『戦時共産主義期の経済』（現代思潮社、1971年）に収録

26. **「第一労働軍に対する命令」** ①②同上 ③戦後訳はなし

27. **「一九二一年の世界」** ①1921年12月，山川均訳 ②『社会主義研究』12月号，社会主義研究社 ③1921年のコミンテルン第3回大会でのトロツキーの報告「世界経済恐慌と共産主義インターナショナルの新しい任務について」の抄訳。戦後訳は『コミンテルン最初の五ヵ年』上（現

代思潮社、1962 年)

28. **「新経済政策の確立が肝要 トロツキー氏語る」** ① 1922 年 9 月，訳者不詳　②『大阪毎日新聞』1922 年 9 月 11 日，大阪毎日新聞社　③新経済政策（ネップ）の重要性を力説したトロツキーの『プラウダ』記事の要旨訳。戦後訳はなし

29. **「新経済政策弁護 第四回国際協賛〔共産〕大会に於るトロツキー氏の演説」** ① 1922 年 11 月，ウラジオストク特派員訳　②『東京朝日新聞』1922 年 11 月 23 日，東京朝日新聞社　③コミンテルン第 4 回大会におけるトロッキーの演説の要旨訳。「共産大会」とすべきところが、「協賛大会」と誤記されている。戦後訳は、「ソヴィエト・ロシアの新経済政策と世界革命の展望」というタイトルで、『社会主義と市場経済』（大村書店）に収録

30. **「日本国民へのメッセージ」** ① 1923 年 1 月，西谷特派員訳　②『大阪毎日新聞』1923 年 1 月 4 日，大阪毎日新聞社　③日本国民に向けた年頭のあいさつ。戦後訳はなし

31. **「ロシア革命の五年」** ① 1923 年 2 月，訳者不詳　②『無産階級インターナショナル』第 4 回大会特別号，無産階級社　③「29」と同じ

32. **「労農露国の経済的現勢」** ① 1923 年 4 月，訳者不詳　②『改造』4 月号，改造社　③コミンテルン第 4 回大会におけるネップに関するテーゼの英語版からの全訳。戦後訳は「29」と同じ

33. **「露国政府の新方針 トロツキーの演説（浦潮特電十二日発）」** ① 1923 年 4 月，ウラジオストク特派員訳　②『大阪朝日新聞』1923 年 4 月 13 日，大阪朝日新聞社　③トロツキーがウクライナ共産党第 12 回大会において行なった演説「ロシア共産党第 12 回大会の課題」の要旨訳。戦後訳は、『トロツキー資料集』Vol.1（トロツキー研究所 , 1997 年）

34. **「トロツキー自伝略」** ① 1923 年 7 月，訳者不詳　②『倫理講演集』251 号，大日本図書　③イタリアの社会主義新聞『アヴァンティ』に掲載されたトロツキーの略自伝の翻訳。1917 年の 7 月事件で逮捕されたまでのことが書かれている。

35. **「露国の対独態度 他国の内乱に干渉せぬとトロツキー氏語る（東方莫斯科三十日発）」** ① 1923 年 10 月，訳者不詳　②『大阪朝日新聞』1923 年 10 月 5 日，大阪朝日新聞社　③ドイツでルール占領をめぐる騒乱が起きていることへのロシアの不干渉姿勢とネップの重要性を主張

36. **「独逸は近く労働者の天下となる トロツキー氏演説」** ① 1923 年 11 月，訳者不詳　②『大阪毎日新聞』1923 年 11 月 3 日，大阪朝日新聞社　③当時進行中だったドイツ革命に関するトロツキーの演説（金属労働者大会における）。戦後訳はない

37. 「ヨーロッパ合衆国の提唱」　①1924年1月，K・T生(田中九一)訳　②『社会思想』第3巻1号（1924年1月号），社会思想社　③同じ号にカール・ラデックの「トロツキイ論」（原題は「勝利の組織者トロツキー」）が嘉治隆一訳で掲載されている。戦後訳は『コミンテルン最初の五ヶ年』下（現代思潮社、1966年）に収録

38. 「革命芸術と社会主義芸術」　①1924年2月，[昇曙夢]訳　②『改造』2月号，改造社　③後に『文学と革命』に収録される『プラウダ』論文の翻訳。後に『革命期の演劇と舞踏』（新潮社，1924年）に収録

39. 「さらば、レーニンよ‼　さらば‼」　①1924年4月，茂森唯士訳　②『改造』4月号　③訳者は冒頭でこう述べている——「本文はトロツキイが、レーニンの死に対する哀切なる告別の辞である」。戦後訳は、「レーニンの死」というタイトルで、『レーニン』（光文社古典新訳文庫、2007年）に収録

40. 「露国革命の指導者トロツキー氏と語る——興味ある彼の日露観と日米戦争観」　①1924年4月，布施勝治訳　②『大阪毎日新聞』1924年4月25日，大阪毎日新聞社　③布施勝治によるインタビュー記事。本書の第3章参照

41. 「英露交渉は借款が第一目的　トロツキー氏の演説（浦潮特電二十四日発）」①1924年4月，ウラジオストク特派員訳　②『大阪朝日新聞』1924年4月27日，　大阪朝日新聞社　③1924年4月20日にモスクワで開催された鉄道従業員会議における演説の要旨訳

42. 「新経済政策の成績」　①1924年6月，訳者不詳　②『外事警察報』24号，内務省警保局　③全露共産党第12回党大会における工業報告の部分訳

43. 「革命芸術と社会主義芸術」　①1924年6月，昇曙夢訳　②昇曙夢『革命期の演劇と舞踏』(新ロシヤパンフレット2)，新潮社　③もともと『改造』に掲載したもの。他にルナチャールスキイ「演劇革命の跡を顧みて」も収録。

44. 「『ヨーロッパ合衆国』論」　①1924年8月，越智道順訳　②『資本主義のヨーロッパと社会主義のロシア』，大原社会問題研究所　③戦後訳は、「『ヨーロッパ連邦』のスローガンのために時期は熟しているか？」というタイトルで『コミンテルン最初の五ヶ年』下（現代思潮社、1962年）に収録

45. 「シベリア脱走記」（Ⅰ）〜（Ⅲ）　①1924年9〜11月，青山哲訳　②『新人』9〜11月号，新人社　③『1905年』第2部の英語版からの翻訳。戦後訳は、『1905年』（現代思潮社、1969年）に収録

46. 「赤軍建設事業」　①1924年10月，戸泉・市川訳　②『労農露国の軍事』(『露文和訳 労農露国調査資料』18編)，満鉄庶務部調査課　③伏字なし。

後に、『労農露国研究叢書』第6編（1926年，大阪毎日新聞社）所収。毎日新聞社版は伏字多数。戦後訳は、「赤軍の道」というタイトルで、『革命はいかに武装されたか』第1巻（現代思潮社、1970年）に収録

47. **「共産党インターナショナルの宣言書」** ①1925年3月，訳者不詳 ②『外国の新聞と雑誌』97号，日本読書協会 ③コミンテルン第1回大会における宣言。「共産党インタナショナルの解剖」という大論文の一部として訳載

48. **「新文化と新芸術」** ①1925年7月，茂森唯士訳 ②『新人』7月号，新人社 ③トロツキー『文学と革命』の一部訳

49. **「トロツキーの文学論から」** ①1925年8月，茂森唯士訳 ②『文芸戦線』8月号，労農社 ③トロツキー『文学と革命』の一部訳。

50. <u>**「露国は外資を歓迎す 利権委員長レオン・トロツキー（ニュウヨーク・ウォールド紙より）」（上）（下）**</u> ①1925年9月，訳者不詳 ②『中外商業新報』1925年9月19日，20日，中外商業新報社 ③利権委員長になったトロツキーがドイツの労働者代表団と同年8月に行なった、利権問題をめぐる会談のかなり詳しい訳。戦後訳はない

51. **「ロシア革命の経済的基礎」** ①1925年12月，嘉治隆一訳 ②嘉治隆一『近代ロシア社会史研究』，同人社 ③『1905年』の序説の一部訳

52. **「ロシア経済は資本主義、社会主義の何れに向かいつつあるか？」**（上）（下） ①1926年3月，4月，田中九一訳 ②『社会思想』5巻3号，4号（3月号、4月号），社会思想社 ③『社会主義へか資本主義へか』の英語版（『ロシアはどこへ行く』）の第1章の訳。1927年に改訳の上、『ロシアは何処へ往く』に収録

53. **「トロツキーの英米攻撃」** ①1926年4月，J・A訳 ②『外事警察報』46号，内務省警保局 ③1925年11月28日付『イズベスチヤ』に掲載された「8年 —— 総括と展望」の冒頭部分の要旨訳。ロカルノ会議に関する評価。訳者は11月29日付『イズベスチヤ』と書いているが、11月28日付けの間違い。なお、訳者の「J・A」なる人物は、トロツキーの言動に注目しており、これ以降も何度も翻訳したり論評したりしている

54. **「英国は何処に往くか」** ①1926年5月，佐久間訳 ②『外国の新聞と雑誌』124号，日本読書協会 ③50頁近くにわたる抄訳。バートランド・ラッセルによる書評の抄訳も掲載

55. **「トロツキーのプロレタリア芸術講話」（1）〜（4）** ①1926年5〜9月，茂森唯士訳 ②『文芸戦線』5月号〜9月号，労農社 ③茂森訳『文学と革命』第1部第6章の改訳版。いわゆる「プロレタリア文化否定論」についての箇所。茂森は冒頭のリード文でこう書いている。「トロツキイの所論を全体的あるいは部分的に肯定するといなとは読者の自由裁断

に任せるとして、とにかくロシヤにおけるプロ芸術の重要文献であり、かつ問題の焦点であるトロツキイの所論を知ることは必ずしも無駄ではなかろうと思う」(46頁)

56. **「トロツキーの米国観」**　①1926年6月, J・A訳　②『外事警察報』48号, 内務省警保局　③「ヨーロッパとアメリカ」の要旨訳。戦後訳は、著作の「14」と同じ。

57. **「欧州無産階級の革命の勝利から　反幹部派の立場を釈明するトロツキー氏の演説」**　①1926年11月, 訳者不詳　②『中外商業新報』1926年11月8日, 中外商業新報社　③1926年11月に開催されたロシア共産党第15回党協議会におけるトロツキーの演説の要旨訳。戦後訳は、『ニューズ・レター』第37/38合併号(2004年)に収録

58. **「トロツキー氏と語る」**　①レオン・トロツキー口述;種田虎雄訳　②『新露西亜印象記』1926年12月, 博文館　③1925年12月11日に行なわれたインタビューの記録。種田虎雄は当時は鉄道官僚で後に近鉄の初代社長

59. **「労農露西亜の新経済政策」**　①1926年12月, 岩城忠一訳　②『商学論叢』1巻4号, 和歌山高等商業学校学会　③コミンテルン第4回大会におけるネップに関するテーゼのドイツ語版(「社会主義革命の立場から見たソヴィエト・ロシアの経済情勢」)の全訳。ネップは社会主義からの後退ではなくむしろソヴィエト・ロシアが「社会主義への道」をたどり始めたことを示すものだという立場から、それを裏付けるものとしてトロツキーのこの論文を紹介。戦後訳は「29」と同じ

60. **「文芸の領域における露国共産党の政策(2)(エル・トローツキイの所説)」**　①1927年6月, 外村史郎訳　②『文芸戦線』6月号, 労農社　③1924年5月9日にロシア共産党中央委員会で行なわれた党の文芸政策をめぐる討論会の速記録を連載したもので、トロツキーの発言を翻訳。後に『露国共産党の文芸政策』(南宋書院, 1927年)に収録。戦後訳は、「文学とロシア共産党の政策について」というタイトルで、『文学と革命』上(岩波文庫、1993年)に収録

61. **「エル・トローツキイの発言」**　①1927年11月, 外村史郎訳　②外村史郎・蔵原惟人編訳『露国共産党の文芸政策』, 南宋書院　③『文芸戦線』6月号に発表したものを収録。『露国共産党の文芸政策』は発禁処分になったので、1928年にマルクス書房から再刊

62. **「ロシア資本主義の発達」**　①1927年12月, 石浜知行訳　②『社会思想』6巻11号(11・12月合併号), 社会思想社　③「新ロシアの十年」を特集。ドイツ語版『1905年』の序説における最初の2つの節

63. **「ソヴィエト連邦とアメリカ合衆国」**　①1927年12月, 東井金平訳　②

同上　③1927年8月19日にアメリカの労働者、教育家、新聞記者26名からなる派遣団とトロツキーとのあいだに交わされた会談の記録の翻訳。戦後訳はない。

II．流刑・亡命期（1928年〜）

64. **「幹部派と反幹部派の論難応酬：日比谷座に劣らぬ論難弥次」**　①1928年1月，訳者不詳　②『露西亜事情』22集，露西亜通信社　③1927年10月における中央委員会および中央統制委員会合同総会におけるトロツキーの演説「われわれの政綱に対する恐怖」の前半部の一部訳。「日比谷座に劣らぬ論難弥次」というタイトルがつけられているのは、トロツキーの演説中、スターリニストによる野次があまりにもひどかったのを皮肉っている

65. **「労働組合の任務と役割」**　①1928年1月，広岡光治訳　②ヤロスラウスキー『反対派の誤謬』，白揚社　②1920〜21年の労働組合論争におけるトロツキー＝ブハーリン派政綱。同書には他に主流派と労働者反対派の政綱も資料として収録

66. **「『文学と革命』より」**　①1928年4月，昇曙夢訳　②ペ・コーガン『プロレタリア文学論』，白揚社　③トロツキーの『文学と革命』から数頁にわたって引用紹介。コーガンの原著はトロツキーが除名される以前に出版されている。『プロレタリア文学論』は「マルクス主義の旗の下に」文庫の一つとして、1930年に白揚社から再刊

67. **「全世界のプロレタリアートに対するコミンターンの宣言」**　①1929年1月，東條俊三訳　②東條俊三編訳『コミンテルン第一回大会宣言・根本方針・決議：モスコー・一九一九年三月二日より十九日に至る』（インタナショナル叢書, 1），上野書店　③戦後訳は『コミンテルン最初の五ヵ年』上（現代思潮社）

68. **「タイムス記者とトロツキーの会談」**　①1929年4月，L・T訳　②『外事警察報』82号，外務省警保局　③トロツキーのヨーロッパへの入国問題がテーマのインタビュー。戦後訳はなし

69. **「追放を語る」**　①1929年5月，訳者不詳　②『改造』5月号，改造社　③トロツキーが国外追放になったときに書いた手記（『ニューヨーク・タイムス』掲載のもの）の全訳。戦後訳はなし

70. **「国民型としてのレーニン」**　①1929年5月，稲村順三訳　②ブハーリン他著『レーニン：彼の生涯と事業』，改造社　③戦後訳は、「レーニンにおける民族的なもの」というタイトルで、『レーニン』（光文社古典新

訳文庫、2007 年）に収録

71. 「ロシアは何処へ行く」 ① 1929 年 6 月，訳者不詳 ②『内外社会問題調査資料』42 号，内外社会問題調査所 ③『ニューリパブリック』1929 年 5 月 22 日号に掲載された論文の全訳。『ニューリパブリック』誌の論評も訳出。戦後訳はない

72. 「英国入国問題に関するトロツキーの手記」 ① 1929 年 7 月，訳者不詳 ②『外事警察報』85 号，内務省警保局 ③戦後訳はない

73. 「ロシアは何処へ行く？」 ① 1929 年 7 月，三上訳 ②『外国の新聞と雑誌』196 号，日本読書協会 ③「71」と同じ

74. 「ソヴィエト連邦の労働者に訴ふ」 ① 1929 年 7 月，訳者不詳 ②『我等』7 月号，我等社 ③トロツキーが生活のためにブルジョア新聞に記事を書いていることがソ連当局から裏切りとして攻撃されたことを受けて書いた論文。戦後訳はない

75. 「ソヴィエト政権をめぐる紛争——スターリンの不信を訴へるトロツキー」 ① 1929 年 7 月，訳者不詳 ②『内外社会問題調査資料』44 号，内外社会問題調査所 ③「74」と同じ

76. 「同志トロツキーの演説」 ① 1929 年 9 月，高山洋吉訳 ②コンミンタン編『武漢時代と支那共産党』，白揚社 ③原著はドイツ語で，トロツキーの演説や片山潜の演説も訳されている。戦後訳は，「中国問題に関する第一の演説」というタイトルで，『中国革命論』（現代思潮社，1961 年）に収録。コミンテルンによる編集以前の演説全文は，「第 8 回執行委員会総会における第 1 の演説」というタイトルで，『ニューズ・レター』第 62/63 号（トロツキー研究所，2017 年）に収録

77. 「人民経済五ヶ年計画に対する反対派テーゼ（1927 年 11 月 17 日発行プラウダ紙第 3795 号所載）」 ① 1929 年 11 月，近藤栄蔵訳 ②プラウダ』紙連載『露国共産党「内訌」録』，改造社 ③合同反対派が全ソ共産党第 15 回大会に向けて提出したテーゼの全訳。これは『合同反対派の政綱』とは別のもので、戦後訳はない

78. 「全連邦共産党共産党協議会に於ける討論 トロツキーの演説」 ①②同上 ③ 1927 年 10 月における中央委員会および中央統制委員会合同総会におけるトロツキーの演説「われわれの政綱に対する恐怖」の前半部の訳。戦後訳は，「われらの綱領に対する恐怖」というタイトルで，『左翼反対派の綱領（トロツキー選集，3）』（現代思潮社、1961 年）に収録

79. 「ベヅィミョンスキーの藝術」 ① 1929 年 11 月，尾瀬敬止訳 ②『ベヅィミョンスキー詩集』（サヴエート詩人選集，1），素人社書屋 ③「ベヅィミョンスキーの芸術」は 1923 年 11 月 2 日付の論文。戦後訳はない。戦後の岩波文庫版『文学と革命』上では、「ベズイメンスキイ」と表記。

80. **「プロレタリア文化とプロレタリア芸術」** ① 1930 年 2 月，岡澤秀虎訳
②岡澤秀虎『ソヴェート・ロシア文芸理論』，神谷書店　③トロツキー
『文学と革命』の一節。『ソヴェート・ロシア文芸理論』は同年 7 月に世
界社から普及版が出ている

81. **「文芸政策論」** ①②同上　③ 1924 年の党の文芸政策をめぐる討論での
発言

82. **『『文学と革命』序文」** ①②同上　③トロツキー『文学と革命』の一節

83. **「革命芸術と社会主義芸術」** ①②③同上

84. **「民主主義会議における演説」** ① 1930 年 3 月，高山洋吉訳　②『絵入
版 ロシア大革命史』第 2 巻，南蛮書房　③ 1917 年の民主主義会議にお
けるトロツキーの演説。戦後訳は『トロツキー研究』第 5 号（1992 年）

85. **「民主主義会議におけるボリシェヴィキのフラクションの宣言」** ①②同
上　③ 1917 年の民主主義会議においてトロツキーが起草したボリシェ
ヴィキの声明。戦後訳はない

86. **「世界情勢と共産インタナショナルの任務に関する論綱」** ① 1930 年 3
月，吉田繁之訳　②コミンテルン編『戦略戦術決議録：コミンテルン第
一回世界大会より第六回世界大会まで』，大田黒社会科学研究所　③コ
ミンテルン第 3 回世界大会における「国際情勢とコミンテルンの任務に
関するテーゼ」の訳。戦後訳は「27」と同じ

87. **「十月革命の諸教訓」** ① 1930 年 4 月，高山洋吉訳　②コミンテルン編
『解党主義の分析と批判』，マルクス書房　③ 1924 年のトロツキーの「十
月革命の諸教訓」，およびそれに対するスターリン、ブハーリン、ジノヴィ
エフ、カーメネフらの批判の訳を収録。戦後訳は著作の「6」と同じ

88. **「時別寄稿　軍縮と欧州連盟」** ① 1930 年 5 月，訳者不詳　②『改造』5
月号，改造社　③田口運蔵が直接トロツキーに手紙を書いて寄稿を依
頼。戦後訳はない

89. **「革命の将来」** ① 1930 年 6 月，近藤栄蔵訳　②近藤栄蔵編『プロレタ
リア演説集』，平凡社　③「十月革命とコミンテルン第 4 回大会」の一
部訳。戦後訳は、「10 月革命の第 5 周年記念日ならびにコミンテルン第
4 回世界大会に関する報告」というタイトルで、『コミンテルン最初の
五ヶ年』下巻に収録

90. **「スターリン政策反撃——党の現状と左翼反対派の課題：連邦共産党員
に与ふる書」** ① 1930 年 8 月，竹内謙三郎訳　②『ソウェート連邦事情』
1 巻 4 号，南満州鉄道調査課　③『反対派ブレティン』第 10 号に掲載の
論文「ソ連邦共産党への公開状」。スターリンの冒険主義的工業化を批判。
戦後訳はない

91. <u>**「文化と社会主義」**</u>　① 1930 年 11 月，ソヴェート文学研究会訳　②ソ

ヴェート文学研究会編訳『芸術総論』（マルクス主義芸術論入門，1），叢文閣　③ 1927 年にストルプネル＆ユシケーウィッチ編集でソヴィエトで出版された著作の翻訳で、全 3 巻の第 1 巻。プレハーノフ、ルナチャルスキー、ヴォロンスキー――、トロツキーなどからさまざまな文章を抜粋してテーマ別に編集したもの。1927 年に編集されたので、トロツキーのものも多く収録。1927 年の論文「文化と社会主義」の一部訳で、その全訳は戦後、『文化革命論』（現代思潮社）に収録

92. **「純粋芸術と傾向性」**　①②同上　③トロツキー『文学と革命』の一節

93. **「二月革命の真相（皇帝没落曲）」**　① 1931 年 2 月，訳者不詳　②『文芸春秋』2 月号，文芸春秋社　③『ロシア革命史』第 1 部第 6 章の一部訳

94. **「トロツキー氏の批判」**　① 1931 年 4 月，訳者不詳　②『露西亜事情』141 号，露西亜通信社　③「五ヶ年計画と反対派の批判」というタイトルの特集の一部。

95. **「五ヶ年計画四ヶ年完成は不可能なり」**　①②③同上。戦後訳は、「5 ヵ年計画を 4 年で？」というタイトルで、『トロツキー研究』第 4 号（1992 年）に収録

96. **「パリ・コミューンとソヴィエト・ロシア」**　① 1931 年 4 月，木下半治訳　②『巴里コミューン』，春陽堂　③ 1920 年にソヴィエト・ロシアで出版され、翌 1921 年にフランスのクラルテ社から発行された『パリ・コミューン』（序文はジノヴィエフ）を基礎とし、さらに、資料を中心とするユマニテ社版の『パリ・コミューン』を加え、さらに、同じユマニテ社刊の、パリ・コミューンに関するレーニンの論文 2 本と演説 1 つを加え、最後に、トロツキーの小冊子『パリ・コミューンとソヴィエト・ロシア』を加えたもの（ユマニテ社が小冊子として出版）。トロツキーのものは、『テロリズムと共産主義』の 5 章と 6 章からの抜粋。戦後訳は『テロリズムと共産主義』（現代思潮社、1962 年）

97. **「労働の美的価値を発見した画家としてのムニエ」**　① 1931 年 5 月，ソヴェート文学研究会訳　②ソヴェート文学研究会編訳『芸術の起源及び発達』（マルクス主義芸術論入門，2），叢文閣　③ 1927 年にストルプネル＆ユシケーウィッチ編集でソヴィエトで出版された著作の翻訳で、全 3 巻の第 2 巻。「労働の美的価値を発見した画家としてのムニエ」は、トロツキー『文学と革命』の第 2 部に収録された「1911 年のウィーンの 2 つの展覧会」の一部。トロツキーの『文学と革命』は現代ロシア文学を論じた第 1 部と革命前にトロツキーが文学・文化について論じた諸論文を集めた第 2 部に分かれるが、戦前は第 1 部しか訳されておらず、この論文は、部分的とはいえ、戦前に訳された唯一の第 2 部論稿である。

98. **「トロツキーの五ヵ年計画批判：集中的経済計画の勝利を証明するもの」**

①1931年5月, 訳者不詳　②『内外社会問題調査資料』115号, 内外社会問題調査所　③『マンチェスター・ガーディアン』1931年4月3日号掲載の記事で, 同紙の特派員がプリンキポのトロッキーを訪れてインタビューしたもの。戦後訳は, 「『マンチェスター・ガーディアン』とのインタビュー（抜粋）」というタイトルで, 『トロッキー研究』第4号（1992年）に収録。戦前訳は全訳だが, 戦後訳では記事冒頭における記者のリード部分が訳されていない

99.　**「スターリンと支那革命——事実と文献に基調して本章を草す」上下**　①1931年6月, 7月, 竹内謙三郎訳　②『ソウェート連邦事情』第2巻6号, 7号, 南満州鉄道調査課　③『反対派ブレティン』第15/16号に掲載された論文の全訳。前後訳は, 「スターリンと中国革命——事実と文書」というタイトルで, トロッキー『中国革命論』（トロッキー選集6巻）（現代思潮社、1961年）に収録

100.　**「中国の政治状況——ボルシェヴィキ・レーニン派（反対派）の任務」**　①1931年7月, S・A訳　②『外事警察報』108号, 内務省警保局　③S・A筆による長大な連載論文「中国革命の失敗と中国共産党の内訌」の「下」に収録されている。戦後訳は, 「中国の政治情勢とボリシェヴィキ・レーニン主義者の課題」というタイトルで, 『ニューズ・レター』第34号（2003年）に収録。この長大論文は中国革命と反対派に関する資料が満載で, 陳独秀の有名な「全党同志に告げる書」など基本資料がひととおり訳されている

101.　**「トロッキーよりの書信」**　①②同上　③中国反対派の統一を訴えた手紙。戦後訳は, 『『われわれの話』派への手紙（1930年8月22日）」というタイトルで, 『ニューズ・レター』第34号（2003年）に収録

102.　**「未来主義に就いて」**　①1931年9月, ソヴェート文学研究会訳　②ソヴェート文学研究会編訳『現代芸術の諸傾向』（マルクス主義芸術論入門, 3）, 叢文閣　③『文学と革命』の一節。この文章に続いて、グラムシの「伊太利未来主義に就いて」も収録されている

103.　**「未来主義はプロレタリア芸術であるか?」**　①②同上　③『文学と革命』の一節

104.　**「『レフ』の理論家に就いて」**　①②③同上

105.　**「社会主義的芸術に就いて」**　①②③同上

106.　**「トロッキー派の『スターリンの転換』批判」**　①1931年10月, 岸谷訳　②『ソウェート連邦事情』2巻10号, 南満州鉄道調査課　③『反対派ブレティン』23号に掲載された「新しいジグザグと新しい危機」の抄訳。戦後訳はない

107.　**「レーニン在らず」**　①1932年1月, 訳者不詳　②『レーニン研究』追

憶特別号，南北書院　③「39」と同じ

108. **「資本と共産、両主義の一大決戦 ヒトラー運動の勝敗に注目して」**　①
1932 年 1 月，訳者不詳　②『東京朝日新聞』1932 年 1 月 17 日，東京朝
日新聞社　③他のいくつかの新聞にも同様の記事が配信されている。ヒ
トラーの勝利はソヴィエト・ロシアとの戦争を意味するから、ロシアは
戦争の準備をしなければならないと論じた論文。

109. **「紐育タイムス記者とトロツキーの一問一答——興味ある彼の時局観」**
① 1932 年 4 月，訳者不詳　②『内外社会問題調査資料』146 号，内外社
会問題調査所　③『ニューヨーク・タイムズ』1932 年 3 月 5 日付に掲
載された、トロツキーへの質問に対する回答の翻訳。戦後訳は、「『ニュー
ヨーク・タイムズ』の質問に対する回答」というタイトルで、『トロツキー
著作集 1932』上（柘植書房新社、1998 年）に収録

110. **「トロツキー 世界のソヴィエト主義を予言する」**　① 1932 年 5 月，訳者
不詳　②『出版警察報』44 号，内務省警保局　③底本は上と同じ

111. **「スターリンと其の反対派」**　① 1932 年 6 月，伊藤訳　②『外国の新聞
と雑誌』264 号，日本読書協会　③『ニューヨーク・タイムズ』1932 年
5 月 8 日付に掲載された論文の全訳。訳者は冒頭で次のように解説——
「トロツキーはスターリンの為めに国外に亡命すべく余儀なくされた偉
大なるボルシェヴィキの一人である。彼は今トルコのプリンキポに在っ
て再起の機会を狙っている」云々。戦後訳は「弱体化しつつあるのは、
スターリンなのかそれともソ連邦なのか」というタイトルで、『トロツ
キー著作集 1932』上（柘植書房新社、1998 年）に収録

112. **「ロシヤ共産党内にトロツキズムの擡頭——スターリンの弾圧開始」**　①
1932 年 6 月 15 日，訳者不詳　②『内外社会問題調査資料』152 号，内外
社会問題調査所　③底本は上に同じ

113. **「トロツキーの日ソ開戦観」**　① 1932 年 6 月，Keishicho（警視庁）訳　②『外
事警察報』119 号，内務省警保局　③戦後訳は、「日本の満州侵略と日ソ
戦争の可能性」というタイトルで、『トロツキー研究』第 35 号（2001 年）
に収録

114. **「ソウェート経済の危機（第二次五箇年計画を控えて）」**　① 1933 年 2 月，
内山彼得訳　②『ソウェート連邦事情』第 4 巻 2 号，南満州鉄道経済調
査会　③『反対派ブレティン』31 号に掲載された論文の全訳　③戦後
訳は、『コミンテルン最初の五ヵ年』下（現代思潮社，1962 年）、『トロツキー
著作集 1932 年』下（柘植書房新社，2000 年）に収録

115. **「トロツキーの米露協力論——以って日本を制肘せよ」**　① 1933 年 7 月，
訳者不詳　②『内外社会問題調査資料』191 号，内外社会問題調査所
③アメリカの新聞記者とのインタビューで、ソ連とアメリカが協力する

ことで、計画経済を発展させ、日本を制肘し、平和にも役立つと訴える。戦後訳は、「『ワールド・テレグラム』（ニューヨーク）のインタビュー」というタイトルで、『トロツキー著作集 1932-33』下（柘植書房、1989年）に収録

116. **「トロツキー氏の独逸共産党戦術批判」** ① 1933年8月，訳者不詳 ②『内外社会問題調査資料』193号，内外社会問題調査所 ③ドイツにおけるヒトラーの勝利を受けて、『ニューリパブリック』1933年7月5日に掲載されたトロツキーのファシズム論の翻訳。戦後訳は、「ドイツの破局 —— 指導者の責任」というタイトルで、『トロツキー著作集 1932-33』下（柘植書房、1989年）に収録

117. **「トロツキーの観たロシヤ政府と世界革命運動：コミンテルンは名実共に萎縮」** ① 1933年12月，訳者不詳 ②『内外社会問題調査資料』203号，内外社会問題調査所 ③『ニュー・レパブリック』1933年11月1日号に掲載されたトロツキーの論文の全訳。戦後訳は、「ソ連邦とコミンターン」というタイトルで、『トロツキー著作集 1933-34』上（柘植書房、1980年）に収録

118. **「日本は自殺するか」** ① 1933年12月，亀谷一男訳 ②『東京朝日新聞』1933年12月14日，東京朝日新聞社 ③『リバティ』11月号に掲載された日本批判の英語論文の抄訳。戦後訳は、『トロツキー著作集 1932-33』下（柘植書房，1989年）と『トロツキー研究』第35号（トロツキー研究所，2001年）に収録

119. **「日本は自殺するか」** ① 1934年1月，G・J・S訳 ②『新天地』1月号，新天地社 ③同上

120. **「日本は自殺するか？」** ① 1934年2月，世界公論社訳 ②世界公論社編『日本は自殺する？：世界の嫉視・日本に集る』，世界公論社 ③同上

121. **「日本は自殺するか——国際討論 松岡洋右氏・レオン・トロツキ氏」** ① 1934年2月，訳者不詳 ②『セルパン』2月号，第一書房 ③同上

122. **「日本は果して噴火山上にありや」** ① 1934年2月，訳者不詳 ②『サラリーマン』2月号，サラリーマン社 ③同上

123. **「日本は自殺するか」** ① 1934年3月，訳者不詳 ②陸軍省軍事調査部篇『国際輿論を通して観る皇国日本の立場』，陸軍省軍事調査部 ③同上

124. **「国家主義と経済生活」** ① 1934年5月，訳者不詳 ②『外国の新聞と雑誌』307号，日本読書協会 ③『フォーレン・アフェアーズ』1934年4月号掲載のもの。戦後訳は「民族主義と経済生活」というタイトルで『トロツキー著作集 1933-34』上（柘植書房，1980年）に収録

125. **「トロツキーを繞る第四インター樹立計画――第三国際（インター）に代って世界革命を企図」**　①1934 年 6 月，訳者不詳　②『内外社会問題調査資料』220 号，内外社会問題調査所　③長い前書きの後，『ニューヨーク・タイムズ』記者とのインタビューを翻訳。戦後訳は、「アニタ・ブレナーの質問への回答」というタイトルで、『トロツキー著作集 1933-34』上（柘植書房、1980 年）に収録

126. **「赤軍の現状」**　①1934 年 7 月，訳者不詳　②『外国の新聞と雑誌』311 号，日本読書協会　③『サタデー・イブニング・ポスト』1934 年 5 月 26 日付掲載のもの。戦後訳は「赤軍」というタイトルで『トロツキー著作集 1933-34』下（柘植書房，1982 年）に収録

127. **「トロツキイのキーロフ事件批判：スターリンの官僚政治とキーロフの暗殺」**　①1935 年 3 月，訳者不詳　②『東亜』3 月号，満鉄東亜調査局　③『反対派ブレティン』からの抄訳。戦後訳は、「スターリニズム的官僚制度とキーロフ暗殺」というタイトルで、『トロツキー著作集 1934-35』上（柘植書房，1979 年）に収録

128. **「キーロフ暗殺事件を繞るトロツキーの反スターリン声明」**　①1935 年 3 月，FUKUI 訳　②『外事警察報』152 号，内務省警保局　③同上

129. **「トロツキーの極東観」**　①1935 年 3 月，TOYAMA 訳　②同上　③戦後訳は、「極東の暗雲」というタイトルで『トロツキー著作集 1934-35』上（柘植書房，1979 年）に収録

130. **「マルロオの『征服者』について」**　①1935 年 6 月，小松清訳　②小松清『行動主義文学論』，紀伊国屋出版部　③フランス語訳からの翻訳で、この論文に続いて、マルローによる「トロツキイに答える」も収録

131. **「日本は自殺するか」**　①1935 年 9 月，赤尾敏訳　②赤尾敏『一切を挙げて赤露の挑戦に備へよ』（皇道パンフレット），建国会出版部　③底本は「118」と同じ。付録として、このトロツキーの論文以外に、スターリン、モロトフ、リトヴィノフなどの論文も収録

132. **「トロツキーの危篤と第四インター」**　①1936 年 1 月 Fukui 訳　②『外事警察報』162 号，内務省警保局　③トロツキーがフランスを去るにあたってパリの同志に宛てた手紙の抄訳が、この論稿の中に入っている。戦後訳は、「フランス労働者への公開状」というタイトルで、『トロツキー著作集 1934-35』上（柘植書房，1979 年）に収録

133. **「トロツキィ会見記――アンドレ・マルロオ」**　①1936 年 3 月，訳者不詳　②『セルパン』3 月号，第一書房　③フランスの作家アンドレ・マルローがトロツキーと会見した記録。

134. **「フランスはどこへ行く」**　①1936 年 8 月，訳者不詳　②『セルパン』8 月号，第一書房　③『ニュー・リパブリック』1936 年 7 月 4 日号に掲載

されたものの翻訳。戦後訳は、「フランスの革命は始まった」というタイトルで『スペイン革命と人民戦線』(現代思潮社、1963年)、「フランス革命は開始された」というタイトルで『トロツキー著作集 1935-36』上 (柘植書房、1975年) に収録

135. **「トロツキーの仏国総罷業評」**　①1936年8月, 訳者不詳　②『内外社会問題調査資料』294号, 内外社会問題調査所　③同上

136. **「ソ連邦のテロリズムとトロツキー」**　①1936年10月, 訳者不詳　②『民政』276号, 民政社　③『ニューヨーク・タイムズ』に寄せたトロツキーの声明の抄訳。『民政』は立憲民政党の定期刊行物。1936年5月22日の論文 ”Political Persecution in the USSR” と思われるが、確証なし、戦後訳もなし

137. **「諾威法相への公開状」**　①1936年12月, 訳者不詳　②『セルパン』12月号, 第一書房　③第1次モスクワ裁判関連のもので、当時トロツキーが閉じ込められていたノルウェーの法相への書簡。『ネーション』10月1日号に掲載のもの、戦後訳は、「トリグヴェ・リーへの書簡」というタイトルで、『トロツキー著作集 1935-36』下 (柘植書房、1977年) に収録

138. **「トロツキーの爆弾宣言（1）」**　①1936年12月, 鈴木孝訳　②『日本評論』12月号, 日本評論社　③第1次モスクワ裁判を批判した手紙。戦後訳は、「スターリンがすべてではない」というタイトルで、『トロツキー研究』第57号 (2010年) に収録。だが厳密には同じではない。

139. **「トロツキーの爆弾宣言（2）」**　①②同上　③アソシエーテッド・プレス (AP) 通信への声明。1936年5月22日の論稿 ”Political Persecution in the USSR” と思われるが、確証なし、戦後訳もなし

140. **「トロツキーの弁駁（1）」**　①1937年3月, 訳者不詳　②『外国の新聞と雑誌』372号, 日本読書協会　③『マンチェスター・ガーディアン』への声明の翻訳。第2次モスクワ裁判関連。戦後訳は、「誰の陰謀か」というタイトルで、『トロツキー著作集 1937-38』上 (柘植書房、1973年) に部分訳として収録。

141. **「トロツキーの弁駁（2）」**　①②同上　③『マンチェスター・ガーディアン』への声明の翻訳。第2次モスクワ裁判関連。戦後訳は、「ただの一語も真実ではない」というタイトルで、『トロツキー著作集 1937-38』上 (柘植書房、1973年) に収録

142. **「トロツキイの声明：反革命裁判に対するトロツキイの抗議」**　①1937年3月, 訳者不詳　②『セルパン』3月号, 第一書房　③モスクワ裁判をめぐって欧米のメディアに対して行なったいくつかの声明の抄訳。同号に延島英一の「トロツキイ派公判の真相」、筆者不詳の「メキシコに渡っ

たトロツキイ」などを収録

143. **「トロツキイ」ノ聲明」** ①1937年3月，外務省調査局第二課訳 ②『露西亜月報』39号，内務省調査局 ③モスクワ裁判を批判するトロツキーの声明。

144. **「其後のトロツキー」** ①1937年3月，訳者不詳 ②『外事警察報』176号，内務省調査局 ③『ニューヨーク・タイムズ』の記事の翻訳で，その中にメキシコ到着直後におけるトロツキーのインタビューが訳されている。戦後訳は、「タンピコにおける声明」というタイトルで、『トロツキー著作1937-38』上（柘植書房、1973年）に収録。しかし、戦後訳の方が量が少ない。

145. **「ソヴィエト国家の階級的性質」** ①1937年4月，延島英一訳 ②『日本評論』4月号，日本評論社 ③英語からの抄訳で，訳者によると全体の4分の1程度。戦後訳は、同タイトルで『ソヴィエト国家論（トロツキー選集，9）』現代思潮社，1963年，『トロツキー著作集1933-34』上（柘植書房，1980年）に収録

146. **「ソ連邦の新憲法」** ①1937年4月，満鉄産業部訳 ②『ソ連新憲法関係資料』（ソ連研究資料，27），南満州鉄道産業部 ③トロツキーの新憲法批判論文を『反対派ブレティン』から翻訳。戦後訳は、同タイトルで『トロツキー著作集1935-36』下（柘植書房、1977年）に収録

147. **「トロツキー模擬裁判」** ①1937年6月，[延島英一編訳] ②『日本評論』6月号，日本評論社 ③メキシコで開催されたトロツキー対抗裁判の模様を、各種の新聞報道などから部分的に再現したもの。戦後訳はなし

148. **「スペイン問題をめぐるトロツキイとマルロオの論戦」** ①1937年6月，訳者不詳 ②『中央公論』6月号，中央公論社 ③スペイン革命をめぐるマルローとの論戦。『ネーション』誌の記事からの翻訳。トロツキーの主張部分はかなり短く，主としてマルローの反論。戦後訳は、「マルロー氏への若干の具体的質問」というタイトルで『トロツキー著作集1937-38』上（柘植書房、1973年）に収録

149. **「スターリン独裁崩壊の端緒――赤軍実力数等低下す」** ①1937年6月，訳者不詳 ②『東京日日新聞』1937年6月15日，東京日日新聞社 ③赤軍幹部銃殺事件に関する論評

150. **「スターリンを批判する」** ①1937年6月，訳者不詳 ②『セルパン』6月号，第一書房 ③『裏切られた革命』英語版の出版に先立って発表された原稿の一部訳

151. **「トロツキイ会見記：メキシコ市に於ける最近の動静をさぐる」** ①②同上 ③イギリスのリベラル雑誌『ニュー・ステイツマン』の記者キングスレー・マアチンによるインタビュー記事の翻訳。内容は主としてモス

クワ裁判

152. **「トロツキイとマルロオ」** ①②同上　③「148」と同じ

153. **「第四インターを語るトロツキー」**　① 1937 年 7 月, 訳者不詳　②『民政』
285 号, 民政社　③『ニューヨーク・タイムズ』でのトロツキーの声明
の短い抄訳。戦後訳は、「第四インターナショナル」というタイトルで、
『トロツキー著作集 1937-38』上（柘植書房、1973 年）

154. **「モスコー裁判に対するトロツキーの暴露演説」**　① 1937 年 7 月, Fukui
訳　②『外事警察報』180 号, 内務省警保局　③モスクワ裁判に関する
ラジオ演説「私は自らの命を賭ける」を『反対派ブレティン』から翻訳。
訳者によるリード文には「演説内容はモスクワ裁判の虚偽なることを徹
頭徹尾暴露したもので興味あるものと思われる」とある（127 頁）。戦
後訳は、『トロツキー研究』57 号（2010 年）に収録

155. **「ロシアは何処へ行く？」**　① 1937 年 8 月, 国際情勢研究会訳　②国際
情勢研究会編『赤軍は嘲笑う』, 太陽閣　③「スターリン政権に挑戦す」
という総合タイトルで、トロツキーの 4 本の論文を収録しているが、そ
の 1 本目。『ニューリパブリック』1929 年 5 月 22 日号に掲載された論
文の翻訳。戦後訳はなし

156. **「スターリンと反対派」**　①②同上　③『ニューヨーク・タイムズ』1932
年 5 月 8 日付に掲載された論文の翻訳。戦後訳は、「弱体化しつつある
のは、スターリンなのかそれともソ連邦なのか？」というタイトルで、『ト
ロツキー著作集 1932』上（柘植書房、1998 年）に収録

157. **「赤軍の現状」**　①②同上　③『サタデー・イブニング・ポスト』1934
年 5 月 26 日付に掲載された論文の翻訳。戦後訳は、「赤軍」というタイ
トルで、『トロツキー著作集 1933-34』下（柘植書房、1982 年）に収録

158. **「スターリンを弁駁する」**　①②同上　③『裏切られた革命』の一部訳

159. **「ソヴェートの危機：トロツキー手記」**　① 1937 年 8 月, 訳者不詳　②『政
界往来』8 月号, 政界往来社　③底本は「150」と同じ。リード文にはこ
うある。「本稿はスターリンの政敵トロツキーが、政治的、社会的、経済的、
外交的、軍事的、文化的等あらゆる観点よりスターリン治下のソ連の現
実に対し、辛辣なる批判を下し、ソ連の内部矛盾を摘発し、殊に社会的
階級分裂、官僚政治の生成発展、官閥の横暴を痛烈に論難し、スターリ
ンの所謂『一国社会主義』は遂にその破綻を生み、新しき革命が必然的
に発生すると予断せるものである。固よりトロツキーの論述には独断的
であると感ぜられる節々がないではないが、相当評論界の問題になって
いる模様である」。

160. **「スターリンを批判する」**　① 1937 年 8 月, 訳者不詳　②室伏高信・清
沢冽編訳『ソ連の知識』（時局知識シリーズ，1），青年書房　③底本は

「150」と同じ

161. **「裏切られた赤色革命」** ① 1937 年 8 月，鶴本丑之介訳　②『解剖時代』8 月号，解剖時代社　③『裏切られた革命』の一部。リード文にはこうある。「この著書は現在アメリカ出版界で問題となっているほど，盛んに読まれているようである。ソ連にとって新しい問題を提供する著書であることは言うまでもない」(96 頁)

162. **「ソ連反幹部は裁判に対するトロツキーの曝露演説」** ① 1937 年 9 月，国際思想研究所訳　②『日ソ関係とソ連陰謀事件の真相探求』(国際思想研究資料，4)，国際思想研究所　③「154」と同じ

163. **「第四インターナショナルとソ連邦」** ① 1937 年 11 月，高橋宣彦訳　②『ソヴェート連邦事情』第 8 巻 2 号，南満州鉄道産業部資料室　③ 1936年 7 月における第 4 インターナショナルを支持する国際諸組織の会議で採択されたテーゼ。『反対派ブレティン』第 54/55 号から翻訳。戦後訳は，同タイトルで『トロツキー著作集 1935-36』上 (柘植書房、1975 年) に収録

164. **「スターリンの政治行動批判」** ① 1938 年 6 月，原勝訳　②『改造』6 月号，改造社　③スターリンの伝記的事実について詳しく述べた論稿。訳者のリード文のようなものがいっさいない。おそらく戦後訳はなし

165. **「ソ連は敗北する——スタアリンの犯罪の結果として」** ① 1938 年 6 月，訳者不詳　②『時局月報』6 月号，サラリーマン社　③『スターリンの犯罪』の一部としてフランスの雑誌に掲載されたものの翻訳

166. **「世界大戦再来せば」** ① 1938 年 9 月，訳者不詳　②『文明協会ニュース』143 集，文明協会　③『イェール・レビュー』に掲載された論文。戦後訳は，『トロツキー著作集 1937-38』下 (柘植書房、1974 年) (英訳から)、『トロツキー研究』第 61 号 (2012 年) (『反対派ブレティン』掲載のロシア語原文から) に収録

167. **「第二次世界大戦と赤軍」** ① 1938 年 10 月，訳者不詳　②『月刊ロシア』10 月号，日蘇通信社　③同上

168. **「世界大戦再び起こらば」** ① 1938 年 11 月，訳者不詳　②『民族文化』11 月号　③底本は同上と思われるが、未入手・未確認

169. **「独ソ条約に対するトロツキーの批判（1）」** ① 1939 年 10 月，訳者不詳　②『外事警察報』207 号，内務省警保局　③『ニューヨーク・タイムズ』1939 年 9 月 5 日に掲載のものを翻訳。戦後訳は、「独ソ不可侵条約」というタイトルで、『トロツキー著作 1939-40』上 (柘植書房、1971 年) に収録

170. **「独ソ条約に対するトロツキーの批判（2）」** ①②同上　③『ニューヨーク・タイムズ』1939 年 9 月 7 日に掲載のものを翻訳。戦後訳は、「第 2

次世界戦争勃発の責任は誰にあるか」というタイトルで、『トロツキー著作1939-40』上（柘植書房、1971年）に収録

171. **「スターリン論――ヒトラーの新しき友」** ①1940年3月，訳者不詳 ②『改造』3月号，改造社 ③戦後訳は、「ヨシフ・スターリン――性格規定の試み」というタイトルで、『ニーチェからスターリンまで――トロツキー人物論集』（光文社古典新訳文庫，2010年）に収録

172. **「レーニンの死因」** ①1940年10月，訳者不詳 ②『世界週刊』3巻43号，日本青年外交協会 ③『リバティ』1940年8月号に掲載された英語論文の翻訳。戦後訳は、山西英一訳で「スターリンはレーニンを毒殺したか」というタイトルで『中央公論』1981年8月号に収録

173. **「トロツキイ日独共同反ソ戦を予言す」** ①1940年9月，訳者不詳 ②『ソヴェート連邦事情』11巻9号，南満州鉄道調査部 ③フランスがナチスの前に降伏した直後に出した声明文の抄訳。『ニューヨーク・タイムズ』1940年6月19日付の翻訳。戦後訳は、「ヨーロッパの破局とクレムリンの役割」というタイトルで『トロツキー著作集1939-40』上（柘植書房，1971年）に収録

174. **「ソ連邦の国家構造及びその性格」（1）～（7）** ①1940年12月～1941年6月，訳者不詳 ②『東亜解放』1940年12月号～1941年6月号，東亜解放社 ③『スターリンの偽造学派』のほぼ全訳。マックス・シャハトマンの序文も訳出。戦後訳は、『偽造するスターリン学派(トロツキー選集 補巻1)』（現代思潮社、1968年）

175. **「ヨゼフ・スターリン」** ①1941年3月，池上博訳 ②『新興亜』3月号，新興亜社 ③池上博は大阪毎日新聞の記者。底本は「171」に同じ

※**補遺**（脱稿後に以下の文献を発見）

「露西亜共産党（過激派）第八回大会決議事項　軍事問題」 ①1920年12月，内務省警保局訳 ②『露西亞「ソウェート」共和國の憲法及政綱』（『思想及社會問題調査資料』第10集），内務省警保局 ③トロツキーが起草した軍隊建設に関するテーゼ（1919年3月に開催された第8回ロシア共産党大会で採択）の全訳。戦後訳は、「軍隊建設におけるわれわれの政策」というタイトルで、『革命はいかに武装されたか』第1巻（現代思潮社，1970年）に収録

トロッキー『日常生活の諸問題』
日本語版の序文

【解題】
　本稿は、ハーバード大学ホートン図書館のトロッキー文庫に所蔵されている、トロッキーの「『日常生活の諸問題』日本語版序文」原稿断片の全訳である。執筆されたのは1925年8月で、ユーリー・フェリシチンスキー編集の4巻本の『ソ連における共産主義的反対派』の第1巻に収録された。本書の第1章で紹介したように、トロッキーの『日常生活の諸問題』は1925年に西村二郎訳（事業之日本社）と武藤直治訳（聚芳閣）の2種類の翻訳が出されており、どちらかの序文として書かれたが、結局、完成しなかったと思われる。トロッキーが書いた膨大な論文・著作のうち、日本語版序文として書かれたものは、私が知るかぎりではこれが唯一である。
　この短い断片の中で、トロッキーが何よりも「人間的個性の覚醒」を重視していたことがわかる。資本主義はこの「個性の覚醒」への志向を広範に生み出すが、それを可能とする日常生活の変革を実現することはできない。ここで原稿は終わっているが、それを可能にするものこそ社会主義であるというのが続けてトロッキーが書こうとしたことだろう。そして、日本の民衆に何より不足しているのが、まさにこの「人間的個性の覚醒」であり、その実現のためには、日本を永続革命的な軌跡に沿って変革していくことが必要だとトロッキーは論じようとしたのではないか。実を言うと、この「人間的個性の覚醒」論ないし「個性の開花」論は、文化・文学論を熱心に論じた若い頃から、スターリニズムとファシズムに対して死闘を演じた晩年に至るまで、一貫して変わらぬトロッキーの思想的基軸の一つであり、トロッキーの思想を貫く一本の赤い糸だった。トロッキストを含めほとんどの人はこのことを理解していない（ただしグラムシは多少は理解していた）。ここで訳した断片は短いながらも、いや短いからこそ、トロッキーのこうした観点が先鋭に表れていると言えるだろう。

私の著書『日常生活の諸問題』が日本語で出版されるという知らせを受け、非常に嬉しく思う。もちろん、本書は全面的に日本の読者に向いているわけではない。社会的諸条件の差は非常に大きなものだ。私が日常生活に関する本書を書いたのは、われわれの革命社会の諸事実と必要性から直接生じる圧力に押されてのことであり、大きな諸問題だけでなく、日々の日常生活の小さな諸問題にも目を向けている。このパンフレットに書かれていることの多くは、おそらく日本の読者には十分興味深いものではないだろうし、わかりにくい点もあることだろう。しかし、このパンフレットに書かれている日常生活の諸問題に対する全般的なアプローチは、日本の生活条件にも適用できるものであることを期待したい。

　かつての封建社会では、日常生活の諸問題は問題として存在していなかった。封建制の社会的・日常生活的諸条件は何世紀にもわたって形成されてきたものだ。日本では、この歴史時代は、約1000年にもわたる封建的・軍事的帝国である「将軍支配」の時代と重なる。もちろん、この間、日本社会の構造にも、個人と家族の諸関係にも幾多の変化が生じている。しかし、このような変化は個々の世代に気づかれることなく、非常にゆっくりと起こる。そして、生活の諸形態は、ミツバチの巣の構造が世代から世代へと受け継がれていくのと同じように、有無を言わせぬ形で継承されていった。このような状況のもとでは、人格としての個人はまだ存在しない。それは完全に伝統、過去との連続性、カーストの規律に縛られている。このような社会環境は、深く保守的であるため、あらゆる外部からの影響に対して敵対的である。強固で緊密で保守的であった日本は19世紀後半まで、アメリカやヨーロッパの諸思想と諸関係の侵入に頑強に抵抗した。

　1868年は「大転換」の年とみなされている。この政治的危機は、欧米社会における政治的な転換期と軌を一にしていた。アメリカ合衆国では、奴隷制の廃止をめぐって南北戦争が起こっている（1861～1865年）。ロシアでは1861年に農奴制が廃止された。イタリアはその国家統一のために剣を振り上げていた。こうして、日本の「大転換」は、日本を新しいブルジョア的な諸関係と諸思想の世界へと導いた。日本の社会生活は、古い封建的な諸関係と新しいブルジョア的な諸関係との間の妥協の道に沿って発展した。この妥協は、経済関係、国家体制、私的な日常生活のそれぞれに見出すことができる。資本主義的諸関係の発展は、古い封建的な階層的結びつきを断ち切り、人間的個性を目覚めさせる。この覚醒は、異なった階級においては異なった形態

を取る。しかし、ブルジョア社会のさまざまな諸階級にある程度共通しているのは、諸個人が伝統の覆いを払いのけ、自分自身のために、独立した目的と課題とを設定する傾向があることだ。資本主義社会にもとづいて、日常生活の諸関係に対する批判と、新しいより合理的な原理の上に日常生活の諸関係を再構築しようとする志向とが発展していく。しかし、資本主義は、こうした志向を生み出しつつも、それを実現する可能性を奪っている。(以下中断)

1925 年 8 月 13 日

◎著者紹介

森田成也（もりたせいや）
大学非常勤講師
・主な著作
『資本主義と性差別』（青木書店 1997 年）、『資本と剰余価値の理論』（作品社 2008 年）、『価値と剰余価値の理論』（作品社 2009 年）、『家事労働とマルクス剰余価値論』（桜井書店 2014 年）、『ラディカルに学ぶ「資本論」』（柏植書房新社 2016 年）、『マルクス剰余価値論形成史』（社会評論社 2018 年）、『ヘゲモニーと永続革命』（社会評論社、2019 年）、『「資本論」とロシア革命』（柏植書房新社、2019 年）、『新編マルクス経済学再入門』上下（社会評論社、2019 年）、『トロッキーと永続革命の政治学』（柏植書房新社、2020 年）、『マルクス主義、フェミニズム、セックスワーク論』（慶応大学出版、2021 年）、『「共産党宣言」からパンデミックへ』（柏植書房新社、2021 年）他

・主な翻訳書
デヴィッド・ハーヴェイ『新自由主義』『＜資本論＞入門』『資本の＜謎＞』『反乱する都市』『コスモポリタニズム』『＜資本論＞第二巻・第三巻入門』（いずれも作品社、共訳）、トロッキー『わが生涯』上（岩波文庫）『レーニン』『永続革命論』『ニーチェからスターリンへ』『ロシア革命とは何か』、マルクス『賃労働と資本／賃金・価格・利潤』『「資本論」第一部草稿——直接的生産過程の諸結果』、マルクス＆エンゲルス『共産党宣言』（いずれも光文社古典新訳文庫）、シーラ・ジェフリーズ『美とミソジニー』（慶応大学出版）他多数。

トロッキーと戦前の日本
ミカドの国の預言者
2022 年 9 月 1 日　初版第 1 刷発行

著　者――――森田成也
発行人――――松田健二
発行所――――株式会社 社会評論社
　　　　　　　東京都文京区本郷 2-3-10
　　　　　　　電話：03-3814-3861　Fax：03-3818-2808
　　　　　　　http://www.shahyo.com
装幀・組版――Luna エディット .LLC
印刷・製本――株式会社 ミツワ